Copyright © 2020 Ler Editorial

Texto de acordo com as normas do novo acordo ortográfico da língua portuguesa (Decreto Legislativo Nº 54 de 1995).

Todos os direitos reservados. Proibida a reprodução total ou parcial, de qualquer forma ou por qualquer meio, mecânico ou eletrônico, incluindo fotocópia e gravação, sem a expressa permissão da editora.

Editora – Catia Mourão
Designer de capa – Décio Gomes
Diagramação – Catia Mourão
Revisão – Petruska Perrut, Book Station e Halice FRS

CIP-BRASIL. CATALOGAÇÃO NA PUBLICAÇÃO
SINDICATO NACIONAL DOS EDITORES DE LIVROS, RJ

V748d

   Vilard, Thiago
    Do outro lado da fronteira / Thiago Vilard. - 1. ed. - Rio de Janeiro : Ler, 2020.
    296 p. ; 23 cm.
    ISBN 978-65-5055-027-1

1. Ficção brasileira. I. Título.

20-66419   CDD: 869.3
                  CDU: 82-3(81)

Camila Donis Hartmann - Bibliotecária - CRB-7/6472
09/09/2020   09/09/2020

Foi feito o depósito legal.
Direitos de edição:

THIAGO VILARD

1ª EDIÇÃO
Rio de Janeiro — Brasil

"Aquele que luta com monstros deve se acautelar para não se tornar também um monstro. Quando se olha muito tempo para um abismo, o abismo olha para você."

Friedrich Nietzsche

Sumário

07	DEDICATÓRIA
09	PREFÁCIO
12	PROLÓGO
14	CAPÍTULO 1
25	CAPÍTULO 2
36	CAPÍTULO 3
47	CAPÍTULO 4
56	CAPÍTULO 5
76	CAPÍTULO 6
89	CAPÍTULO 7
103	CAPÍTULO 8
118	CAPÍTULO 9
131	CAPÍTULO 10
140	CAPÍTULO 11
149	CAPÍTULO 12
154	CAPÍTULO 13
164	CAPÍTULO 14
178	CAPÍTULO 15
187	CAPÍTULO 16
199	CAPÍTULO 17
220	CAPÍTULO 18
243	CAPÍTULO 19
257	CAPÍTULO 20
276	CAPÍTULO 21
293	EPÍLOGO
295	AGRADECIMENTO

À minha querida e inesquecível Zefinha, que antes de partir me ensinou que a vida espera por nós, para o que der e vier.

Ao meu doce anjo de quatro patas, Samantha, que se foi tão cedo e me deixou em eterna saudade.

PREFÁCIO

Quando Janete Clair nos deixou em 1983, Daniel Filho contou, sem querer, o seu segredo em uma entrevista, porque ela era uma autora diferenciada, até hoje a maior da história da televisão brasileira, e a que mais compreendeu e amou o seu público. Ele relembrou um momento divertido, em que ela foi ao estúdio durante o final das gravações de "O Astro", novela de imenso sucesso, e alguém se dirigiu a ela e lhe fez a pergunta que o Brasil todo repetia naquele momento: *"Quem matou Salomão Hayala?".* Janete sorriu e fechou os punhos, como se fosse apenas uma espectadora, e sua própria tiete: "Tomara que seja o Samir! Tomara que seja o Samir!".

A reação de Janete comprova a teoria de que toda boa história provoca encantamento em seu próprio criador, mas acho que somente o melodrama permite tamanha paixão e até torcida, pois se trata de um gênero que não permite meias emoções em nenhuma de suas pontas, seja a de quem cria, seja de quem consome. Quando o gênero é explorado em sua forma plena, como no romance que você tem agora em mãos, não há como escapar de seu fascínio. A trama te arrasta de forma inevitável, com a mesma inexorabilidade do destino de seus personagens.

Você pode até questionar decisões de alguns personagens, duvidar de algumas atitudes dos mentores, não acreditar na ingenuidade da mocinha, se enraivecer com a impiedade de um vilão, contudo nunca passará em branco por nenhum deles ou sairá incólume da experiência. Thiago Vilard, neste sentido, é meticuloso e trabalha de forma consciente, constrói detalhadamente cada momento, usa habilmente todas as descrições necessárias, mantém o seu leitor sempre muito bem informado e sempre à frente dos personagens. Não há mistérios aqui. Conhecemos todos os passos, todos os caminhos, tudo o que os personagens pensam, o que fazem ou irão fazer. A trama engancha o leitor não pelo truque barato da reviravolta sem sentido, nem pela informação tirada do bolso do colete, mas pela dinâmica simples da empatia que ela gera no leitor por cada um de seus personagens. Você sempre saberá mais do que qualquer um, no entanto o destino sempre dará as cartas. Somos cúmplices e vítimas, deuses e escravos, tudo ao mesmo tempo.

Escritor de coragem, aqui você não encontrará nenhum exercício de beletrismo nem recriação de linguagem, ou uma trama desestruturada ao limite para esconder deficiências, ou a velha apelação para fundo histórico a justificar tudo — uma verdadeira praga da Literatura Brasileira atual. Nada disso. A ousadia de Thiago Vilard está em arriscar-se a apenas contar uma boa história em um tempo e mundo próprios. A ambientação pode até ter data e local definidos — afinal, um Ford Galaxie e seu motorista nunca cruzariam um portão impunemente, apenas a sugestão desta imagem já nos remete a uma época e a um estilo. Mas a verdade por trás de tudo é atemporal e clássica. A opção pela linearidade clara, pela narrativa limpa, abriu espaço para uma ousadia que não está na forma, e sim no conteúdo. Bom lembrar que nunca é fácil optar pelo simples e nunca é simples fazer o fácil.

Em *"Melodrama, o Gênero e sua Permanência"*, a teórica Ivete Huppes afirma que o gênero sobrevive bem à modernidade, pois *"revela-se poroso para absorção de mudanças, abrevia referências complexas e dispensa o saber prévio"* do público. O único ponto do qual discordo é que nenhuma história pode abrir mão deste saber prévio, até porque é impossível. O melodrama lida com nossas referências mais prementes, com nossas emoções mais entocadas, nossos medos mais ancestrais, e quem há de discordar que toda nossa educação emocional é um conhecimento anterior, talvez o mais importante deles?

Somente por conta deste conhecimento é que a crueldade do personagem Homero, um psicopata como poucas vezes vi em um romance nacional, nos assombra. Não é apenas pelos seus atos ou pelo destemor com que escancara seus preconceitos, mas porque faz com que questionemos a ausência de limites do mal, como a ardilosidade que fornece atalhos para o sucesso e a eterna incapacidade do bem em se defender sem se corromper. Sendo este último, talvez, o maior de todos os conflitos humanos.

Vilard consegue habilmente nos colocar no lugar de suas vítimas e fazer com que torçamos por elas da primeira à última página. Quando Homero profana o túmulo de Laura, é como se profanasse tudo o que acreditamos; quando ele puxa uma arma em seu porta-luvas, é como se a puxasse para nós, e quando ele luta com o mocinho em um lamaçal, também saímos sujos de barro.

Por isso, não estranhe se no meio do livro você também fechar os punhos tal qual Janete Clair e soltar sozinho, no meio da leitura, um: *"Esse cara tem que pagar por seus crimes! Tem que pagar!"*.

Pode ter certeza que o próprio Thiago também fez isso. E ele também te entenderia perfeitamente.

Paulo Cursino- roteirista e cineasta
Rio de Janeiro
01 de março de 2017

PRÓLOGO

Quando o carro importado parou na frente do luxuoso hotel em Copacabana, os repórteres já se aglomeravam na calçada.

Era aniversário de Matheus Leubart: uma das personalidades mais influentes e respeitadas do país. Um homem popular, querido, reconhecido por seu carisma e simpatia. Matheus tinha os traços fortes e másculos, era alto, esguio, com os cabelos impecavelmente cortados. Os olhos castanhos claros, profundos e instigantes, que se assemelhavam aos dos *cowboys* americanos do cinema dos anos setenta.

Matheus saiu do automóvel e os *flashes* espocaram sobre ele. Inúmeros populares se enfileiravam atrás de um cordão de isolamento instalado pelos organizadores do evento. Ele se encaminhou para o interior do hotel, seguido por seguranças, assessores de imprensa e amigos íntimos. O mezanino abrigava fotógrafos especializados em revistas de celebridades.

— Eles não perdem uma! — comentou baixinho com um secretário mais próximo.

Matheus continuou a caminhar firme e entrou no elevador. Subiu ao terraço panorâmico, no vigésimo terceiro andar. A sofisticação estava presente em cada detalhe.

Uma lindíssima e elegante mulher apareceu de repente, como uma pintura que acabasse de ganhar vida. Tinha o cabelo liso, comprido e negro como nanquim; o rosto era perfeito, em traços precisos, como riscados a giz. Os olhos amendoados e o corpo sinuoso a deixavam ainda mais atraente no longo vestido lilás de cetim. Era Mariana. Ele sorriu. O seu sorriso era todo para ela. Fitaram-se apaixonados, como se apenas os dois estivessem no salão naquele instante.

— É o homem da minha vida! — disse Mariana assim que pôs os olhos nele.

— É ela... — suspirou Matheus.

Encantaram-se como à primeira vista. Ele levou a mão ao bolso interno do paletó e iniciou passos lentos em direção à amada...

Do lado de cá

Capítulo 1

PETRÓPOLIS — MAIO, 1978

— Já sabe que nome vai dar a esse menino?
— Diogo — respondeu Amara prontamente, sorrindo e deslizando com carinho a mão pela barriga, ao nono mês de gestação.
— Diogo — repetiu Laura, pensativa. — É um lindo nome... é forte, sonoro.
— Li em uma revista que significa "o conselheiro". Uma pessoa com espírito de liderança. Por isso quero que meu filho tenha esse nome. Quero que seja um líder.

Laura pôs a sua mão sobre a de Amara.

— Tenho certeza de que será. — E lamentou em seguida: — O meu maior desejo sempre foi ser mãe, mas nunca consegui engravidar. Fiz tratamento e nunca adiantou de nada. Quando o Alberto morreu, cheguei a pensar que eu estivesse grávida, entretanto foi outro engano — revelou, amargurada. — Você tem sorte, minha querida.

— Sinto tanto, dona Laura... Ainda não consigo acreditar nessa tragédia que aconteceu com o doutor Alberto. Um homem tão bom!

Laura se forçou a sorrir com resignação.

— Pois é. Deus quis assim. Ainda estou me acostumando sem ele, está muito recente, dói muito ainda... Se ele tivesse me deixado grávida pelo menos...

Amara era uma das criadas da família Leubart e, quando se descobriu grávida, fazia sete anos que havia conseguido o emprego. O pai da criança, Ivan, já trabalhava na casa havia mais tempo, como jardineiro. Foi nos jardins da mansão dos Leubart que Amara e Ivan se apaixonaram, tão logo trocaram olhares. Não chegaram a se casar, mas não demorou a dividirem o mesmo quarto. Não se desgrudaram mais. Foi paixão fulminante.

Laura era viúva fazia poucos meses. Seu marido, Alberto Leubart, falecera em um acidente aéreo. Ele seguia para uma reunião de negócios com investidores em Angra dos Reis quando o helicóptero sofreu uma pane mecânica. Apesar de todos os esforços do piloto, o helicóptero caiu no mar. O corpo do banqueiro nunca foi encontrado; o do piloto também se perdeu para sempre. Alberto deixou, além de inúmeros bens, uma das maiores redes bancárias de investimentos do país, com algumas sucursais no exterior. Laura se viu empresária do ramo financeiro quase do dia para a noite. Teve de assumir os negócios da família, uma responsabilidade sobre-humana para uma *socialite* acostumada a aparecer somente em festas e eventos ao lado do marido. Não chegaram a ter filhos, e Laura dizia ser este o motivo do vazio que a incomodava.

O casal Leubart possuía muitos imóveis. Um deles era a casa em Petrópolis, a preferida de Alberto. Ele dizia que os ares da serra lhe traziam um conforto quase espiritual. A mansão na Lagoa, na zona sul do Rio de Janeiro, era a residência oficial da família, contudo, Alberto pensava em um dia se mudar de vez para a cidade imperial. A tragédia, no entanto, não lhe permitiu que tivesse tempo de concretizar o seu maior desejo. Laura continuou a cuidar da casa após o falecimento do marido. Amara e Ivan eram os únicos da criadagem a viajar com a patroa. Tornaram-se os mais chegados à família, devido à empatia que o amor dos dois provocava no casal Leubart. Foi em Petrópolis que Amara sentiu as primeiras contrações. Diogo ansiava por nascer.

— Ai, Dona Laura! Não vai dar tempo de chegar ao Rio...

— Calma, Amara — tranquilizava-a a patroa, sorrindo. — Já tratei de tudo no hospital aqui da cidade. Você vai se internar hoje, vai dar à luz. Ficamos mais alguns dias em Petrópolis, até você se recuperar, depois voltamos para o Rio.

— Eu não tenho como agradecer tudo que a senhora faz por mim e pelo Ivan. — Os olhos de Amara brilhavam, efusivos. — Quero que a senhora seja a madrinha do meu Diogo. Se a senhora quiser, claro...

— Quero. Quero muito.

Amara mordeu os lábios e se contorceu um pouco na cama:

— Ai!... Acho que está na hora...

— Vamos para o hospital. Já mandei o Silas preparar o carro.

Amara foi levada para o hospital já em trabalho de parto. Foi internada às pressas. Decorreu brevíssimo tempo até que Diogo nascesse, pesando pouco mais de dois quilos. O choro da criança ressoou na sala de cirurgia. Ivan pôde ouvir com nitidez seu filho gritar. Sentiu o seu coração acelerar naquele instante.

O médico mostrou Diogo a Amara. No que olhou para o menino, a mãe não conteve as lágrimas, que lhe desciam pelas maçãs do rosto indo desaguar em um vasto sorriso de alegria e contentamento. O filho tão esperado acabara de vir ao mundo.

Laura providenciou para que Amara e o recém-nascido tivessem todo o conforto possível. Um quarto foi especialmente montado para a mãe e o bebê. Era uma decoração simples, uma vez que Amara e a criança teriam acomodações definitivas na mansão oficial da família Leubart, na Lagoa. Amara agradecia, embora dissesse à patroa que não havia necessidade de muitas coisas, pois o quarto que Ivan e ela ocupavam já era suficiente. Laura insistia, alegando que no futuro Diogo precisaria de um quarto só para ele.

Amara ficou em Petrópolis por dez dias. Tanto a sua saúde quanto a do seu filho eram ótimas, então todos concordaram que já era hora de retornar ao Rio de Janeiro. Malas no carro: era o dia da viagem.

Quando estavam prestes a sair, Laura decidiu que Amara, Ivan e Diogo iriam no carro com o motorista, Silas. Assim, seria mais confortável para o casal e para a criança. Todos chegariam ao Rio em segurança e bem acomodados. Laura seguiria logo atrás, guiando o seu carro particular, sozinha. Foi assim que os dois carros saíram, um após o outro, rumo à estrada.

Amara levava Diogo no colo. Ivan ia ao lado deles. Os três no banco de trás. Silas dirigia. Ninguém reparou quando o céu se fechou com nuvens negras e se armou uma tempestade. A água da chuva batia contra o para-brisa com violência.

Quando notou o vidro dianteiro praticamente tomado pelo aguaceiro, Amara começou a se preocupar; mal dava para enxergar a estrada.

— Não é melhor a gente parar, Silas, e esperar o tempo melhorar?

— É, parece que São Pedro resolveu ficar de mau humor — brincou Ivan, tentando aliviar a tensão que já se instalava no veículo.

— Mais lá na frente tem um posto — respondeu Silas. — Vou entrar nele, e a gente espera um pouco.

Silas conhecia muito bem o caminho, porém, neste dia, por ocasião da tempestade, não notou que o posto a que se referia havia ficado dois quilômetros atrás. Ele ligou a seta, indicando a manobra que pretendia fazer. Laura conseguiu visualizar do seu carro, contudo não entendeu.

Ivan puxou uma aliança do bolso da calça.

— Que isso, Ivan? — indagou Amara.

— Uma aliança, não tá vendo? Aliás, são duas. — Ele tirou a outra do bolso. — A gente não casou na igreja, como manda o figurino, mas agora, com esse menino aí, nós somos uma família de verdade. Quero que a gente passe a usar aliança, pra oficializar a coisa, entende?

Mesmo nervosa com a tempestade, Amara conseguiu dar um sorriso.

— Ah, Ivan! Só você pra me aprontar uma dessas...

— É sério — ele retrucou, em tom solene.

— Tá bom! — concordou Amara. — Espera a gente chegar ao Rio que eu coloco. Agora tá meio complicado. — Ela olhou para Diogo, depois para o marido. — Pode deixar que assim que a gente chegar eu coloco, prometo.

Silas suava frio, as mãos trêmulas ao volante. A chuva não dava trégua.

No banco de trás, Ivan fazia um muxoxo para Amara.

— Não! Tem que ser agora!

— Ivan!

— É sim. Tô vendo o seu dedo. Deixa que eu coloco. O moleque não vai nem sentir, você não precisa se mexer...

Ivan se ajeitou para colocar a aliança no dedo de Amara. Naquele momento, Silas enxergou uma luz tênue em algum ponto da estrada e resolveu manobrar. As alianças escaparam da mão de Ivan. Neste momento, Laura, em estado de choque, viu o carro onde os empregados viajavam deslizar da estrada para um barranco na lateral da pista. Ela freou na hora, derrapando bruscamente e indo parar metros adiante. O outro carro capotava várias vezes, estraçalhando-se na encosta. A capotagem se sucedia de forma tão impetuosa, que Diogo foi arremessado para fora do veículo. Amara, Ivan e Silas permaneceram dentro do automóvel. Saindo do carro, Laura voltou correndo e assistiu tudo de longe, com as mãos na cabeça, desesperada. Do alto da ribanceira, a cena parecia inacreditável.

"Não! Isso, não! Não!" Repetia em pensamento, pois o seu pavor era tão grande que lhe faltava voz para gritar. A tragédia estava consumada. Não havia o que pudesse ser feito.

Bombeiros e paramédicos chegaram ao local do acidente, minutos depois de Laura ter pedido socorro a um caminhoneiro. A tempestade havia cessado, e somente uma chuva fina e espaçada caía naquele momento, o que facilitava o trabalho do resgate. O carro foi içado da ribanceira depois que os bombeiros abriram as ferragens com a ajuda de uma serra elétrica para retirar os três corpos, que foram imediatamente colocados no carro do Instituto Médico Legal. A princípio, não se podia identificar nenhum dos cadáveres. Os rostos estavam terrivelmente dilacerados. Era possível apenas distinguir, pelo formato dos quadris, que se tratava de dois homens e uma mulher.

Laura viu um dos bombeiros trazendo algo nos braços, envolto na manta improvisada por ele. Diogo, foi o que ela raciocinou quase num lampejo. Correu na direção do militar e confrontou-o, sem conseguir segurar o choro.

— Meu Deus... o menino... também... — Laura soluçava.

O bombeiro, muito emocionado, inclinou-se, para que ela pudesse olhar.

— Não, senhora... Ele tá vivo... Vivo!

— Quê? — balbuciou Laura, incrédula.

— A criança sobreviveu! Milagre, senhora! Milagre! — dizia o militar, arrebatado pela emoção. — Deus guardou... A gente precisa levar para o hospital o mais depressa possível. É um recém-nascido, foi muita sorte...

O bombeiro tentou passar por Laura, que o impediu, puxando-o pelo ombro. Estavam afastados dos demais homens.

— Dona, não há tempo a perder!

— Me dê essa criança... — retrucou Laura. — Eu a levo para o hospital.

— Mas, quem a senhora...

— Eram meus empregados! — Ela alteou a voz, nervosa, porém com autoridade. — Eu vou cuidar dessa criança. Vou levá-lo para o hospital e depois para a minha casa... Vou cuidar como se fosse meu filho, e ninguém precisa saber disso...

O bombeiro sacudiu a cabeça:

— Não, isso não tá certo. Eu não posso...

— Claro que pode! — afirmou Laura, tranquilamente. — Pense no bem-estar dessa criança... Pense no trauma que ela há de carregar se não vier comigo... Os pais morreram. Que eu saiba eles não tinham família por aqui, sabe lá Deus onde esse menino pode ir parar. Num abrigo de órfãos, talvez. Não é justo. Eu tenho condições de criá-lo.

— Mas há trâmites legais pra isso — ressaltou o militar. — A senhora pode conseguir a guarda e a adoção na justiça. Eu não posso negligenciar o resgate de um recém-nascido!

— Você está me criando problemas. Pior, está tirando a oportunidade desse menino realmente não sofrer os efeitos dessa tragédia horrenda! — Laura o encarou por mais alguns instantes, então perguntou: — Você tem filhos?

— Tenho. Uma menina de três anos.

— Deus-o-livre-e-guarde! Se tivessem sido você e sua esposa mortos naquelas ferragens e a sua filha viva aqui... seria melhor que ela passasse por um orfanato ou abrigo? Seria sensato deixá-la à mercê das mãos frias de um juiz?

— Aqui eu sou um servidor do Estado. Tenho o dever de seguir as normas...

— E o seu coração fica em casa quando você sai para trabalhar?

O militar engoliu em seco, baixou os olhos e fez silêncio. Pensou na filha, ainda muito pequena e frágil. Não tinha certeza de que estava agindo certo, no entanto seguiu o instinto do coração quando passou Diogo para os braços de Laura.

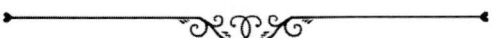

Depois de todos os procedimentos legais, como o reconhecimento no IML, os corpos de Amara e Ivan seguiram juntos para o cemitério, na zona sul do Rio. Laura não poupou gastos com o cerimonial fúnebre. Amara era natural da Paraíba, e no dia do seu sepultamento quase todos os seus familiares compareceram. As passagens e os custos com transporte e hospedagem correram por conta de Laura. Da parte de Ivan, apenas um irmão, a mãe e o pai estavam presentes. Os três moravam a algumas horas da capital e foram os primeiros a chegar. Enquanto isso, Silas era enterrado em outro cemitério da cidade, também cercado por toda a sua parentela.

Laura não conseguia chorar. Seu rosto parecia muito cansado e apático. Ainda era inacreditável que aquilo estivesse acontecendo. Olhava para Amara e Ivan, ali sem vida, em seus caixões, um ao lado do outro, e a cena era quase como um espectro. Por um momento, pensou que fosse desmaiar, sensação que logo se dissipou, assim que a mãe de Amara foi lhe dar um abraço afetuoso.

— Dona Laura, eu não tenho como agradecer tudo o que a senhora fez pela minha filha.

— Imagina... — suspirou Laura.

— E o menino?

Laura despertou:

— Como?

— Meu neto, Diogo. Amara estava grávida. Da última vez que ela falou comigo, disse que dali a alguns dias ia dar à luz. Que foi feito do meu neto?

Laura se mostrou espantada:

— Amara não lhe contou?

— Contou o quê?

— Ela sofreu um aborto espontâneo já fazia um tempo.

— Mas... como... — Naquele instante, era a mãe de Amara quem se mostrava em total perplexidade.

— Eu pedi a ela que contasse à senhora e ao seu marido. Ela disse que iria esperar o melhor momento, que não queria dar essa tristeza a vocês. — Laura sacudiu a cabeça levemente, em desaprovação. — Não acredito que ela mentiu esse tempo todo para a senhora...

— Por que Amara mentiria sobre uma coisa dessas?

— Ela pensava que logo engravidaria novamente. Achou que não houvesse necessidade de dizer que tinha perdido a criança. Eu insisti que ela contasse a verdade...

— Não faz sentido...

— Pois é. Mas foi exatamente isso o que aconteceu. É bem provável que o Ivan também tenha mentido para a família dele. Ela dizia que não desejava que ninguém soubesse até que engravidasse outra vez.

A mãe de Amara fitou Laura nos olhos, entretanto não era possível saber exatamente o que se passava por sua cabeça naquele instante.

Laura, por sua vez, desviou o olhar e secou, de forma delicada, uma lágrima que ia descendo pelo seu rosto apático.

A enfermeira era enorme. Devia pesar mais de cem quilos. Tinha um rosto amável e, apesar do seu tamanho, a sua presença era quase invisível no corredor. Os passos eram suaves como os de uma bailarina prestes a pisar no tablado para uma apresentação muito ensaiada. Cruzou uma porta, adentrando uma grande sala com várias incubadoras onde havia recém-nascidos em condições que inspiravam cuidados. Tratava-se da UTI Neonatal de um hospital conceituado na zona sul do Rio de Janeiro, a poucos quilômetros da mansão dos Leubart.

A enfermeira examinava a criança em uma das incubadoras. Era um menino. Parecia forte. Logo sairia dali.

"Questão de mais alguns dias e ela vem buscá-lo para um mundo de sonhos, apesar da tragédia. Seria bom se com todos os órfãos fosse assim", pensava a enfermeira.

Um médico se aproximou dela.

— Sabe o que pode nos acontecer se a polícia descobre essa situação, não sabe?

A enfermeira fez que não ouviu.

Ele continuou:

— Nós estamos ferrados! Os dois! Não quero ter o meu registro cassado, nem visitas aos domingos na prisão.

— Eu confio nela — retrucou a enfermeira mais que depressa. — Ela não faria nada pra prejudicar a gente. Ela tem caráter.

O médico suava, e as suas palavras saíam cansadas:

— Acontece que o doutor Alberto era marido dela. Marido, entende? E essa criança é o quê? Nada. Ela roubou...

— A criança é órfã! Os pais morreram naquele acidente horrível. A dona Laura quer cuidar dela.

— Por que não a entregou aos parentes legítimos?

A enfermeira se mostrou irritada:

— Não cabe a mim julgar. Nem ao senhor. Ela não vai fazer mal nenhum a esse menino. Ponho a minha mão no fogo, por isso estou ajudando.

— Acontece que como médico e diretor desse hospital eu tenho um compromisso com a ética e com a verdade.

— Pois então, doutor, saia por aquela porta agora mesmo e denuncie a dona Laura. Mas não se esqueça de me denunciar também, como cúmplice, porque a minha consciência me diz que estou fazendo o certo. E não vou voltar atrás — disse a enfermeira, firmemente. — Pode ir. Quando o senhor voltar com a polícia, eu ainda estarei por aqui. Não vou fugir, nem esconder o menino.

Naquele momento, o diretor do hospital descobriu que não teria coragem de denunciar Laura e muito menos a enfermeira.

Tão logo foram sepultados os corpos de Amara e Ivan, Laura tratou de se despedir dos parentes do casal e deixar o cemitério. Havia muita coisa ainda para ser feita, só que ninguém poderia suspeitar. Para todos os efeitos, a trágica história do casal de empregados terminava ali. Nada mais poderia ser feito, restavam apenas lembranças, e algumas roupas e objetos que seriam entregues às famílias. Havia sim, Laura sabia, algo muito mais valioso do que isso: Diogo. Era o seu segredo.

Ela entrou no carro e ficou ainda um tempo olhando à distância as famílias de Amara e Ivan saírem pelo portão do cemitério, todos comovidos e muito abalados. Para Laura, parecia a última cena de um filme de terror: os sobreviventes de uma casa mal-assombrada finalmente deixavam o local, apesar de todo o sofrimento pelo qual passaram lá dentro.

A mãe de Amara recebeu um abraço de um parente que estava próximo, depois olhou para o outro lado da rua, onde estava parado o carro de Laura. Hesitou, como quem pretendesse atravessar naquela direção. Então Laura pôs seus óculos escuros, deu a partida e saiu lentamente para o trânsito.

A mulher ficou observando de longe, até o automóvel se perder de vista entre os demais.

Em alguns momentos, Laura se sentia uma criminosa em fuga. Por que não entregar Diogo à sua verdadeira família? Sim, ela poderia ajudá-lo dando toda a assistência à família dele. Poderia custear seus estudos até a universidade. Mais do que isso: poderia empregá-lo, quando completasse a maioridade, em uma das agências do Banco Leubart. Quiçá transformá-lo em um dos acionistas-administradores. Eram tantas as possibilidades e vinham de modo tão vertiginoso à sua mente, que Laura parou o carro num meio-fio em plena avenida. Tirou os óculos escuros, curvou a cabeça sobre o volante e fechou os olhos, tentando concatenar as ideias.

"O que estou fazendo, meu Deus?" Indagava a si mesma, entre raciocínios contraditórios. Numa hora queria voltar e contar toda a verdade à família de Amara e Ivan. Ainda daria tempo. Noutra, algo dentro dela dizia para prosseguir, pois não havia como voltar atrás, era tarde demais para isso.

"Todavia, nunca é tarde demais para se reparar um erro". Lutava contra as suas próprias razões. Por outro lado, talvez fosse tarde demais para retroceder tudo o que havia começado. Não porque a família do casal abominaria o seu comportamento ou, talvez, até a processasse; mas porque algo inexplicável ardia dentro dela. Queria que Diogo fosse seu filho.

Ela ouviu um estalo. Pensou que fosse a sua consciência confirmando que ela deveria continuar com os seus planos. Ergueu a cabeça. O estalo se repetiu. Só então notou que havia um policial batendo na janela do seu carro. Laura sentiu o sangue se esvair do seu rosto.

"Será que já descobriram tudo?", imaginou, tentando controlar o pânico crescente, enquanto baixava o vidro.

O policial se agachou um pouco para fitá-la:

— Boa tarde, senhora.

— Boa tarde — ela respondeu, num suspiro.

— A senhora está bem?

Laura demorou alguns segundos para voltar à realidade.

— Sim, estou. Por que, oficial? Algum problema?

O homem deu um sorriso gentil:

— Por enquanto, não. Mas se a senhora continuar parada aqui, vai acabar atrapalhando o fluxo da via. É proibido parar nessa faixa. Mais ali à frente tem um recuo no acostamento, a senhora pode parar lá.

— Ah, me desculpe! Eu me distraí. Fui pegar meus óculos na bolsa, só que eles caíram, eu estava tentando encontrá-los. Eu procuro quando chegar em casa. Eu...

— Estão no seu colo...

— Hã?

O policial apontou discretamente para dentro do carro:

— Os seus óculos. Estão aí no seu colo.

Laura corou de vergonha, agora parecia uma idiota:

— Ah, veja que distração a minha! Não repare, por favor, é a idade.
— Sem problema, senhora.
— Boa tarde, seu guarda.

Laura fechou o vidro e arrancou. Teve certeza de que precisava retomar o seu autocontrole.

"Já está feito, agora tenho de ir até o fim", foi a primeira conclusão a que chegou. A segunda veio logo em seguida: precisava apagar tudo que dissesse respeito ao passado de Diogo e dos pais falecidos. E começaria a fazê-lo naquele mesmo dia. Mudou a direção do volante. Pegou o caminho para Petrópolis.

Capítulo 2

Quando Laura adentrou com o seu automóvel o vasto terreno gramado da sua casa na serra, já era início de noite. O termômetro que ficava preso a um pilar na imensa varanda de madeira marcava doze graus. A madrugada haveria de ser bem fria. A criadagem estranhou a chegada repentina da patroa. Não era hábito subir a Petrópolis neste horário. Sentiram no ar que algo estava prestes a acontecer, mas não sabiam o que, fato que provocou um mal-estar em todos que trabalhavam na casa.

Laura cumprimentou de relance os que a viram chegar e depois subiu apressada para a sua suíte. Sozinha, à porta trancada, começou uma varredura pelo quarto, buscando documentos pessoais e outros relativos às empresas Leubart, papéis com qualquer tipo de informação relevante. Abriu o cofre que ficava num fundo falso do *closet* e pegou as joias, suas e do seu falecido marido.

Desceu procurando não fazer barulho e foi até o escritório da casa. Lá abriu outro cofre, onde encontrou vários maços de dólares. Pôs tudo numa valise e tornou a subir para a suíte. Separou três malas e nelas pôs as roupas, cuidando para levar apenas o necessário. A viagem seria longa, contudo, poderia acessar a sua conta bancária de qualquer parte do mundo. Lá compraria roupas novas e tudo mais de que precisasse. Também havia uma boa quantia em dólares na valise. Deixou tudo arrumado aos pés da cama.

Verificou a hora no relógio de pulso, já passava de duas da manhã. Não se dera conta do tempo que perdera juntando as suas coisas. Foi tudo muito rápido, mas nem tanto.

Do telefone que ficava sobre a mesa de cabeceira, discou um número. Atendeu um homem com nítida voz de quem acabara de acordar de um pesado sono, como o das múmias milenares do Egito. A sua voz era quase um grunhido abafado.

— Alô... — balbuciou o homem, por cima de um longo bocejo.

— Meireles, sou eu, Laura...

Meireles era o vice-presidente da empresa. Quando Alberto morreu, Laura herdou todas as ações dele e, por maioria acionária, passou a ocupar a presidência, embora Meireles almejasse o cargo. Então, Laura substituiu o marido, que acabara de falecer e Meireles teve de se contentar em permanecer como vice.

— Laura! Que horas são?

— Já passa das duas da manhã. Desculpe te ligar a essa hora, Meireles, mas o assunto é urgente.

Ele perdeu o sono, porém não a piada:

— Onde é o incêndio?

Laura falou devagar:

— Meireles, eu vou sair do Brasil por tempo indeterminado. Preciso que você providencie com o meu advogado, o doutor Igor D'Paula, todos os papéis necessários para que você fique no meu lugar. Amanhã bem cedo vou pedir para ele procurá-lo. Você já o conhece, ele advoga para o banco também.

Nova piada, por cima do mau humor:

— Você vai procurá-lo hoje, você quis dizer, né? Daqui a pouco é dia...

— Eu sei. É que não dava para esperar. Me perdoe.

Meireles tentou manter a calma:

— O que está acontecendo? Por que você vai sair do Brasil assim de repente? Aconteceu alguma coisa? Talvez eu possa ajudar...

— Ninguém pode me ajudar. Um dia te explico. Agora, por favor, não me faça mais perguntas. Mais tarde o doutor Igor vai procurá-lo. Receba-o e facilite as coisas, para que eu viaje tranquila.

— *Ok, ok...*

Laura desligou.

O doutor Igor D'Paula Franco era um homem na faixa dos quarenta e poucos anos. Os cabelos grisalhos davam a impressão de um advogado experiente, o que de fato ele era. Seus olhos verdes eram tão espertos e atentos quanto o seu raciocínio e poder de persuasão. Os ternos Armani, sempre muito bem alinhados, eram um detalhe que acrescentava elegância à toda a fama que possuía no meio jurídico. O número de causas que perdeu jamais chegou perto da quantidade admirável de processos ganhos com facilidade nas mais diversas comarcas. Um advogado popular, admirado, e certamente invejado, por muitos colegas de profissão. Todos queriam ser como ele. Ou, pelo menos, ter a sua perspicácia.

O helicóptero que trazia Igor pousou no vasto terreno verde da casa de Petrópolis. Os Leubart faziam parte da sua clientela havia muitos anos. Laços de amizade foram criados, e era frequente a troca de presentes caros, fora as estadias de que o advogado desfrutava nas propriedades do antigo casal, como o apartamento em Nova Iorque e o chalé nos Alpes Franceses.

Laura havia passado a noite acordada e sentada na poltrona do quarto. Assim que a luz do sol penetrou as cortinas de seda, ela se levantou num pulo e desceu. Esperava pelo advogado com ansiedade no escritório. As suas olheiras eram nítidas. Não havia sequer cochilado. Seu aspecto era ainda pior do que no dia anterior, no enterro dos empregados.

Igor foi conduzido ao escritório por uma criada. Finalmente, Laura e ele ficaram a sós. Ainda não tinham começado a conversar quando a mesma criada que o conduzira grudou o ouvido atrás da porta enorme de madeira, que era quase um muro pintado de amarelo claro.

Igor deu um abraço afetuoso em Laura.

— O que houve, minha amiga? Você não me parece nada bem.

Laura segurou firme as mãos dele:

— Eu estou precisando muito da sua ajuda...

Igor tentou acalmá-la:

— Pode contar comigo!

Laura indicou duas grandes poltronas de couro marrom, uma ao lado da outra.

— Por favor, vamos nos sentar. Preciso de tempo para lhe falar tudo.

— Sem problemas — retrucou Igor, de imediato. — Hoje tirei o dia só para esse encontro.

Embora a expressão de Laura denunciasse que a situação era grave, Igor não imaginava ouvir tudo o que ela lhe narrava quase aos trancos. Vez ou outra, Laura se via obrigada a buscar o silêncio repentino como forma de recompor o fôlego. Igor partilhava do silêncio dela, porém na tentativa de deglutir mentalmente os fatos. A história da tragédia que vitimou o casal de empregados e, por consequência, pôs Diogo nos braços de Laura, era incrível demais.

"Não sei se parece um conto macabro ou uma tragédia grega", pensava o advogado.

Já se havia passado mais de meia hora. Igor ficou surpreso ao olhar o relógio. Laura prosseguia com dificuldade. Em dado momento, precisou procurar um lenço de papel na gaveta da mesa de escritório. As lágrimas lhe desciam pelo rosto de modo incontido. Embora soubesse que não era culpada pela tragédia, sentia o peso descomunal de assumir a escolha que fez: Diogo seria seu filho. O filho que não tivera com Alberto. Isso já estava decidido. Porém, como tudo na vida, exigia sacrifício. Um enorme sacrifício.

Quando terminou, sentia-se cansada, como se tivesse corrido quilômetros à luz de um sol escaldante. Vendo-a naquele estado, destruída emocionalmente, Igor não pôde deixar de sentir pena dela, e compreendeu que a participação dele no que acabara ouvir era decisiva.

— Então você quer que eu dê um jeito de registrar a criança no seu nome e no nome do falecido Alberto?

A voz de Laura saía abafada:

— Juro que não é fácil ter de lhe pedir isso, meu amigo... mas não há outro jeito...

— Claro, entendo você. No entanto, isso demanda certo tempo. Eu precisaria localizar alguns conhecidos no cartório de registro civil; e, pelo que me falou, você está pensando em sair do país com o menino o quanto antes.

— Esta semana ainda — assentiu Laura.

— Não daria tempo de expedir a certidão. Como não será feita por vias legais, ela não sairia na hora. Preciso localizar os meus conhecidos, dar um agrado, essas coisas...

A voz dela se tornou fria:

— Eu pago quanto for preciso.

— Vou começar a procurar os meus contatos, levarei alguns dias... — informou Igor. — Assim que a certidão estiver pronta eu a envio até você. Contudo, para onde devo enviar?

— Assim que eu estiver estabelecida em algum endereço na Europa, entro em contato.

— Como vai fazer para sair do país com o menino sem que a polícia desconfie? — suscitou o advogado. — Em geral, há um rigor nos aeroportos para o embarque de crianças. Você ainda não tem documento algum que comprove que tem legitimidade para sair do país com o garoto.

Laura pensou um pouco.

— Se eu conseguisse subornar as pessoas certas, não seria tão difícil...

— Seria arriscado — ele retrucou. — Teria de dar muita sorte de todos aderirem ao seu esquema. Por incrível que pareça, Laura, há pessoas incorruptíveis neste país.

Laura pôs as mãos na cabeça e afundou novamente na poltrona. Estava sem saída.

Até que Igor lhe deu uma sugestão:

— Talvez fosse mais fácil ir de navio...

— Daria no mesmo. Talvez não me deixassem embarcar sem a certidão da criança.

Igor deu um sorriso esperto:

— Clandestinamente, sim. Tenho um velho amigo que está trabalhando no porto de Santos. Ele me ligou ontem para relembrarmos os tempos de moleques, jogarmos um pouco de conversa fora. Disse que está trabalhando muito e daqui a dois dias vai embarcar para Madri, levando um carregamento de exportação.

— Acha que conseguiria me pôr neste navio com o menino? — perguntou Laura, ansiosa.

— Bem, não seria a viagem mais confortável do mundo, mas tenho quase certeza de que consigo, sim.

— Ótimo! — Ela estava eufórica.

— Porém — advertiu Igor —, a viagem é longa. Ficariam quinze dias ou mais embarcados, dependendo das condições do navio e do mar.

— Se é uma condição, eu aceito! — acatou Laura, sem hesitar. — Agora, preciso tomar uma última providência com relação a esta casa e aos empregados. Vou lhe explicar o que quero fazer e depois peço que me acompanhe até a sala...

Elza tinha ouvido falar de mães que perderam seus filhos de forma repentina e trágica. Sempre que assistia nos telejornais a casos assim, ficava comovida. Muitas vezes chorava junto com quem chorava na TV a perda de um ente querido. No que chamamos de ordem natural da vida, são os filhos que perdem os pais, e não o contrário. Elza meditava sobre isso, enquanto aguardava o funcionário do cartório trazer a Certidão de Óbito da sua filha.

"A dor é bem maior do que eu imaginava. Como vou passar o resto da minha vida sem ver a minha filha? Sem poder abraçá-la? Oh, meu Pai! Isso é tão cruel! Uma moça que ainda tinha uma vida toda pela frente. Não é justo, Deus!", protestava Elza em silêncio, certa de que o Criador podia ouvir seus pensamentos naquele terrível instante. "Se ao menos ela tivesse me dado um neto... Por que mentiu pra mim que estava grávida? A minha filha nunca mentiu pra mim antes... nunca mentiu...".

O funcionário do cartório interrompeu as reflexões de Elza e lhe entregou a Certidão de Óbito de Amara. Imediatamente, Elza correu os olhos pelo documento e viu o nome do médico-legista que fizera a autópsia no corpo e avaliara a causa *mortis* de Amara: Dr. Sílvio Lemos.

Elza enfiou a certidão na bolsa e correu para fora do cartório. Fez sinal a um táxi que ia passando bem rente à calçada onde ela estava. Entrou no carro e passou o endereço do IML ao taxista.

O trânsito naquele dia não estava dos melhores, e o táxi levou quarenta minutos para chegar ao destino. Elza pagou o motorista e saltou. Já havia estado no IML para o reconhecimento do corpo de Amara, porém sentiu o mesmo arrepio que a estremecera da primeira vez, ao se deparar com aquele prédio escuro, de aspecto sombrio.

Uma funcionária, que parecia de mau humor, estava por trás de um balcão, logo na entrada. Elza respirou fundo e se dirigiu a ela, com a certidão em punho. Lendo outra vez o nome do médico, Elza disse à recepcionista:

— Por favor, teria como eu falar com o doutor Sílvio Lemos?

— É assunto particular? — questionou a funcionária, meio sem paciência.

— Eu estive aqui fazendo o reconhecimento do corpo da minha filha... — Tentou continuar, sem embargar ainda mais a voz: — Eu queria só tirar uma dúvida com ele, é coisa rápida.

Sem responder, a mulher pegou o telefone e discou um ramal. Falou tão baixo no aparelho que Elza não conseguiu ter certeza de que ela estava tratando do seu caso.

Uns minutos se passaram até que um homem alto, de cabelos grisalhos e olhos pequenos viesse de um dos corredores. Identificou-se como doutor Sílvio Lemos. Elza respirou fundo, aliviada. Por um momento nem parecia que estava no IML. Era como se aquele homem de jaleco branco pudesse lhe trazer alguma boa notícia.

O médico indicou uma sala de espera que ficava na lateral da recepção, e Elza o acompanhou. Ele parecia muito gentil. Para alguém que estava tão acostumado com a morte, possuía um calor humano que causava estranheza em Elza. Mas justamente isso a fez se lembrar dele. No dia em que fora fazer o reconhecimento estava tão nervosa que a única coisa de que se recordava era o corpo da filha, quase dilacerado, sobre uma mesa metálica e, tempos depois, as palavras de carinho e apoio do médico. Ele ainda se lembrava dela. Elza percebeu isso quando ele lhe perguntou, citando o seu nome:

— Em que posso ajudar, dona Elza?

— Doutor, o senhor lembra da minha filha, não lembra? Foi o senhor quem examinou o corpo e deu o laudo, não foi?

— Sim, fui eu.

— O senhor não me entenda mal, por favor, é que eu fiquei com uma dúvida e queria... preciso que o senhor me responda.

— Claro. Qual é a sua dúvida? — O médico percebeu a inquietação no timbre da mulher.

Elza fez uma pausa. A resposta que ouviria dele seria decisiva para a sua vida. Quando retomou a palavra, perguntou-lhe com calma, procurando se fazer entender da forma mais objetiva possível:

— Doutor, o senhor poderia me dizer se a minha filha já tinha sofrido um aborto?

— Bem, se ela já tinha sofrido um aborto, eu não sei dizer. Mas ela havia acabado de ser mãe. Ainda estava com a sutura feita no parto. — O médico deu um longo suspiro de pesar. — É muito triste que uma criança fique órfã logo depois de nascer.

Mediante essas palavras, Elza viu as paredes começarem a girar de forma vertiginosa ao seu redor, ao mesmo tempo em que o teto trocou de lugar com o gélido piso branco de cerâmica. Depois disso, foi absorvida para uma escuridão silenciosa...

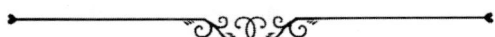

Laura se deu conta de que não bastava sair do país com Diogo. Seria preciso apagar todo o passado dele. Ou tudo o que no futuro pudesse revelar a sua verdadeira origem. Amara e Ivan deveriam ser esquecidos, e

Diogo conheceria uma única versão da sua própria história: aquela criada por Laura.

A mansão em Petrópolis era o primeiro empecilho a ser resolvido. De certa forma, tudo havia começado ali. Os empregados da casa eram testemunhas da gravidez de Amara, viram quando ela e Ivan entraram no carro com Diogo nos braços, presenciaram o motorista particular de Laura conduzindo o veículo com os três. E era extremamente necessário que não houvesse testemunhas.

— Bem, eu chamei vocês aqui porque tenho algo muito desagradável para dizer — começou Laura diante da equipe de empregados reunida na sala de estar, o advogado ao lado dela.

Pascoal, o mordomo, disse-lhe:

— Pode falar, dona Laura. Estamos ouvindo.

Laura mordeu os lábios e prosseguiu:

— Eu vou vender esta casa. Depois do que aconteceu com Amara e ao Ivan, não vou suportar viver aqui. Não posso dizer que nunca mais virei a Petrópolis, contudo afirmo que durante muito tempo evitarei esta cidade. Sendo assim, não faz sentido manter este imóvel. A minha casa no Rio é mais que suficiente para a minha moradia.

Ofélia, a cozinheira, indagou apreensiva:

— E nós, dona Laura? Como é que ficamos?

Laura suspirou tristemente.

— Vai ser muito difícil para mim, muito mesmo, mas... — Ela olhou para o advogado, que lhe devolveu um olhar firme, de segurança, encorajando-a; então acrescentou: — Vou ter de dispensar todos vocês. Eu já tenho muitos criados no Rio, não faz sentido que vocês sejam transferidos para lá. No entanto, eu falarei com amigas minhas e darei as melhores referências possíveis, para que logo consigam outro emprego — apressou-se em dizer. — E o doutor Igor vai tratar do pagamento de vocês, com todos os diretos, e um bônus, com o dobro do valor legal, a título de prêmio pelos ótimos serviços que me prestaram ao longo desses anos.

O advogado assentiu:

— Providenciarei os cálculos, acrescidos da bonificação que a dona Laura pretende dar. Todos serão muito bem recompensados. Também vou redigir uma carta de boas referências, onde vai constar o meu número de telefone, para que os futuros empregadores possam obter ótimas informações sobre vocês.

Laura finalizou:

— Era isso o que eu tinha a dizer. Sinto muito! Eu só tenho a agradecer por esses anos em que me serviram com tanta dedicação e carinho. Obrigada, meus queridos!

Enquanto Laura tratava de algum detalhe com o advogado, Denise, a arrumadeira, cutucou Pascoal discretamente e sussurrou:

— Tô achando muito estranha essa história. Tem caroço por debaixo desse angu.

Pascoal a repreendeu, fazendo cara feia:

— Que isso, menina?! Não fala bobagem! Não vê que a dona Laura está sofrendo com essa tragédia toda?

A arrumadeira armou um bico de incredulidade, chegou a cruzar os braços:

— Sofrendo? Sei. Hum!

Laura percebeu a reação dela:

— Algum problema, Denise?

— Não, senhora. Eu estava falando para o seu Pascoal que eu gostava muito de trabalhar aqui. Uma pena! — dissimulou Denise. — Com licença, senhora.

Laura observou a arrumadeira se retirar. Teve certeza de que as coisas não seriam tão fáceis dali por diante. O destino poderia colaborar, mas haveria muitos obstáculos. Por Diogo, Laura estava disposta a enfrentar cada um deles.

Elza estava sentada numa cadeira, um copo d'água nas mãos ainda um pouco trêmulas. Olhou o ambiente ao redor. Parecia um ambulatório de hospital. Viu uma moça morena, simpática, à sua direita; à esquerda, reconheceu o doutor Sílvio por detrás de um tênue nevoeiro.

— Doutor...

Ele parecia preocupado:

— A senhora está bem?

— Estou. Acho que estou. Só um pouco enjoada.

A moça simpática pegou um aparelho de aferir a pressão arterial:

— A senhora é hipertensa?

— Não — respondeu Elza. — Acho que foi uma crise de labirintite.

— É bem provável — concordou o médico. — A senhora ainda está muito abalada com o falecimento da sua filha. Quem sofre de labirintite costuma ter crises em momentos de grande tensão emocional. Quer que chame alguém, um parente para vir buscar a senhora?

Elza entregou o copo d'água para a moça e levantou-se, pisando firme.

— Não, obrigada, doutor. Eu já estou bem.
— Tem certeza? — insistiu o médico.
— Absoluta — ela retrucou. — A gente que é do Nordeste não cai fácil assim não, doutor!

O médico e a moça se entreolharam e riram.

Elza ainda disse:

— Nós somos carne de pescoço! E ninguém derruba a gente, não; nem leva na conversa fácil. É ruim, hein! A gente corre atrás!

Eles não entenderam toda a fala de Elza, tampouco ela pensou em dar explicações. Ela sabia do que estava falando, e isso lhe bastava. Falava de Laura. Da história de que Amara havia sofrido um aborto.

"Ela vai ter que dar conta do meu neto, ah vai!", pensava, enquanto deixava o prédio do IML.

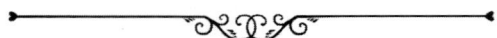

Elza parou no primeiro orelhão que encontrou na rua. Pegou algumas fichas telefônicas na bolsa e discou para o número do hotel, onde ela e o marido estavam hospedados desde o funeral de Amara.

— Alô... Por favor, quarto 202...

A ligação foi transferida.

Do outro lado da linha, segundos depois, atendeu Tarcísio. A voz dele era de noite mal dormida, meio grogue. Ele não pregava os olhos direito desde o dia do enterro. Havia tentado dormir mais uma vez, enquanto a esposa estava fora, mas não conseguiu.

— Alô...

Elza foi logo dizendo:

— Tarcísio, ela mentiu pra nós!

Ele demorou um tempo para compreender:

— Mentiu? Ela quem? Do que você tá falando, mulher?

— A dona Laura, a patroa da Amara! Ela mentiu que a nossa filha teve um aborto!

Tarcísio firmou bem o telefone no ouvido:

— Quê? Que conversa é essa, criatura?

— Ela mentiu, homem de Deus! Ela tem que dizer pra gente onde está o nosso neto!

— Como você ficou sabendo disso?

— Acabei de sair do IML. Falei com o médico que fez a autópsia no corpo da Amara. Ele me confirmou que ela havia acabado de ter neném, estava até com os pontos! — A voz dela soava forte. — Eu vou te dizer uma coisa, homem, a gente só volta pra Paraíba com o nosso neto junto!

Tarcísio levou uma das mãos à testa e fechou os olhos, imaginando o que viria pela frente. Elza pôde ouvir quando ele proferiu aturdido:

— Cacete!

CAPÍTULO 3

Uma semana depois, Laura estava juntando documentos em uma valise. Esvaziando gavetas. Organizando tudo que fosse necessário levar na longa viagem. De repente, veio à sua mão um porta-retratos antigo, de moldura castanho-avermelhada. Na fotografia, estavam Alberto e ela na proa de um transatlântico; o chapéu dela ameaçava voar com o vento e ela o segurava. Os dois sorrindo, felizes. A imagem ficou semelhante a um ensaio de belas fotografias para propaganda de cruzeiros.

Na viagem para a qual se preparava, porém, Alberto não estaria presente. Nem haveria o mesmo conforto. Não seria prazerosa como tantas que fizera ao lado dele. Era mais um preço que ela estava disposta a pagar. Valia a pena que fosse assim.

"Por Diogo", persuadia a si mesma.

Foi a uma estante e pegou alguns livros. Guardou-os numa bolsa maior, onde levava também alguns objetos de uso pessoal. Perguntava-se quanto tempo ficaria longe do Brasil. Era certo que precisaria de muito mais do que conseguiu juntar. Trouxe coisas de Petrópolis também; no entanto, continuava com a sensação terrível de que estava fugindo e deixando tudo para trás.

Era como se um lastro de fogo veloz e furioso viesse ao seu encalço, tentando ceifá-la e, ao mesmo instante, queimando tudo que encontrasse pela frente, apagando a história de uma vida inteira.

"A vida nem sempre é do jeito que queremos, no entanto, sempre é do jeito que deve ser", ela refletia, enquanto arrumava mais alguns pertences na valise.

Igor entrou no escritório, anunciando:

— Com licença, Laura. Mudança de planos.

Laura olhou-o assustada:

— Como assim? — Ela indicou as bagagens. — Já estou com tudo pronto.

— Ótimo, mas falei com outro contato meu e consegui que faça essa viagem de avião. Vai ser muito melhor pra você e pra criança.

— E como? — ela questionou, incrédula.

— É o seguinte: vocês vão de helicóptero até Mato Grosso do Sul, lá continuam a viagem de carro até atravessarem a fronteira. Quando chegarem a Pedro Juan Caballero, há um voo que parte para Madri.

— Daria no mesmo. O risco é grande. Como eu iria explicar no aeroporto que levo um recém-nascido sem registro algum? Isso se chegarmos ao aeroporto, porque tem a polícia da fronteira! — Laura descartou o plano: — Não, não há a menor possibilidade...

Igor, porém, sabia o que estava fazendo. Era muito astuto para orquestrar um plano que pudesse ser frustrado.

— Calma, Laura. Não só há possibilidade, como é isso que vamos fazer. Confie em mim. Eu já falhei com o Alberto ou com você ao longo desses anos? — Ela fez que não, e ele prosseguiu: — Pois então, esse meu contato está acostumado a atravessar a fronteira, vindo do Paraguai, tem um acerto com os policiais, negócio de contrabando, você entende, né? Ele consegue passar com vocês pela fronteira fácil-fácil e ainda vai colocá-los dentro do avião para Madri sem o menor problema.

Laura considerou a ideia e sentiu um arrepio.

— Meu Deus! Fugindo como se eu fosse uma contrabandista, uma criminosa!

— Vai dar tudo certo, Laura. Confie em mim. Você não quer ficar com o menino?

Ela não pensou duas vezes antes de responder com convicção:

— Quero! Quero muito!

— Isso é o que importa, minha amiga. Por falar nisso, cadê ele?

— Está na sala, com a ama de leite...

Os dois seguiam para sair do escritório, quando Laura parou de súbito e se virou novamente para o advogado.

— E a casa de Petrópolis?

— Tudo certo. Já coloquei à venda, abaixo do preço, claro. Não vai ser difícil aparecer um comprador pra arrematar. Uma propriedade daquele tamanho, por um valor bem abaixo de mercado, é quase um milagre. O melhor é que ninguém vai desconfiar dos motivos da venda, muita gente ficou sabendo do acidente, tratei de ajudar, espalhando o boato de que você ficou muito traumatizada e por isso queria se desfazer do imóvel.

— E os empregados?

— Providenciei para que recebam todos os direitos e mais os valores em dobro, conforme você acrescentou. Fique tranquila, Laura. As coisas estão saindo como nós esperávamos.

Ela pôs uma das mãos no peito.

— Não sei. Estou com um mau pressentimento.

Igor sorriu:

— Relaxa, Laura. Logo você e o menino vão estar em Madri, vão começar uma vida nova e serão muito felizes, com certeza!

— Deus te ouça!

— Deus? E esse povo lá sabe o que é Deus? Pra rico, Deus é o dinheiro! Essa gente pensa que pode tudo, Tarcísio! Bando de incrédulos, raça bandida, isso, sim! — proferia Elza, revoltada.

Tarcísio tentava acalmar a mulher, dizendo que Deus haveria de tocar na consciência de Laura e não a deixaria em paz caso ela tivesse "roubado" o neto deles; que Laura, movida por um toque divino, acabaria por se arrepender e devolveria a criança. No entanto, Elza estava certa de que o que vinha "do alto" não alcançava almas diabólicas e perversas como a de Laura. Elza estava tão decidida, que ao chegar ao hotel, mandou o marido se vestir às pressas. Logo em seguida, os dois tomaram um táxi rumo à mansão dos Leubart, na Lagoa.

— Mas está certo a gente ficar plantado feito árvore aqui na porta da casa dela? — perguntou Tarcísio, de pé, sem saber por quanto tempo ainda ficariam na frente daquele portão.

— Ela vai passar por aqui...

— A gente nem sabe se ela tá em casa, criatura. Quem te falou que ela vai passar por aqui?

— Meu sexto sentido — respondeu Elza, sem desviar os olhos da frente da mansão. — Avó é mãe duas vezes, então o sexto sentido é dobrado. Amara não enterrou o dela, passou pra mim.

— Minha virgem-santíssima! Às vezes você fala de um jeito, mulher. Parece que tá possuída.

Elza fitou-o por um tempo e disse, quase rangendo os dentes:

— Possuída? Você ainda não viu nada. Espera a hora que essa catraia sair daí de dentro, espera! Daqui ela não passa sem me dar conta do meu neto! Só se me matar...

◆━━━━━━━∽❦✿❦∾━━━━━━━◆

Quando adentrou a sala, os olhos de Laura se encheram de ternura ao fitar Diogo nos braços de Telma, a ama de leite. Telma era uma moça negra bonita, de traços suaves, a pele tão lisa e uniforme quanto calda de chocolate. Nos seus vinte e poucos anos, com um belo corpo e grande simpatia, Telma sorria o tempo todo, inclinando o colo para que Laura pudesse ver o menino pendurado no seu peito. Diogo estava bem e faminto. Fazia grande força sugando o leite, feito um bezerro. Ninguém era capaz de dizer que aquela criança, recém-chegada ao mundo, já tinha se salvado por milagre de um grave acidente, no qual os seus pais não tiveram a mesma sorte.

— Olha, dona Laura, olha como ele mama! Nem parece que estava na incubadora do hospital! — dizia Telma alegremente, enquanto Diogo não desprendia um minuto sequer do seu peito farto.

Laura se aproximou. Observou-o mamar e falou, com a voz embargada de emoção:

— Meu Deus! Que coisa mais linda... Parece um anjo.

Igor apressou-a:

— Laura, melhor sairmos logo. O helicóptero já deve estar à nossa espera. Posso colocar as bagagens no carro?

— Faça isso, por favor — ela respondeu.

Igor foi ao escritório apanhar as malas.

Telma se lamentou com Laura:

— É uma pena eu não poder acompanhar vocês. A senhora sabe como é: meu menino ainda tá muito novinho também, não daria pra fazer uma viagem dessas. Ia até atrapalhar a senhora.

— Eu sei, Telma. Você já me ajudou muito nesses dias após ele ter saído do hospital. Eu lhe agradeço muito, de verdade. — Laura pegou um cheque numa bolsa de mão. — Tome, isso é para você.

Telma baixou a cabeça.

— Ah, dona Laura! Precisa disso não, fiz por consideração. A senhora e o doutor Alberto foram tão generosos quando aconteceu aquela enchente lá na favela. A minha família perdeu tudo e, se a senhora não tivesse ajudado, a gente ia ter ficado na rua, sem eira nem beira.

— Não, Telma, era meu dever! Seus pais trabalhavam aqui, eu tinha de fazer alguma coisa por eles. — Laura sorriu. — Aceite o cheque, por favor! Compre coisas pro seu bebê. Como ele se chama?

— João Paulo — a ama respondeu, orgulhosa.

— Então, aceite. Um presente pro João Paulo.

— Tá bom, se é assim... — assentiu Telma, passando Diogo para os braços dela e pegando o cheque. Olhou discretamente o valor e deu um sorriso de gratidão: — Puxa, nem precisava isso tudo! Muito obrigada. Deus abençoe! — Ela guardou o cheque, depois tornou para Laura: — Mas como a senhora vai fazer? O menino ainda vai levar um tempo no peito.

— Eu vou dar mamadeira. Depois arrumo outra ama de leite.

— Vou rezar pra Santa Rita ajudar vocês.

Laura olhava Diogo em seus braços. Naquele instante, sentia-se a mãe. Era indescritível a sensação de segurar seu filho pela primeira vez, sem que estivesse fugindo de alguém ou tendo de escondê-lo. Só estavam Telma, Diogo e ela. Não havia perigo.

Não ali dentro...

O luxuoso Ford Galaxie cruzou os jardins da mansão dos Leubart e avançou rumo ao portão da garagem. O carro já tinha alguns anos de uso, mas Igor cuidava bem dele. Era o seu preferido, dentre tantos outros modelos que possuía em virtude dos bons serviços prestados no ramo da advocacia. Aliás, todo tipo de serviço.

Um homem negro, de quase dois metros de altura, abriu o portão e acompanhou com um olhar atento o veículo atravessar para a rua. Laura estava no banco de trás, levando Diogo no colo. Telma ao lado dela. Igor ao volante. Eles fariam uma rápida parada num ponto de ônibus próximo dali, para que Telma saltasse. Depois, o carro seguiria para um local da cidade onde um helicóptero os esperava.

A mente de Laura girava numa espécie de carretilha; pensamentos bons e ruins se alternavam de forma rápida. Telma lhe perguntou qualquer coisa, no entanto Laura estava dispersa demais para prestar atenção. Ela só despertou quando o automóvel freou bruscamente e Diogo se agitou nos seus braços.

— Meu Deus, o que foi isso? — ela indagou, assustada.

Igor não teve tempo de responder. Logo uma mulher apareceu na frente do para-brisa, bloqueando a passagem.

— Mas quem é essa doida? Quase que o carro passa por cima dela! — disse Telma.

Só então Laura se deu conta de quem se tratava. De certa forma, algo já lhe anunciava que aquilo estaria prestes a acontecer. Ela não sabia qual seria a sua reação, contudo não demorou a descobrir. Laura se fortaleceu de toda a frieza que conseguiu reunir, passou Diogo para o colo de Telma e instruiu:

— Haja o que houver, não saia deste carro.

Telma assentiu, sem compreender o que estava acontecendo. Ela apertou Diogo no seu colo, como se o protegesse de um perigo iminente.

Laura saiu do carro. Igor apenas observava ao volante, sem se mover.

— Dona Elza — falou Laura. — Por que a senhora se jogou na frente do carro? Quase provoca um acidente.

— Eu já sei a verdade!

— Que verdade? — tergiversou Laura. — Do que a senhora está falando?

Olhando-a nos olhos, Elza confrontou-a:

— Eu falei com o médico do IML. Ele me garantiu que a minha filha tinha parido por aqueles dias. A senhora mentiu pra mim. — A voz de Elza soou densa e ameaçadora: — Eu quero saber onde tá o meu neto! Agora!

Laura pensou por alguns instantes. E parecia calma quando retrucou:

— A senhora quer mesmo saber?

Naquele momento, Igor abriu a janela do seu *Galaxie* verde para ouvir melhor o que elas conversavam.

Elza disse:

— O que eu quero mesmo é que a gente dispense os rapapés e resolva logo tudo de uma vez. A senhora me entrega o meu menino, e eu vou-me embora sem dar parte à polícia.

Quando escutou polícia, Igor pôs a cabeça para o lado de fora:

— Algum problema?

— Nenhum. — Laura acenou para ele e tornou para Elza: — Eu menti quando disse que Amara havia perdido o bebê, porque queria poupar a senhora e a sua família de uma tristeza ainda maior.

— Que marmota é essa?

— Dona Elza, a Amara levava o filho com ela na hora do acidente. Os bombeiros vasculharam toda a área, mas só encontraram os corpos dos três adultos. Não encontraram o menino. Buscaram por toda parte. É bem provável que o corpo do seu neto tenha ficado em alguma parte daquele precipício e depois... — Ela se calou por um instante, buscando coragem para terminar o que havia começado, embora aquilo parecesse cruel demais para ser dito.

— Depois o quê? — perguntou Elza, em tenso estado de nervos.

— E depois tenha sido devorado por algum animal — completou Laura, tendo de disfarçar a náusea que sentia por se ver obrigada a contar mais uma mentira.

Elza ficou petrificada, em choque.

— Isso não pode ser verdade... — foi a única coisa que conseguiu balbuciar.

Um homem veio, de repente, do outro lado da calçada. Laura olhou para ele, enquanto Elza não conseguia se mover.

Ele também olhou para Laura e fez um cumprimento breve, meio acanhado:

— Boa tarde!

Laura reconheceu-o imediatamente:

— Boa tarde, seu Tarcísio!

— Fui num bar aqui perto tomar uma água, esse calor tá de matar — ele disse.

— Por que não entraram? Eu receberia vocês sem o menor problema. Ficaram aqui na rua, não havia motivo para isso.

Tarcísio sorriu amarelo:

— Pois é, dona... foi o que eu falei pra Elza, mas ela não quis arredar daqui...

Quando Elza recuperou a fala e os movimentos, interpôs-se:

— Eu não ia colocar os pés na casa de uma mulher que mentiu pra mim. Sabe Deus o que eu ia encontrar lá dentro! — Ela fitou Laura e acrescentou: — Como da primeira vez, eu não acredito que o meu neto esteja morto. Onde quer que ele esteja, vai ter que aparecer!

— Eu sei que é difícil para a senhora aceitar os fatos — retrucou Laura —, mas se o seu neto não foi encontrado pelos bombeiros, não há a menor possibilidade de que tenha sobrevivido. Uma criança que tinha acabado de nascer, no meio daquela mata, num tempo daquele, imagina...

Elza tapou o rosto com as mãos e começou a chorar. Pela primeira vez, um desespero incontrolável a tomava por inteiro. O sofrimento dela parecia aos olhos de Laura uma ferida sendo expurgada com muita dor.

Tarcísio abraçou a esposa:

— Calma, mulher... Pelo amor de Deus!

Laura concluiu, com pesar:

— O melhor que a senhora tem a fazer é voltar para a Paraíba com o seu marido e tentar esquecer toda essa tragédia. A vida tem que seguir, mesmo que seja muito duro lidar com a falta de pessoas tão queridas.

— Ela tá certa, Elza. Vamos esquecer essa história. Não tem mais nada que a gente possa fazer. Tem que se conformar — corroborou Tarcísio.

Neste momento, Diogo começou a chorar nos braços de Telma. O choro e os gritos agoniados do menino pareciam ecoar por toda a vizinhança. Elza abriu os olhos de estalo e foi na direção onde estava Telma. Era a vez de o desespero tomar conta de Laura: Ela vai descobrir tudo! Estou perdida... Tanto esforço para nada!

Tarcísio ficou no mesmo lugar, enquanto Elza abria a porta do carro e encarava Telma com a criança no colo. A bela morena e a avó de Diogo se olharam fixamente. Igor deu um soco no volante vendo que nada pôde fazer para impedir que aquela mulher se aproximasse deles. Estava tudo perdido, como pensava Laura...

Elza se inclinou e fez menção de tocar no menino, que estava envolto na manta, porém Telma agiu de impulso:

— Pra trás!

Elza parou na hora. Assustou-se.

Telma lembrava um animal feroz protegendo a sua prole; ela quase foi capaz de mostrar os dentes, tal qual uma onça faria.

— Não pense em chegar perto do meu filho, sua maluca! Se encostar nele, eu não respondo por mim! Fica longe de nós!

— Seu filho? — Elza murmurou, confusa.

Laura interveio com urgência:

— Esta criança é filha da minha empregada. Estávamos a caminho do hospital, ela, o marido — apontou para Igor —, o filho deles e eu. O garoto está ardendo em febre. A senhora pode nos dar licença para chegarmos ao hospital o mais depressa possível?

Tarcísio novamente foi abraçar a esposa:

— Vamos embora, mulher. Não há mais nada pra fazer aqui. Vamos voltar pra nossa casa hoje mesmo, já chega disso!

Antes que Elza falasse mais alguma coisa, Laura deu a volta e entrou no carro.

Igor se virou para ela:

— Podemos seguir, patroa?

— Sim, podemos. O seu filho não pode ficar sem socorro — ela respondeu alto, para que Elza ouvisse. — Siga caminho, por favor! Não podemos perder mais tempo.

O *Galaxie* avançou descendo a rua. Laura teve medo de olhar para trás. Daquele minuto em diante, só olharia para a frente, para o futuro que ela e Diogo teriam longe dali. Seriam muito felizes, construiriam uma nova história. Era como se Diogo tivesse deixado de ser filho de Amara para se tornar de fato filho de Laura. Ela sentia que um ciclo finalmente havia chegado ao fim.

Mas não era o que Elza sentia:

— Meu neto ainda vai aparecer.

Tarcísio se mostrou triste:

— Besteira pensar assim, só vai trazer mais sofrimento pra nós. Por que insistir nisso?

Ela parou uma das mãos sobre o peito:

— Porque o meu coração diz que o meu neto está vivo. E eu vou encontrá-lo, nem que seja no meu último dia de vida.

Já era quase final de tarde quando Laura e Diogo embarcaram no helicóptero que os levaria até Mato Grosso do Sul.

Antes do embarque, Laura tornou para Igor:

— Comece a mexer com os seus contatos, quero Diogo registrado em meu nome e do Alberto o quanto antes.

— Tenho bons contatos no Registro Civil.

— Ótimo... — fez Laura, ofegante por um extremo cansaço mental, que ela provava pela primeira vez em sua vida.

— Mas que nome daremos a ele? — suscitou Igor, enquanto Laura entrava na aeronave com o menino pendurado nos seus braços. — Não acho prudente mantermos Diogo.

Laura tornou para Igor e disse o nome que daria, e explicou que significava Presente de Deus. Logo depois, o helicóptero subiu, levantando uma densa nuvem de poeira...

O mensageiro do hotel bateu à porta da suíte que ficava na cobertura. Demorou alguns instantes até que a porta se abrisse. Um choro baixo de bebê alcançou o corredor, vindo de dentro do quarto.

— *Perdón, señora. Carta.*
Ela pegou o envelope pardo de tamanho ofício e, sorrindo, agradeceu:
— *Gracias.*

Fechou a porta e foi se sentar numa poltrona que ficava ao lado do berço. Abriu o envelope com todo o cuidado e tirou dele o documento que aguardava havia mais de um mês. Não tinha motivo para reclamar: seu fiel advogado fizera um trabalho primoroso, como sempre.

Lia-se na folha timbrada:

REPÚBLICA FEDERATIVA DO BRASIL
ESTADO DO RIO DE JANEIRO
PODER JUDICIÁRIO
REGISTRO CIVIL DAS PESSOAS NATURAIS
COMARCA DA CAPITAL
CERTIDÃO DE NASCIMENTO

O oficial, Dr. Nelson Técio de Miranda

CERTIFICO que no livro nº 402 de registro de nascimento, na folha 227, sob o termo 645, consta o de "Matheus de Andrade Leubart", do sexo masculino, nascido no dia 28 de AGOSTO de 1978 às 07:00 horas, no Rio de Janeiro, filho de Laura de Andrade Leubart e de Alberto Leubart, neto paterno de Luiz Arthur Leubart e Maria Inês Couto Leubart, e materno de Henrique de Andrade e Carolina Fernandes de Andrade.

Registro feito em 02 de setembro 1978.
Declarante: a mãe.
OBSERVAÇÕES: N A D A C O N S T A

Eu, Beatriz Lima de Abreu. Mat. 00/000304, datilografei.

O referido é verdade e dou fé.

Rio de Janeiro, RJ, 22 de outubro de 1978.

O oficial
Nelson Técio de Miranda

Ela guardou o documento de volta no envelope e se permitiu uma sonora gargalhada. Estava feliz demais. Era como se Deus, de uma hora para outra, resolvesse ajudá-la, afastando toda a má sorte e fazendo com que o seu plano saísse como desejou desde o princípio.

Pegou o telefone na mesinha de cabeceira e discou para a telefonista do hotel.

— *Por favor, preciso hablar a Brasil.*

Uma voz cansada de mulher respondeu do outro lado:

— *Cuál es el número, señora?*

Ela ditou pausadamente.

Minutos se passaram até que um homem atendeu. Falava português:

— Alô...

— Igor? Sou eu, Laura. Parabéns! Você fez um excelente trabalho. Para todos os efeitos, quando o Alberto morreu naquele maldito acidente, eu já carregava um filho dele na barriga. Muito obrigada!

— Que é isso! Não precisa agradecer. Você merece todos os meus esforços — ele disse. — O que pretende fazer agora? — questionou em seguida.

Laura lhe respondeu de pronto:

— Começar uma nova história.

Capítulo 4

Ela estava em meio a um lindo jardim que se estendia à frente do suntuoso casarão. Cantarolava uma cantiga de ninar. Era um belo fim de tarde. O Sol se precipitava por trás do horizonte, indo se esconder vagarosamente. Uma brisa suave correu naquele momento. Ela sorriu para a criança, ajeitando-a com todo o cuidado na manta floral que a envolvia.

Quando se virou para entrar no casarão, deparou-se com a mulher vestida de branco, parada no meio do seu caminho, bloqueando a passagem. Assustou-se e deu um passo atrás. Reconheceu aquela figura. Era-lhe muito familiar. Aliás, sabia que nunca poderia esquecê-la, ainda que quisesse.

— Amara? — disse Laura, em choque.

— Meu filho... — sussurrou Amara, erguendo a mão para tocar nele. — Meu filho... meu menino...

Laura deu mais dois passos para trás.

— Você morreu. Você não pode estar aqui.

Amara baixou a mão e fitou-a de forma grave, falando quase em desespero:

— A senhora precisa entregar o meu Diogo pra avó dele. A senhora está em perigo e ele também.

— Não! — retrucou Laura, sem hesitar. — Eu não vou fazer isso. Ele agora é meu filho.

— Não é. Nunca vai ser.

Laura se indignou e alteou a voz:

— É meu, sim, porque eu quero que seja! E você não pertence mais a este mundo! Não pode interferir no destino dos vivos!

— A senhora sabe que ele é meu filho.

— Ele era seu enquanto você estava viva. Mas você morreu naquele acidente terrível. Eu não tive culpa, você sabe disso. Deus quis assim, e agora você tem que descansar em paz. Eu darei a ele o mesmo carinho que você daria.

Amara repetiu, era um aviso:

— A senhora precisa entregar o meu filho pra avó dele. Vocês estão em perigo.

Laura saiu correndo com Diogo no colo. Passou por Amara tão depressa, que foi capaz de agitar o debrum de seu singelo vestido branco-neve. Naquele momento, descobriu que não sentia medo de Amara, pelo menos não um medo pessoal, sim um pânico crescente por imaginar que ela pudesse, de alguma forma, arrancar Diogo dos seus braços.

Laura se atirou para dentro do casarão, quase caindo sobre si mesma e Diogo. O menino se agitou no seu colo e logo começou a chorar. Ela olhou para os lados, em fuga desesperada. Atravessou a enorme sala em mármore e subiu as escadas, ladeadas por um corrimão dourado, que davam para o segundo pavimento.

No *hall* do andar superior, entrou às pressas na sua suíte. Foi fechar a porta, mas a mão de uma mulher impediu que o fizesse. A porta foi empurrada. Laura se preocupou em proteger Diogo daquela invasora e tentou fechar a porta da suíte mais uma vez, indo com toda a força contra Amara, que já estava prestes a adentrar o cômodo.

Antes que a porta se fechasse, Amara recuou, porém ainda quis segurar um dos braços de Laura, rasgando a manga do penhoar de seda e lhe provocando arranhões superficiais. A porta se fechou enfim. Laura deu duas voltas na fechadura e avançou para o meio da suíte. Somente então se sentiu segura e aliviada: Amara havia ficado do lado de fora, no corredor.

Respirou fundo e foi colocar Diogo no berço. Naquele mesmo instante, pressentiu alguém atrás dela. Quando olhou, lá estava Amara novamente.

Laura começou a gritar...

◆─────⚜─────◆

Um dia antes, o telefone tocara na mansão em Rimini, às margens do Mar Adriático. Era um lugar deslumbrante, na Riviera Italiana. O homem que atendeu a ligação costumava passar temporadas na propriedade de mil e oitocentos metros quadrados, encravada no centro de uma imensa área verde.

— Alô...

Do outro lado da linha, uma voz também masculina dizia:

— Estou pronto.

— Já sondou o ambiente? Nada pode sair errado. Um passo em falso e vai tudo por água abaixo. Esse plano não admite amadores.

— Você está falando com um *expert*. Tá no papo. Serviço garantido. Bom pra ambas as partes.

— Ótimo, então!

— Posso jogar a isca?

— Que seja logo!

Desligaram.

Laura acordou gritando. No mesmo instante, Homero acordou ao seu lado e viu que ela tremia, estava em pânico.

— O que houve, meu bem?

Laura pôs as mãos no rosto. Soluçava.

— Acho que tive um pesadelo...

Homero a abraçou e fez com que ela se aninhasse novamente junto dele. Só então Laura começou a se tranquilizar de verdade. E por que seria diferente? Ela estava deitada sobre o peito do homem que foi capaz de resgatar os seus sentimentos mais profundos, que ela jurava que nunca mais sentiria por ninguém desde que Alberto falecera. Fez com que ela se apaixonasse de forma irremediável...

Foi durante uma tarde chuvosa, meses depois de chegar a Madri, que Laura o conheceu. Ela estava em uma cafeteria, tomava um *macchiato*, enquanto examinava com muita atenção alguns jornais que traziam notícias do Brasil.

Laura sentia as suas mãos e pernas trêmulas, porém não sabia se pelo frio que soprava cada vez que alguém adentrava o recinto, ou se por um nervosismo incontido. Tremeu ainda mais quando pressentiu alguém de pé em frente à sua mesa, a observá-la em silêncio. Ergueu devagar a cabeça e se deparou com um homem muito elegante, charmoso, dono do mais belo sorriso que já vira. Ele tinha o cabelo grisalho e alinhado para trás, o rosto limpo e rosado, um par de olhos verdes que pareciam duas esmeraldas cravadas na face.

— *Brasileña?* — perguntou-lhe.

Laura ficou receosa, contudo, depois de alguns segundos, respondeu:

— *Sí.*

Ele deu uma risada gostosa, jovial, e disse:

— Ah, que maravilha! Então podemos falar em português, certo?

Laura não disfarçou a estranheza.

— Desculpe, mas... nós nos conhecemos? Eu não estou lembrada da sua fisionomia.

— Nós não nos conhecemos. Ainda! — ele frisou, pegando uma cadeira de outra mesa que estava vazia. — Posso me sentar com você?

Laura ficou quieta, sem reação. Ele se sentou, falando:

— Sabe, eu não gosto de me sentir sozinho. Olhei de longe, vi que você também não tinha companhia e resolvi arriscar...

A situação era tão inusitada que Laura chegou a pensar que se tratava de uma *broma* (ou piada, em bom português, como ele preferiria dizer); no entanto, ela continuou inerte.

A elegância dele era de fato notável: vestia um fino casaco com suéter e camisa social por baixo, todos *Raf by Raf Simons*, provavelmente comprados na Serrano, em Salamanca, o mais sofisticado bairro de Madri. E a menos de meio metro de distância, era impossível não sentir a fragrância da colônia que ele usava.

— ...para uma bela mulher como você, ficar sozinha é quase uma afronta, não acha? — ele dizia, enquanto Laura tentava concatenar as ideias e relaxar.

O garçom se aproximou, e ele pediu algo para beber, muito à vontade. Depois, virou-se outra vez para Laura e perguntou:

— Você não vai me dizer seu nome?

— Laura — ela respondeu, de forma automática.

— Prazer, Homero — finalmente se apresentou, com o seu perfeito sorriso de dentes cor de marfim.

— Trabalha aqui? — A pergunta soou tola, contudo ela arriscou indagar.

— Quem me dera! — Homero deu de ombros e revelou: — O que faço é bem mais estressante. Trabalhei muitos anos na Bolsa de Valores de São Paulo, depois resolvi abandonar e exercer o meu ofício por conta própria.

Presto consultoria financeira para grandes empresas. Estou contratado por uma multinacional espanhola.

— O senhor me desculpe — ela começou —, mas eu...

— Senhor, não, por favor! — ele interrompeu de pronto. — Essa palavra faz com que eu me sinta mais velho do que sou. Pessoas como você e eu não precisam de formalismos. Somos livres.

"Pessoas como você e eu? Livres? Como assim?", Laura pensava nas palavras dele.

— Bem — ela prosseguiu —, o que eu queria dizer é que tenho quase certeza de que não nos conhecemos, nem sequer nos esbarramos em quaisquer ruas dessa cidade.

— Então pode confirmar a sua certeza. Nós nunca nos vimos — declarou com naturalidade. — Espero que isso não torne a minha companhia desagradável ou inconveniente.

Laura procurou explicar-se:

— Imagine! O senh... — parou, deu um meio sorriso e se corrigiu depressa: — Você está sendo muito gentil e educado comigo.

Homero pôs os cotovelos sobre a mesa, com os braços encruzados um sobre o outro, e falou de um jeito sério, muito preocupado, feito um palestrante:

— Sabe qual é o problema? As pessoas esfriaram seus corações. Endureceram sentimentos, criaram barreiras e muros para separá-las dos seus semelhantes e, por consequência, de Deus. Isso é grave.

Era um discurso quase proselitista, entretanto, ao mesmo tempo muito verdadeiro, inegável.

"Ele está certo", ela aquiesceu internamente.

Homero esticou um dos braços e foi buscar a mão de Laura do outro lado da mesa. Segurou-a firme, com tamanha sinceridade e força, que ela se permitiu fechar os olhos e respirar fundo, como se tirasse um enorme peso da sua alma.

— Nós não precisamos ser assim — ele proferiu, o seu tom de voz exacerbando convicção. — Fiquei interessado em você, não vou mentir. Você é uma mulher muito bonita, atraente, pode ter qualquer homem aos seus pés, só que vou além do clichê quando tento te mostrar o que duas pessoas do bem podem construir, apesar do que existe nesse mundo cruel.

— Quem é você, afinal? — ela questionou, fascinada.

— Um homem. Apenas um homem como tantos outros... mas que sabe reconhecer quando se apaixonou à primeira vista por uma linda mulher.

Homero não havia conquistado somente a atenção de Laura. Havia conquistado, sobretudo, seu coração. Encontraram-se todas as manhãs, tardes e noites possíveis. A partir de então, Madrid se tornara pequena ,diante do que ambos estavam vivendo.

Era como um sonho. E Laura não queria mais acordar...

Tomavam o café da manhã.

— Quer me contar o pesadelo?

Laura descansou a xícara sobre a mesa e segurou na mão dele.

— Não, querido. Foi uma coisa pavorosa, horrível... Prefiro não falar, assim fica mais fácil de eu esquecer.

Homero acariciou seu rosto.

— Tudo bem, meu amor.

— Poderíamos tirar o dia hoje para nós. Sair um pouco, arejar a cabeça — ela sugeriu. — Faz tanto tempo que não saímos assim: sem compromisso, sem hora para voltar. O que você acha?

— Hum, seria ótimo, porém... — Homero mordeu os lábios, pesaroso. — Temos um assunto bem delicado para tratar. Que requer certa urgência.

Laura franziu o cenho:

— Que assunto?

Homero deu um longo suspiro. Depois, foi dizendo aos poucos:

— Bem, é que... você sabe, eu sou consultor de valores, trabalhei na Bolsa há muitos anos, sei identificar quando algo não vai bem em uma empresa... Você confiou em mim para acompanhar, mesmo que de longe, a saúde financeira e administrativa do Banco Leubart... — calou-se de repente, parecia muito desconfortável com o que falava.

Laura ficou nervosa:

— Por favor, Homero! Por que ficar dando voltas? Me diga o que está acontecendo!

A expressão de Homero era quase de pânico:

— Meu amor, infelizmente, tenho péssimas notícias relacionadas ao banco. As ações despencaram, houve rumores de má administração, fraudes... Disseram que, desde que você se afastou do Brasil, o banco foi entregue nas mãos de especuladores.

— Que absurdo! Cuidei do banco como se cuidasse de mim mesma desde que o Alberto faleceu. Como assim o entreguei nas mãos de especuladores? Isso é mentira! De onde partiram esses rumores? — Quis saber, revoltada.

— Quase todos os jornais do país dão conta de que o "Gigante Financeiro" Leubart perdeu força gerencial e caminha para a falência.

Laura riu, incrédula.

— Imagina, falência! Basta que desmintamos esses rumores — argumentou. — As operações financeiras e a administração que fazemos há anos vão seguir, e tudo não terá passado de um boato maldoso.

— Não será tão fácil assim, meu anjo — ele retrucou. — Com tantas notícias pessimistas a respeito, vários investidores realizaram saques quase ao mesmo tempo, resgatando tudo que confiaram à instituição. Ou seja... há uma grande possibilidade de o banco abrir falência.

Naquele instante, Laura experimentou o mesmo sentimento de pânico que Homero trazia nos olhos. Era desesperador.

— Isso não pode estar acontecendo! Um banco como o nosso não vai à falência assim, de uma hora para outra! O Alberto cuidava para que as coisas nunca saíssem dos eixos, e eu só continuei o trabalho dele! Quantas noites de sono eu perdi examinando gráficos, balancetes, planilhas, tudo espalhado em cima da cama? Eu não me permitia um cochilo sequer enquanto não analisasse cada papel!

— Entendo, amor — anuiu Homero. — O mundo dos negócios é assim. Como castelo de cartas. Depende de sorte e de vários fatores que nem sempre são favoráveis.

Laura se levantou de um pulo, a cadeira quase foi ao chão.

— Não aceito! Não adianta, não aceito! Essas notícias só podem ser falácia, torcida contrária de alguma instituição concorrente à nossa! O meu advogado de confiança, o Igor, acompanha tudo de perto, me manda relatórios de tempo em tempo. Ele teria me avisado.

— Eu já te falei que não confio nesse tal Igor. Não sei por quê.

— Bobagem! Ele é nosso advogado há anos. Amigo da família, inclusive. Ele sempre nos atendeu com muita eficiência.

— Não sei, não... Não me inspira confiança...

Laura se sentou outra vez, porém estava irrequieta. Precisava fazer algo. A possibilidade de o Banco Leubart falir lhe parecia catastrófica. E não apenas pelos milhões de dólares envolvidos nas operações financeiras, mas porque mantinha vivos o caráter e a dedicação de seu querido finado marido. Alberto dedicara toda a sua vida à instituição que herdara do seu pai, um banqueiro de sucesso, que havia iniciado suas atividades ainda no início do século XX.

A história do pai de Alberto era bastante conhecida na sociedade carioca da época: um imigrante italiano que começou a fazer fortuna a partir de pequenos depósitos que recebia de comerciantes da região. Ele reinvestia o dinheiro em empresas prósperas, que mais tarde repartiam os seus lucros, gerando rendimentos razoáveis para os poupadores e para ele próprio.

A desolação na voz de Laura era quase palpável:

— O que eu faço, Homero?

— Acho que o mais sensato é voltarmos para o Brasil e tentarmos reverter essa situação conversando com acionistas e investidores.

— Voltar para o Brasil? — Ela parecia atemorizada com a hipótese. — Não. Tenho medo de que descubram a verdade sobre o Matheus e queiram tirar o meu filho de mim. Não...

Havia confessado para Homero a verdadeira origem de Diogo, que àquela altura já se chamava Matheus.

Ele tentou encorajá-la:

— Nunca vão descobrir. Ninguém pode provar nada. O menino já está registrado, não está? Para todos os efeitos, você nunca divulgou que tinha engravidado e dado à luz um filho temporão do seu marido.

— Não. Prefiro não me expor. Pelo menos não enquanto o Matheus for pequeno. Nunca esteve em meus planos voltar para o Brasil.

— Eu sei, Laura. Só que a situação agora é de urgência — alertou Homero, e seu tom era de extrema preocupação. — Se o Banco Leubart quebrar, nem mesmo o futuro dessa criança estará a salvo. Pense nisso, meu amor.

Não foram precisos mais que alguns minutos de conversa para que Homero convencesse Laura a voltar para o Brasil.

Dois dias depois, aguardavam na sala *VIP* do Aeroporto de Madrid-Barajas, à espera do embarque na *Iberia Líneas Aéreas*.

Laura estava tensa. Sua respiração era lenta e cansada. Algo muito ruim a angustiava, porém ela não era capaz de identificar o motivo da sua extrema preocupação. Olhou para Matheus nos seus braços, envolto confortavelmente na manta; dormia um sono tranquilo, sereno, e Laura pensou por um instante que daria tudo para viver aquela paz.

Homero se levantou e foi a um canto onde havia uma mesinha com xícaras de porcelana bordadas de diferentes cores, e uma cafeteira ao lado. Serviu-se. A fumaça do café subia pela face, ao passo que o seu pensamento voava sem que ninguém pudesse interferir.

A porta da sala *VIP* foi aberta e adentrou uma mulher vestida de sobretudo e gorro; lembrava as pinturas de retratos de Vittorio Matteo Corcos. A elegância que ela transmitia chamou a atenção até mesmo de Laura, acostumada com a sofisticação da alta sociedade.

A mulher atravessou a sala de forma inquieta e foi parar junto de Homero, no café. Os dois se encararam por um longo tempo. Ele fez um movimento brusco, como quem fosse sair, mas ela o segurou pela manga do paletó. Com uma raiva incontida, falava por entre os dentes:

— *Bandido... estafador...* — Mesmo dizendo-o em voz baixa, quem estava perto entendeu que ela o insultava.

A certa distância, Laura viu toda a cena e logo se levantou, com Matheus nos braços. Por um momento ficou indecisa se deveria intervir. Afinal, quem seria aquela mulher? Alguém das relações particulares de Homero? Todavia, estamos vivendo como casados, então não deveria haver segredos, foi o que Laura concluiu quando começou a se aproximar.

CAPÍTULO 5

— O que está acontecendo?
Homero olhou para Laura logo que ouviu a pergunta. Parecia assustado. Mesmo assim, respondeu com certa naturalidade:
— Não sei. Essa mulher deve estar me confundindo com alguém.
A espanhola passou a gritar:
— *Estafador! Estafador!*
Laura começou a ficar nervosa.
— Por que essa mulher está te chamando de vigarista? O que você fez?
— Ela é louca! — ele protestou.
A mulher chamava-o de monstro e já não se importava com o tom de voz, nem com quem estava perto:
— *Monstruo! Monstruo!*
Naquele instante, o escândalo já havia tomado conta da sala de espera da companhia aérea. Todos ao redor olhavam e comentavam. Um encarregado tentou apartá-los, mas a espanhola avançou com tudo sobre Homero e lhe desferiu uma sonora bofetada. O golpe foi tão forte e inesperado, que ele quase foi ao chão.
A mulher berrava:
— *Bandido! Monstruo! Estafador!*
Quando Homero sentiu que ela tentaria acertá-lo novamente, gritou para o lado de fora:
— Guardas! Guardas!
Quase por aparição mágica, dois seguranças brutamontes adentraram e conseguiram conter a espanhola. Ela saiu arrastada pelos braços, enquanto não parava um só minuto de gritar impropérios direcionados a Homero.

A confusão na sala de espera acabou por atrasar o embarque de Laura e Homero. Eles foram os únicos passageiros a não ingressar no avião no tempo estipulado pela companhia. Faltava pouco para a partida do voo. Com Matheus no colo, Laura seguia em silêncio o companheiro até o portão de embarque.

Muito apressado, e com medo de ficarem para trás, Homero fitou Laura com o passaporte e as passagens em mãos:

— Vamos, meu bem. Faltam alguns minutos para a decolagem. Precisamos tomar nossos assentos.

Ela retrucou, decidida:

— Eu não vou embarcar sem que você me explique exatamente o motivo daquela cena lamentável.

— Aquela mulher é maluca...

— Não! Não me venha com essa. Ela te conhece. Sabia quem era você.

— Por favor, querida...

— Eu não entro naquele avião sem que você me conte a verdade. A verdade, Homero. Não explicações vagas. Eu tenho o direito de saber.

Ele deu de ombros:

— Tudo bem, eu conto.

Laura olhou o relógio:

— Temos oito minutos antes da decolagem. É bom você começar...

No Departamento de Polícia do aeroporto, a espanhola contava sua versão aos inspetores. Ela se apresentou como Sarita Hernandez e acusou Homero de ser um estelionatário que roubara todo o seu dinheiro. Ela mantinha aplicada em uma instituição financeira uma grande quantia, que levara anos para ganhar. Afirmou que Homero, usando de muita astúcia e boa eloquência, convenceu-a a deixar que ele administrasse o numerário, passando-lhe, inclusive, a senha da conta.

Disse que, por sorte, conseguiu salvar as joias da família antes que o golpista as retirasse do cofre do banco. Contou, ainda, que ele a seduziu, mentiu endereços, falsificou documentos e seria o suposto mandante do assassinato da sua sobrinha, Estela. Foi a jovem quem descobrira que o namorado da tia era, na verdade, um criminoso.

Ao ser questionada sobre como sabia que Homero estaria no aeroporto àquela hora, Sarita, em tom de esperteza, revelou que contratara um detetive para descobrir o paradeiro do golpista.

Os inspetores argumentaram que, sem uma ordem de prisão expedida pelo juiz da comarca ao *Cuerpo Nacional de Policía*, não poderiam impedir que Homero embarcasse. Descobriram que Sarita já havia denunciado o homem, mas o inquérito tinha sido arquivado por "inconsistência de provas".

Por fim, Sarita avisou:

— *¡El hombre es peligroso!*

No portão de embarque, Homero contava a Laura uma história diferente da que a espanhola contara à polícia. Naquele momento, restavam apenas seis minutos para a decolagem do avião.

— Ela me chamou de bandido e vigarista, porque investi o dinheiro dela em ações. Pombas, Laura! Eu sou corretor de valores, o meu trabalho é esse: investir da melhor forma possível o dinheiro dos meus clientes. No entanto, é duro ter que admitir que nem sempre a gente acerta. Num dia uma empresa está a todo vapor, supervalorizada; noutro está à beira da falência e as ações valem menos que uma folha de papel.

Laura fazia um enorme esforço para organizar mentalmente tudo que ele dizia.

— Mas você não me disse que trabalhou com ações aqui na Espanha.

— Não falei, porque foi apenas por um tempo. Sabe como é difícil um estrangeiro conseguir uma boa oportunidade fora do seu país. Comecei no meu ramo, depois fui para a multinacional.

— E por que mentiu dizendo que a mulher era louca ou estava te confundindo com alguém?

— Porque fiquei com vergonha de você, meu anjo! — Homero acariciou o rosto dela com muita ternura. — Você agora é a pessoa mais importante da minha vida. Quero ser solução, não problema. A sua felicidade é a minha também.

O comissário da companhia aérea sinalizou a eles que o portão se fecharia. Laura se adiantou, levando Matheus. Antes de também seguir, Homero olhou para trás e avistou um homem parado a distância. Homero fez um curtíssimo movimento com uma das mãos e depois embarcou.

Sarita Hernandez foi para o estacionamento do aeroporto após ser liberada pela polícia. Caminhava para o seu carro. De repente, sem que percebesse, um automóvel em altíssima velocidade veio em sua direção e jogou-a para o alto. O sangue se espalhou rapidamente por todo o local, ao mesmo tempo em que ela tombava de volta ao chão. O automóvel já ia longe.

Sarita Hernandez estava morta.

Doze horas depois, enquanto o avião da Ibéria sobrevoava o Rio de Janeiro, Laura tentava debelar os seus maus pensamentos. Estava dura feito um cadáver na poltrona, o olhar perdido num ponto vago. Vez ou outra, Homero tocava na sua mão e dizia qualquer frase indefinida do tipo "Vai dar tudo certo" ou "Não se preocupe", mas tudo lhe soava como ecos baixíssimos, confusos, que inutilmente perpassavam pelos seus ouvidos. Matheus cochilava em paz.

A aeronave estremeceu de leve assim que o trem de pouso tocou a pista do Aeroporto Internacional do Galeão. Laura se permitiu espiar ao redor e notou que nenhum dos demais passageiros demonstrava euforia por chegar: as notícias da ditadura não eram animadoras.

Havia muitos artistas naquele voo. Alguns voltavam do exílio, motivados pela Lei da Anistia, promulgada um ano antes, e pela revogação do AI-5, sob a assinatura do General Geisel, o que restaurou o *habeas corpus* e sinalizou para uma possível redemocratização do país. No entanto, sabia-se que parte da repressão corria de forma clandestina e velada por militares da chamada "linha dura."

Embora estivesse socialmente acima de todo aquele horror, Laura partilhava da mesma apreensão e sentimento de impotência dos seus compatriotas.

Era incrível que ela estivesse de volta em meio àquela efervescência política, e também justamente quando a sua própria vida lhe causava uma sensação de insegurança descomunal. Tinha medo de que descobrissem o segredo sobre a origem de Matheus. Este medo era bem maior do que o de ir à bancarrota e ficar afundada em dívidas, uma vez que o Banco Leubart beirava a um colapso financeiro.

Do aeroporto foram direto para a recém-comprada mansão na Gávea. Enquanto estivera na Europa, Laura autorizou através do seu advogado a venda da casa na Lagoa, dando-lhe uma generosa comissão. Era de se esperar que, se um dia ela retornasse ao Brasil, jamais desejasse morar naquela casa. As lembranças de Alberto e de tudo o que aconteceu após a morte de Amara e Ivan em Petrópolis passaram a fazer parte da casa como se fossem uma pintura texturizada na parede principal.

A compra da mansão na Gávea foi intermediada pelo Banco Leubart e, ao final da negociação, a instituição financeira constou como proprietária do imóvel. Laura havia pensado em algo mais modesto; no entanto, Homero argumentou que Matheus precisava de espaço. Por fim, ela acabou concordando.

"Mas tanto espaço?" Foi o pensamento que Laura teve assim que o carro passou pelo portão que dava para o enorme terreno da propriedade. A mansão parecia ainda maior do que havia sido descrita na documentação enviada pelo seu advogado. O gramado lembrava um gigantesco tapete verde felpudo. De longe, ela foi capaz de avistar a piscina em forma curvilínea, com uma pequena ilhota artificial ao centro. Havia um ambiente anexo, que provavelmente era a sauna. As áreas ao redor eram todas ajardinadas, com gazebo, espaço para as refeições, sala de descanso, banheiro de apoio, ducha e academia. Em um dos lados do terreno, existia também uma quadra de tênis e um salão de festas.

— Não imaginava algo tão... ostentoso. É ainda maior que a minha antiga casa na Lagoa. Bem maior, aliás — comentou Laura quando saltou do carro.

Homero estava empolgado demais para perceber que a fala de Laura soava mais crítica do que elogiosa.

— Você precisa ver lá dentro! Recebi as fotos ainda em Madrid — anunciou ele, feito um menino ansioso para mostrar o seu brinquedo novo.

Recebeu as fotos? Era outra novidade para ela.

Ao entrarem, a sofisticação quase os deixou cegos e afônicos. Três andares. No primeiro, salão com ambientes em piso de mármore, iluminação exclusiva, lavabo, sala de TV, escritório, cozinha planejada com armários, copa com duas despensas, área de serviço, lavanderia e três dependências para empregados, com banheiro. No segundo, sala íntima e cinco suítes com *closets* individuais.

A suíte *master* possuía um *closet* independente e um banheiro com mais de um sanitário, além de uma banheira esmaltada. No último andar ficava o sótão, com outra suíte e um salão de jogos. A propriedade era de causar inveja a qualquer executivo exigente. Tudo somava puro luxo.

Laura se deixou afundar numa poltrona, exausta pelas duas viagens: a de Madrid até o Rio de Janeiro, e a do primeiro pavimento ao último da faustuosa residência. Concluiu:
— É mais do que precisamos.
Homero franziu o cenho.
— O que é isso, meu amor? Por que esse pensamento tacanho? Nós precisamos desta casa, sim! Pensa no garoto!
— Estou pensando.
— Pois não parece. Nosso filho vai adorar crescer numa casa como esta...
"Nosso filho?", espantou-se Laura, e especulou quantas "novidades" ainda estariam por vir.
— ... o moleque precisa ter espaço pra correr, brincar, reunir os amiguinhos — ele continuava, talvez mais entusiasmado do que o próprio Matheus ficaria.
— Você tem razão. Mas me preocupa o banco adquirir um imóvel tão caro em meio a uma crise financeira gravíssima — considerou Laura. — Tenho certeza de que isto aqui custou uma fortuna!
— Não vamos falar disso agora, meu anjo, por favor! — retrucou Homero, aborrecido. — Estamos começando uma fase. Teremos alegrias e desafios, e enfrentaremos tudo com muita coragem. Vamos nos permitir dar passos que contribuam para a nossa qualidade de vida. Até para uma batalha, precisamos estar confortáveis.
Ninguém tinha um discurso como o dele. Homero sabia como poucos transmitir a segurança, paz e o bem-estar que Laura há anos havia esquecido como era, desde que o seu marido falecera. Na realidade, nem mesmo Alberto possuía uma autoconfiança tão evidente. Homero lhe passava uma determinação que fazia os problemas parecerem infinitamente menores e superáveis.
Ela se levantou e o abraçou, dizendo:
— Seremos felizes. Não importa o tamanho da casa, importa o quanto vamos nos dedicar a este propósito: sermos felizes. Uma família, realmente.
Homero beijou a sua testa.
— Seremos, meu bem. Confie em mim.
Laura sorriu, feliz.
— Eu confio. Você é meu porto seguro. A minha vida está entregue nas suas mãos.

Eles se abraçaram forte. Por detrás do abraço, Homero também sorriu. O motivo do sorriso dele, porém, era bem outro...

◆━━━━━━━━━━━━◆

A sede do Banco Leubart Investimentos e Financiamentos S/A funcionava em um prédio de alto padrão, no cruzamento das avenidas Rio Branco e Presidente Vargas, no Centro, a alguns quarteirões da Praça Mauá. O edifício era um velho conhecido da cidade e se destacava pela sua construção imponente e arrojada, fora dos padrões da época, com as suas vidraças enormes e espelhadas em azul, contornos irregulares, paredes em tom cinza-escuro e altura proeminente.

Tornou-se comum ouvir, em anedota, as pessoas dizerem que, de dentro do prédio até a sua calçada, era possível sentir o "perfume" do dinheiro que corria nos cofres da instituição. O Banco Leubart era famoso e bastante comentado entre a população carioca.

Laura se lembrou de certa ocasião em que chegava ao prédio para visitar Alberto e, de repente, um morador de rua se debruçou na janela do seu carro, pedindo esmola.

— Eu sei que a "dotora" trabalha aí no banco. Eu só quero uns "trocado" pra "fazê" um lanche, dona.

Ela, assustada, com medo de ser roubada ou sofrer uma violência pior, fechou depressa o vidro e arrancou em direção ao estacionamento.

Hoje, novamente ela chegava ao prédio. Homero dirigia. Pararam no semáforo, quase em frente à garagem do edifício. Desta vez, ninguém se debruçou ou bateu no vidro. Laura se perguntou se até os mendigos sabiam do risco de o banco falir.

Quando ela chegou ao saguão principal, olhou ao redor com tristeza. Tudo parecia calmo demais, em perfeita rotina; de certo modo isso lhe causava uma vontade enorme de gritar, de pedir ajuda. Tudo que Alberto conquistara, dando continuidade ao excelente trabalho desenvolvido pelo pai dele, estava ameaçado. E a culpa era dela? "Minha culpa?". Ela jamais conseguiria viver com esta sensação em sua consciência.

Laura e Homero entraram no elevador e ele pressionou o botão do último andar, no qual ficava a sala de reuniões. Enquanto subiam, Laura percebeu que no mezanino, onde funcionava a corretora do banco, havia pouca gente à espera de atendimento, e os funcionários pareciam trabalhar desanimados e cansados. Ela sentiu uma leve pontada no peito.

O elevador parou no último andar. Eles desceram e se dirigiram a uma antessala, onde havia uma mesa, atrás da qual uma linda jovem estava sentada. Ela tentou parecer cordial, mas era nítido que estava nervosa, mesmo tão bem maquiada e sorrindo amistosamente.

— Boa tarde, dona Laura! Os acionistas já estão à sua espera. — Ela se virou para Homero e o cumprimentou: — Boa tarde, senhor.

Homero respondeu em silêncio, retribuindo-lhe o sorriso.

Laura fitou-a, preocupada.

— O Meireles já está presente?

— Sim, senhora. Lá dentro com os outros.

A secretária indicou-lhes uma porta maior, que dava para a sala principal de reuniões. Quando Laura e Homero adentraram, viram todos os acionistas sentados ao redor da extensa mesa de pedra lustrada, com acabamento em metal polido: ainda era uma referência aos bons tempos do banco. Por anos, Alberto se sentara ali, na poltrona principal, à cabeceira, regendo como um maestro impecável a sua "máquina de dinheiro". Hoje, Laura não sabia o que fazer, nem onde se sentar.

Justamente do lugar que fora de Alberto, ergueu-se Meireles, que, a pedido de Laura, assumira a presidência interinamente quando ela deixou o Brasil. Meireles nunca pôde esquecer aquele telefonema no meio da madrugada.

— Por favor, Laura — disse Meireles, indicando-lhe uma cadeira vazia perto dela. Depois, ele reparou em Homero: — Este senhor a está acompanhando?

— Meu marido, Homero — respondeu Laura sem rodeios.

Meireles procurou ser gentil:

— Seja bem-vindo. Sente-se, por favor!

Homero puxou uma cadeira mais ao fundo e a pôs junto à de Laura.

De repente, a porta da sala de reuniões outra vez foi aberta e entrou o doutor Igor, advogado dos Leubart e amigo de Laura. Ele sempre acompanhava de perto as decisões no banco. Era o braço direito para Alberto. Todas as questões jurídicas sempre foram resolvidas com ele mesmo, nunca houve a necessidade de uma análise mais profunda que envolvesse todo o departamento jurídico da instituição. Alberto confiava plenamente em Igor, e é claro que este não poderia faltar.

Meireles cumprimentou o advogado:

— Boa tarde, doutor.

Igor respondeu e foi se sentar em uma cadeira próxima à dele. Aparentava pressa.

Meireles começou, cauteloso:

— Bem, acho que todos aqui sabem os motivos dessa reunião de emergência. Um deles é que a nossa querida Laura está de volta ao Brasil; e o outro é que, infelizmente, as notícias sobre a saúde financeira do nosso banco são muito ruins, eu diria até que gravíssimas.

Laura se pronunciou de imediato:

— Eu quero estar a par de tudo, Meireles.

O executivo respirou fundo e prosseguiu, dirigindo as suas palavras à Laura:

— Desde a sua saída do Brasil, as coisas começaram a ficar não tão boas. Muitos investidores especularam que você estava sendo negligente com a administração do banco, e que, talvez, até o entregasse em mãos estrangeiras. Esses boatos fizeram com que os investidores resgatassem as suas debêntures, gerando saques de valores estratosféricos em efeito cascata. Eu mesmo não sabia que tínhamos tantas escrituras de emissão. As nossas ações na bolsa despencaram.

Laura não aguentou ficar calada.

— Isso é um absurdo! Eu nunca fui negligente com as minhas obrigações com o banco, e jamais entregaria a administração nas mãos de terceiros que não fossem de minha extrema confiança ou da minha família!

— Tudo bem, Laura, nós aqui sabemos disso, mas os investidores, não! Estamos falando de milhões de cruzeiros circulando em nossos cofres todos os dias, dinheiro alheio confiado à nossa instituição — considerou Meireles. — Eu acho legítima a preocupação de nossos clientes.

— Legítima, só que não para justificar tantos boatos e acusações graves contra mim. O que é isso, meu Deus? — proferia indignada. — Esse banco vem de família, meu sogro começou do zero, sem ter um centavo próprio, depois o meu marido dedicou grande parte da vida dele a isto aqui.

— Sabemos disso, Laura — assentiu Meireles.

Mas ela parecia ofendida:

— Como eu seria capaz de tratar com tanta irresponsabilidade uma instituição que equivale a um bem de família?

Nesse momento Homero fez uma pergunta, sem nenhum embaraço diante dos outros, que mal acabara de conhecer:

— E quanto aos títulos de crédito emitidos em favor do banco?

— A quais títulos especificamente está se referindo, senhor Homero? — quis saber o advogado, Igor. A antipatia e implicância no seu tom de voz eram de uma clareza constrangedora.

— Bem — tornou Homero —, sabemos que muitos títulos também são emitidos figurando o banco como credor, ou seja, dinheiro emprestado a terceiros e que volta acrescido de ágio, ou não?

— Não costumamos usar este termo — rebateu Igor.

— Mas acho que me fiz entender — retrucou Homero, seguro das suas palavras. — Sabemos que quem toma dinheiro emprestado paga depois o valor acrescido de juros. — E ironizou: — Pelo menos nos bancos tradicionais, de correntistas, funciona assim. Será que num banco de investimentos é diferente? Emprestam sem cobrar nada além?

Se o olhar de Igor tivesse poder de fogo, certamente Homero cairia morto no chão naquele mesmo instante. O advogado, no entanto, nada mais disse.

Foi Meireles quem respondeu:

— O seu raciocínio está certo, senhor Homero, porém a alta taxa de inadimplência ajudou a cavar este buraco em que estamos. Enquanto uns faziam financiamentos e não honravam as suas dívidas com o banco, outros entravam com os seus pedidos de aposentadoria nos nossos fundos de previdência privada. Essa situação foi inversa e muito desproporcional. Não é preciso grande conhecimento matemático para entender que houve uma evasão de recursos e quase nenhum lucro.

Laura levou as mãos à cabeça.

— Meu Deus... Isso só pode ser um pesadelo!

— Infelizmente, é real — lamentou Meireles.

— O banco está no vermelho? — questionou Homero.

— Eu diria mais do que isso — alertou o executivo. — Eu diria que estamos tecnicamente falidos.

Laura encarou Meireles, em total desespero.

— Você disse... falidos?

— Sim, eu disse — confirmou.

Foi o suficiente para que Laura levantasse da sua cadeira, debruçasse sobre a mesa e falasse como quem está diante de um precipício:

— Não, não e não! Tem de haver uma saída! Um banco como o nosso não pode falir assim, não faz sentido! Sejamos razoáveis!

Homero tentou tranquilizá-la:

— Calma, meu amor... calma...

— Como posso ter calma? — Sem perceber, ela batia com os punhos sobre a mesa. — Estão tentando me convencer de que o banco da minha família está falido, sem nenhuma chance de se recuperar? Isso não existe!

— Por favor, acalme-se, Laura! Descontrole não vai levar a lugar algum — ponderou Meireles.

Laura caiu sentada como se desabasse sobre o próprio corpo. Sentia-se sufocada, parecia que o ar saíra dos seus pulmões, deixando-a oca por dentro. As suas pernas estavam dormentes, e os seus braços e mãos, trêmulos.

— Meu amor, vou chamar um médico, você não parece nada bem — proferiu Homero, tomando as suas mãos frias.

Meireles discou no telefone que servia à mesa de reuniões e acionou a secretária, pedindo-lhe que trouxesse um copo d'água. Depois olhou para Homero, que tentava aferir se Laura estava lúcida.

Um outro acionista sugeriu:

— É melhor chamarmos uma ambulância.

— Eu estou bem — disse Laura, mas a sua voz saía fraca como um sopro. — Não precisa de médico nem de ambulância. Está tudo bem.

— Tem certeza, meu anjo? — perguntou Homero, observando-a com bastante cuidado. Ela estava pálida.

— Tenho — garantiu.

A secretária adentrou a sala levando o copo com água. Serviu-o a Laura, que com as duas mãos, ainda trêmulas, o levou à boca e se pôs a beber em pequenos goles.

Igor propôs da sua cadeira:

— Melhor transferirmos esta reunião para outro dia.

Laura descansou o copo sobre a mesa, dizendo:

— Não. Vamos continuar. Eu vou ficar mal se eu sair daqui hoje sem uma solução.

Meireles abriu um envelope tamanho ofício e retirou dele alguns papéis.

— Talvez haja uma saída — ele retomou, folheando os papéis que tinha em mãos. — Há uns quinze dias recebi a proposta de uma companhia holandesa interessada em adquirir metade das nossas ações: *Pex BL Investment*.

Laura se mostrou curiosa:

— *Pex BL Investment*? Nunca ouvi falar desse grupo. Por que o interesse em comprar metade das nossas ações?

Meireles argumentou:

— Como eu disse, é um grupo holandês e, ao que tudo indica, quer investir em nosso banco. Está disposto a nos salvar da falência. Acho que é uma possibilidade em que deveríamos pensar.

— Não, seria muito arriscado — avaliou Laura. — Como vamos entregar metade das nossas ações a uma empresa desconhecida? Ou pelo menos alguém aqui já ouviu falar dessa empresa?

Todos se mantiveram em silêncio. Apenas se entreolharam. De fato, nunca tinham ouvido falar.

Laura então decidiu:

— Isso está fora de cogitação.

Mas Homero se pronunciou favorável ao negócio:

— Meu amor, talvez o doutor Meireles esteja apresentando a melhor alternativa nesse momento.

— É muito arriscado! — repetiu.

— Eu sei, meu bem. No entanto, nada é pior do que o banco falir.

Ela justificou:

— Nós não sabemos quais as intenções desse grupo aqui dentro, Homero. Vender metade das nossas ações significa que eles terão o mesmo poder gerencial que nós. Isso é perigoso. Nós vamos entregar metade do que é nosso para uma empresa que não sabemos de onde veio e nem o que quer exatamente. Há muitos bancos por aí, mais rentáveis, inclusive. Por que vieram justo no rastro da nossa falência? Ninguém está se perguntando isso?

— Porque talvez eles queiram mais espaço dentro de uma instituição — expôs o marido. — É bem provável que, em um banco que não estivesse à beira da falência, eles não conseguissem um bom número acionário. Um banco próspero não teria interesse em abrir o seu capital.

— Nisso você tem razão — aderiu Laura.

Meireles completou:

— É a única saída que temos...

— Ainda não estou conformada — desabafou.

Na volta para casa, enquanto Homero dirigia, Laura questionou-lhe:

— Você acha mesmo que eu devo vender metade das ações do banco para essa tal *Pex BL Investment*?

— Sinceramente... acho que sim. Não resta outra opção — ele respondeu.

— Mas não sabemos ao certo de onde vem essa empresa, quem são, o que querem... Como vamos vender metade do banco a desconhecidos? Porque por enquanto essa *Pex BL Investment* não passa de uma mera desconhecida.

— Eu sei, meu anjo. Contudo, ainda é cedo para dizer que não sabemos quem são. Eles já enviaram a proposta deles...

— Por *office boy* — frisou Laura. — Nem sequer tiveram o interesse de se apresentarem pessoalmente.

— A proposta parece bem vantajosa para o banco nesse momento de crise — ele completou, sem deixar que o interrompesse.

Laura pensou por um tempo. Quando Homero virou a outra esquina, ela já havia tomado uma decisão.

Três dias depois, Laura comunicava por telefone a Meireles:

— Não vendo. Não venderei ações do banco, seja a quantidade que for: metade, um terço, uma... Não importa, não vou confiar em desconhecidos.

— Mas, Laura — reagiu Meireles —, estamos correndo sério risco de concordata. Talvez o banco abra falência antes mesmo do primeiro semestre do ano que vem.

— Não vendo, Meireles, já disse — ratificou Laura firmemente. — O que tiver que acontecer vai acontecer, porque não pretendo vender nenhuma ação do meu banco.

Desligaram.

Homero ouvia tudo de longe, sentado na enorme poltrona de couro que ficava num canto da suntuosa sala da propriedade. Então, levantou-se devagar e foi abraçar Laura.

— Tem certeza da sua decisão, querida?

Ela sorriu:

— Claro que sim, Homero.

Na madrugada daquele mesmo dia, outro telefone na mansão era utilizado. Desta vez, às escondidas. Ele falava baixo com o seu interlocutor e se protegia na escuridão do *hall* do segundo andar.

— Não deu certo. Vamos ter de pegar mais pesado. Eu tenho certeza de que, se ela vir as coisas ainda piores, ela "abre as pernas".

O misterioso interlocutor parecia muito irritado. Quando respondeu, a sua voz soou como o grunhido de uma fera à espreita da sua presa:

— Cedo ou tarde essa vadia vai cair. Não se preocupe, vou mexer os meus pauzinhos. Ela vai ficar desesperada. Vai querer vender até a alma se precisar. Filha da puta.

O interlocutor desligou.

Só então Homero pôde voltar para a cama e se deitar confortavelmente ao lado de Laura.

Durante a semana seguinte, o Banco Leubart S/A foi alvo de notícias furiosas a respeito das suas finanças. O que corria nos jornais mais importantes do país era que a instituição estava em colapso e poderia falir a qualquer instante.

Laura fez de tudo para abrandar a onda de informações negativas, porém era como tentar apagar um incêndio gigantesco com um simples copo d'água. A situação ficou claramente fora de controle quando um grupo de segurados tentou resgatar o dinheiro que investira e não conseguiu. O grupo se organizou e passou a gritar palavras de ordem diante do edifício. Alguns objetos chegaram a ser arremessados contra a fachada. Uma enorme vidraça da portaria do edifício chegou a ser atingida por uma pedra, estilhaçando e quase ferindo com gravidade quem passava perto.

Laura não conseguia conter as lágrimas, enquanto observava do escritório, no último andar, o tumulto que se instalava em frente ao prédio do banco. O seu banco. O banco que Alberto herdara do pai e que agora se desfazia como areia espalhada pelo vento.

Homero chegou por trás de Laura e a abraçou, beijando suavemente o seu ombro, ao passo que ela não tirava os olhos da janela.

— A polícia já foi chamada, meu amor. Já está vindo pra cá. Não se preocupe! Em pouco tempo ela acaba com essa arruaça.

— Não são arruaceiros — ela disse, entre soluços. — São pessoas que confiaram nesta instituição. Confiaram no meu marido, e depois em mim, entende?

— Toda empresa tem seu risco — retrucou Homero de forma calma.

— Mas a empresa não é um ser com vontade própria — ela argumentou. — A empresa depende de nós, de um bom gerenciamento, de pessoas capacitadas, responsáveis. Eu falhei, Homero. Falhei com o bem mais importante que o Alberto me deixou. Falhei.

— Pare de se culpar, isso não vai ajudar em nada. Ao contrário, só vai abalar você ainda mais — ele alertou, com grande preocupação em seu tom de voz.

Dez minutos depois, o diálogo deles era interrompido pelo som das sirenes dos carros da polícia. Eram várias viaturas. Houve um princípio de confronto. Emissoras de TV eram impedidas de se aproximar. Um repórter tentou furar o bloqueio da polícia e teve a sua câmera quebrada. Alguns agentes da ditadura — que ainda restava de forma discreta — também comandavam a ação. A Avenida Rio Branco chegou a ser interditada por duas horas.

— Já podemos sair do prédio em segurança, meu amor — anunciou Homero, vindo de outra sala no mesmo andar. — A polícia já dispersou o grupo, o trânsito foi liberado. Enfim, hora de ir para casa.

— E amanhã? E depois de amanhã... Como é que vai ser? — ela perguntava quase em estado de choque, sem piscar os olhos. — Hoje nos livramos, mas não vai ser sempre assim, nós sabemos que não vai.

— Por favor, Laura, vamos viver um dia de cada vez — ele respondeu com serenidade. — O melhor que podemos fazer agora é ir embora. O Matheus, nosso filho, espera pela gente.

— Vou buscar o carro, espere aqui.

Ele se afastou.

Ela ficou parada a alguns metros do elevador que dava para o estacionamento do edifício. Pensava sobre tudo que assistira nas últimas horas e lhe parecia absurdo demais para ser verdade. No entanto, era verdade.

Olhou ao redor. Poucos carros.

Resolveu caminhar, indo atrás dele. Quando viu seu automóvel, não tinha ninguém ao volante. Olhou com mais atenção.

Então, Laura avistou Homero escondido atrás de uma pilastra, conversando secretamente com um homem que ela não conhecia.

Não soube o porquê, mas algo começou a incomodá-la naquele mesmo instante. Algo muito ruim. E era difícil estar enganada quando tinha essa sensação...

— O estacionamento estava tão vazio, nem parece o mesmo de antes — comentou Laura casualmente no trajeto para casa. Depois arriscou perguntar: — Você viu se tinha mais alguém lá, algum funcionário...?

Homero respondeu com naturalidade:

— Não, amor. Não tinha ninguém lá.

De fato, ela mais uma vez estava certa, havia algo errado. E ela precisava descobrir o que era.

Pouco mais de um mês havia se passado desde que Laura vira aquela cena estranha no estacionamento do Banco Leubart, na qual Homero conversava secretamente com um homem. Mas quem era ele? E por que Homero mentira sobre a presença dele no local? A imagem fez morada no seu subconsciente de tal forma que ela, sem se dar conta, já estava completamente obstinada a descobrir por que o seu companheiro escondera o fato.

Uma desconfiança rondava os seus pensamentos e a levantava da cama por diversas vezes, por muitas madrugadas a fio, sem que conseguisse fechar os olhos, sem conciliar o sono, sem permitir que descansasse. Era como se precisasse estar sempre alerta para algo que nem ela mesma sabia o que era. Parecia-lhe que, de uma hora para outra, estava numa cela escura tentando driblar um inimigo invisível.

Tinha de arrumar um jeito de resolver a questão definitivamente. Não poderia passar os dias ao lado de um homem em quem não confiava.

Em uma manhã nublada de quinta-feira, bem cedo, tirou o carro da garagem e seguiu para o departamento jurídico do Banco Leubart, que ficava no oitavo andar do edifício-sede da instituição. Foi sozinha, guiando o próprio carro, coisa que raramente fazia desde que retornara ao Brasil. Porém, naquele dia era necessário que Homero não estivesse presente.

O departamento jurídico ocupava por completo o oitavo andar. Ao longo do pavimento havia divisórias espalhadas, cada qual funcionando como um pequeno "escritório particular" de uma equipe de advogados, procuradores ou prepostos do banco.

Laura se dirigiu a um desses espaços, onde um homem alto e rechonchudo, na casa dos cinquenta e poucos anos, branco, calvo, de olhos ligeiros e espertos, estava sentado atrás de uma mesa cuja arquitetura consistia em pilhas de papéis. Apesar do grande volume de documentos, tudo estava perfeitamente organizado e catalogado com fitas adesivas de diferentes cores.

— Bom dia! — disse Laura, puxando uma cadeira e se sentando diante dele. A tensão que trazia nos seus movimentos e no seu tom de voz quase se materializou diante daquele homem.

— Bom dia, minha querida! — ele respondeu, sorrindo de maneira amistosa. — Eu falei que entraria em contato com você — lembrou em seguida. — Eu planejava fazer isso ainda esta semana, só estava esperando receber mais alguns contatos, obter mais algumas confirmações, enfim...

— Não posso esperar mais — desabafou Laura.

— Sim, eu entendo...

— Não! Você não entende! — ela retrucou, e percebeu tarde demais que a sua ansiedade fez com que gritasse. Assim que se deu conta do seu descontrole, tentou recobrar a lucidez. — Me desculpe, Salviano, estou muito nervosa. Por favor, me desculpe...

Pôs as mãos contra o rosto e respirou fundo.

Salviano Rodrigues era um ex-detetive particular. Antes de ir trabalhar no departamento jurídico do Banco Leubart, acostumara-se com o descontrole e os rompantes de raiva e frustração de esposas vítimas de seus maridos infiéis. Na maioria dos casos, quando o procuravam, as mulheres tentavam transmitir um autocontrole e um equilíbrio emocional que logo na segunda visita ao escritório era desmascarado por uma intensa mistura de ódio, desespero, terror e comiseração por si mesmas. Laura não parecia muito diferente desse tipo de mulher, exceto por um brilho perspicaz que ela trazia no olhar, ainda que estivesse agitada. Esse brilho, Salviano também conhecia. Era um brilho perigoso, e ele preferia acreditar que Laura não o possuísse de verdade.

— Quer um café? — perguntou Salviano, num tom tranquilizador.

Ela continuava tensa:

— Não, não quero. Vamos acabar logo com isso. Quero as informações que você apurou.

Ele insistiu, apertando um botão no aparelho de telefone que ficava sobre a mesa:

— Por favor, café para dois. O meu com açúcar... — Fitou Laura, que fez um aceno breve com a cabeça — Os dois com açúcar. Obrigado!
Desligou.

Na mansão, Homero acordava. Deslizou a mão para o lado na cama e percebeu que estava sozinho. Levantou-se, sonolento, e caminhou devagar até o banheiro da suíte. Vazio. Deu mais alguns passos até o corredor e absorveu o silêncio que vinha do restante da casa. Constatou: Laura havia saído.

"Para onde?", foi o que lhe veio à mente.

Pela primeira vez, Homero pressentia que as coisas estavam começando a dar errado.

O café esfriava em cima da mesa, enquanto Laura checava um apanhado de documentos em uma pasta, onde estava escrito em letras médias:

"Dossiê H. — Confidencial"

Salviano se serviu do último gole que restava em sua xícara e ficou observando Laura em silêncio. Depois de um tempo, indagou:

— Você compreende a gravidade de tudo que está aí?

Só então Laura o fitou, respondendo:

— Compreendo, sim. — E pediu: — Por favor, não comente nada com o doutor Igor, eu não quero envolvê-lo nisso. Prefiro manter em sigilo esse assunto.

— Claro — ele assentiu de imediato; e logo após lamentou com tristeza: — Sinto muito, minha amiga, mas acho que você caiu numa cilada.

Ela fechou a pasta firmemente com todos os documentos dentro. A expressão do seu rosto passou da amargura ao ódio em fração de segundos. A voz saiu rouca quando disse:

— Isto é mais do que eu precisava para acertar as contas com aquele crápula. Quando eu terminar, ele vai se arrepender de ter cruzado o meu caminho. Vai se arrepender, eu juro!

"Vai com calma, Laura", foram as últimas palavras que ela ouviu do ex-detetive. E ele parecia dar um conselho muito sábio. Era um homem bastante experiente, com certeza tinha habilidade para lidar com os mais diferentes casos. Porém, Laura não queria saber de conselhos. Não queria ter ou ficar calma; muito pelo contrário, naquele momento queria tomar o controle da situação e "brincar" de forma sádica com o crápula.

Durante o trajeto do Centro à zona sul, já tinha planejado tudo. Destruiria o inimigo, mas não sem antes humilhá-lo. Expor as fraquezas dele e vê-lo sentir um frio na espinha quando ela lhe mostrasse todas aquelas provas. E ameaçasse-o, claro! Uma boa ameaça fazia parte do jogo.

Ela foi recebida com um beijo quando entrou em casa. Homero já a esperava com certa impaciência, sentado no sofá da sala. Laura notou que ele havia tomado uma dose do uísque doze anos que trouxeram de Madrid. O copo estava pelo fim, esquecido num canto, que ela avistou mal cruzara a porta de entrada.

"Bebeu a essa hora da manhã, certamente está nervoso", foi o que deduziu.

Quando recuou os lábios, depois de beijá-la, Homero disse em tom grave:

— Meu amor, fiquei tão preocupado. Acordei, você já tinha saído, não me avisou nada. Vi que você levou o carro. Aonde você foi?

Laura desviou do olhar dele. Refugiou-se de costas noutro canto da enorme sala, a alguma distância. Ela se esforçava para parecer o mais natural possível.

— Fui à igreja. Fui rezar um pouco.

Homero franziu o cenho. Aquela resposta soava tão estranha quanto dizer que havia um tubarão na piscina. Obviamente, era mentira, o que o deixou ainda mais preocupado.

— Como assim, foi rezar?

— Rezar — repetiu casualmente. — Eu hoje acordei com essa vontade dentro de mim. Peguei o carro e fui até uma igreja. Qual o problema nisso?

A pergunta de Laura soou agressiva. No entanto, Homero se conteve. Quando notou que fora incisiva demais com ele, despistou abrindo um sorriso, e acrescentou:

— Você não sabe o bem que faz a gente tirar um dia para ir a uma igreja, se ajoelhar, conversar com Deus, enfim... Estou me sentindo leve, como se tirasse um peso das minhas costas, entende?

Homero deu de ombros.

— Você nunca me pareceu religiosa. Pelo menos, no tempo que estivemos em Madrid, nunca demonstrou interesse em visitar uma igreja.

— Senti que eu precisava fazer isso aqui, no Brasil. Tudo agora é diferente, ou não?

— Diferente como?

— Uma vida nova.

— Tem razão.

Laura se adiantou para a escada, pretendendo ir para o quarto. Antes, no entanto, virou-se novamente e interrogou, com alguma apreensão dentro do peito:

— E o Matheus?

— No quarto — respondeu Homero. — Está dormindo. A babá ainda não chegou.

Ela ia subindo, mas parou nos primeiros degraus.

— Querido.

— Sim...?

— Pensei bem. Eu vou vender as ações do banco para a *Pex BL Investment*.

— Você mudou de ideia?

— Mudei. Por favor, converse com o Meireles, diga minha decisão e peça que ele e o doutor Igor façam a intermediação, que cuidem dos trâmites da venda. Quero fazer isso o mais rápido que eu puder.

— Falo com ele. Depois que prepararem a papelada, marcamos uma reunião e...

Ela cortou na hora:

— Não, não. De jeito nenhum. Não quero ter de olhar para os novos sócios. Pelo menos, não por enquanto. Não quero sentir que um patrimônio de família está passando para as mãos de pessoas estranhas. Traga os papéis, que eu assino em casa. Só eu e você — frisou Laura. — Mais ninguém.

— Entendo. Se vai ser melhor pra você, meu anjo, façamos assim então.

— Ótimo.

Enquanto subia, ela ainda ouviu dele:

— Você tomou uma boa decisão.

Laura sorriu para si mesma...

Homero também sorria lá embaixo.

Cada qual tinha o seu motivo particular para sorrir. E os motivos eram bem diferentes, a não ser pela malícia em comum.

Capítulo 6

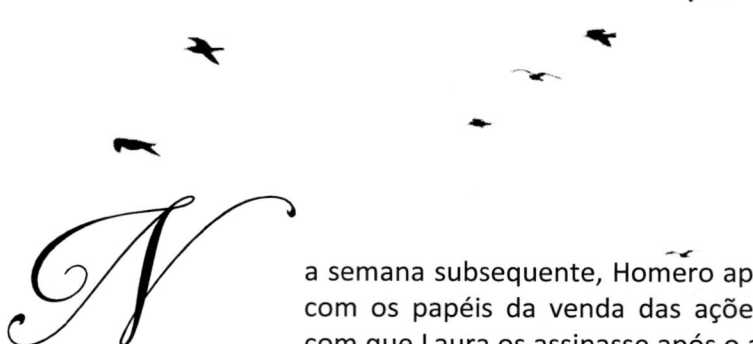

Na semana subsequente, Homero apareceu em casa com os papéis da venda das ações. Tentou fazer com que Laura os assinasse após o almoço, mas ela se recusou. Disse que seria após o jantar, no seu escritório na mansão. Homero aceitou, a contragosto. Ele já não disfarçava a ansiedade para que a companheira concretizasse a venda.

Pareceria estranho a qualquer um o interesse dele na venda da metade das ações do Banco Leubart, patrimônio de sua mulher, a um grupo de investidores desconhecidos. No entanto, para Laura não havia nada estranho nisso. Ela sabia bem o porquê de tanta insistência.

Às oito da noite foi servido o jantar. Homero se deparou com uma requintada mesa à sua frente. O cardápio era variado, e os ornamentos ao redor dos pratos e talheres davam um ar tão sofisticado à arrumação, que deixaria qualquer dono de restaurante ou *chef* boquiabertos.

De entrada, *pissaladière*. Como prato principal, um delicioso ensopado de vitela, acompanhado de batatas ao alecrim e alho. Na sobremesa, *brownie* com calda de frutas vermelhas. Estava tudo perfeito. Homero nunca viu uma mesa tão farta e luxuosa. Laura não costumava servir bons jantares, a não ser em datas muito especiais. Ela quase sempre carregava tanta apreensão, que não lhe sobrava ânimo. Porém, naquela noite era diferente.

Laura representava a elegância em pessoa. Usava um longo *Chloé* bege, com uma echarpe branca de seda que lhe caía com suavidade pelos ombros; sapatos *Versace*, importados da grife lançada em Milão. O cabelo preso num coque puxado para trás, bem alinhado e escovado; e o perfume cítrico, europeu, exalava pelo ambiente. Homero ficou paralisado quando aquela mulher deslumbrante desceu as escadas e veio em sua direção, como se deslizasse sobre um mar de calmaria. A imagem congelou na sua mente por uns segundos. Como um belo quadro.

— Meu Deus... você está linda!

Laura sorriu, a boca pintada com batom cor de champanhe.

— Obrigada, querido.

Ele não se conteve e perguntou:

— Estamos comemorando algo?

— A vida — ela respondeu depressa. — Estamos comemorando a vida.

— Desculpe, mas... — Homero parecia muito desconfortável com o que ia dizer. — Pensei que por causa da venda das ações, você estivesse...

— Arrasada? Destruída?

O embaraço dele era indisfarçável. Ainda assim, tentou minimizar:

— Não nesses termos. Triste, acho que essa seria a palavra certa. Triste.

Laura pensou por um instante. E considerou:

— Talvez eu devesse estar triste, sim. Porém, todo mal precede um bem, como dizia a minha mãe. É necessário que as coisas aconteçam dessa forma.

Homero abraçou-a, fechando os olhos, deixando que o perfume de Laura o inebriasse até a alma. Sentiu a pele quente e macia dela presa nos seus braços. Ele sussurrava:

— Vai ficar tudo bem, meu anjo... Confie em mim... Não estou na sua vida por acaso... Eu quero cuidar de você... para sempre...

Laura saiu delicadamente dos braços dele.

— Melhor nos apressarmos, senão o jantar esfria.

— Claro!

— Já dispensei a babá e coloquei o Matheus para dormir — ela disse, enquanto passavam para a sala de jantar. — A empregada também vai embora daqui a pouco. Só ficaremos você e eu, a sós, nesta casa.

Mesmo sem compreender direito o propósito daquilo tudo, Homero concordou:

— Que bom, meu amor.

Durante o jantar, tudo transcorreu normalmente. Homero puxava assunto com Laura, que lhe respondia e, hora ou outra, também comentava algo sem muita importância. Quando já estavam na sobremesa, Homero começou a jogar o seu charme. Um charme que deixara de usar desde quando conseguiu ir viver com Laura.

Ela admirou-se. Tinha se esquecido de como ele era galanteador. E Homero sabia seduzir como ninguém. Por um instante, Laura desejou profundamente que estivesse errada, que tudo o que descobrira sobre ele fosse uma grande mentira. Mas a realidade não permitia que ela se enganasse. Não dessa vez.

— Vamos até o escritório — ela o chamou, assim que terminaram a sobremesa.

— Agora? Tem certeza? — estranhou Homero. — Acabamos de jantar. Não prefere tratar dos negócios amanhã?

Laura sorriu:

— Tem que ser agora, querido, me acompanhe, por favor!

Eles se levantaram e foram ao escritório da casa. Assim que entraram, Laura trancou a porta e deu duas voltas na fechadura. Ao ouvir o barulho do trinco, Homero, que estava de costas, virou-se e olhou: ela estava segurando a chave com o punho cerrado, firme, como quem está prestes a desferir um soco.

Ele pensou em questioná-la, mas antes que dissesse qualquer coisa, Laura passou por ele e guardou a chave em uma gaveta perto dela. Depois, pegou uma pasta grossa, cheia de papéis em tamanho ofício, e a jogou sobre a mesa, diante dele. Alguns papéis se esparramaram com o impacto. Homero pôde ver a fotografia dele em alguns documentos.

Ele tentou ficar calmo.

— O que é isso, meu bem?

— Dê uma olhada, por favor — ela disse de forma cínica. — Tenho certeza de que vai poder se recordar de muitos dos seus feitos. Belos feitos.

— Eu não entendo o que você está dizendo...

— Ora, não seja modesto — ela ria, com uma crueldade que ele jamais imaginara. — Você é um marginal e tanto. Um bandido com currículo e ficha criminal de fazer inveja a muito chefe de quadrilha.

— Laura, deve haver algum engano...

Ela gritou, irritada:

— Cala essa boca!

Homero respondeu no mesmo tom:

— Não vou me calar! Não sei do que estou sendo acusado! Você enlouqueceu?

Laura recolheu a pasta de cima da mesa e a exibiu diante dele, como um trunfo:

— Aqui estão reunidos todos os seus crimes, em detalhes. Eu mandei investigar toda a sua vida. Descobri que você é um golpista. Que o seu plano era me roubar. Você se aproximou de mim em Madrid já sabendo quem eu era. Não negue, não seja tão cara de pau. Aqui estão as provas.

Homero baixou a cabeça, sem reação.

Laura continuava:

— Descobri que você é o presidente da *Pex BL Investment*. A sua intenção era se tornar dono do meu banco. Queria as minhas ações. Queria acabar com o patrimônio que o meu marido me deixou à custa de muito trabalho.

— Não era bem assim... — ele se defendeu.

Ela queria humilhá-lo.

— Homero... seu bandidinho ordinário! Seu golpista barato... ladrão de quinta... Você pensou mesmo que seria mais esperto que eu? Como você é tolo. Você é um idiota, sabia? Você não passa de um completo idiota.

— Nós podemos conversar, abrir o jogo um com o outro da melhor maneira possível. Podemos resolver de maneira pacífica.

Ela respondeu tranquilamente:

— Não. Não esperei até aqui para a gente sentar e conversar. Eu vou entregar você para a polícia. Faço questão de colocar você na cadeia e deixá-lo apodrecer lá pelo resto da sua vida medíocre. Eu vou mover céus e terras e cuidar para que você nunca mais ponha os seus pés na rua. Vou usar toda a minha influência, todo o meu dinheiro.

— Você não tem mais dinheiro como pensa, minha querida — retrucou Homero, sem se deixar intimidar. — Se eu fosse você, poupava cada centavo.

— Tenho, sim — ela rebateu depressa. — Eu descobri também que foi você quem plantou as notícias em todos os jornais dando conta de que o Banco Leubart estava à beira da falência, levando os investimentos a caírem e retiradas astronômicas serem feitas por poupadores com medo da suposta crise financeira. Mas depois que você for preso e eu divulgar o seu plano sórdido, os investidores retornarão. Aliás, você pode chamar aquele seu amigo repórter, que estava com você no estacionamento do banco, para cobrir com exclusividade a sua prisão. Seria um gesto de muita consideração com quem sempre o ajudou. Foi ele quem cobriu aquele protesto na frente do prédio e depois espalhou na mídia, não foi? Então, nada mais justo que ele acompanhar você até o fim.

Homero parecia não acreditar no que ouvia:

— Você teria coragem de me entregar para a polícia depois de tudo que a gente viveu?

— E o que a gente viveu, hã? Mentira. Tudo que a gente viveu foi mentira. Você nunca me amou. Você estava comigo por conta desse plano sujo para me roubar.

— E você vai me entregar para a polícia baseada em quê? Vai dizer que eu te enganei, que brinquei com os seus sentimentos? Que sou sócio de uma empresa interessada em comprar as suas ações? Até onde eu sei, não há crime nenhum nisso — ele declarou.

Laura estava chocada:

— Mas você pensa que eu sou muito burra mesmo, não é? Incrível a sua cara dura. É claro que juntei todas as provas contra você. — Ela espalhou os documentos sobre a mesa novamente enquanto indicava cada um deles. — Furto, estelionato, suspeita de homicídio, fraude contra o sistema financeiro, evasão de divisas...

Homero deu de ombros.

— Acusações. Nenhuma delas foi provada até hoje.

— Ah, não? — Laura fingiu surpresa. — Isso quer dizer que a *Interpol* investigava você a troco de nada? Basta que eu dê alguns telefonemas e em meia hora a Polícia Federal chegará a esta casa e levará você com ela num camburão. Logo depois, a *Interpol* também será avisada e você estará muito complicado, querido.

Homero deu um passo à frente e confrontou-a nos olhos, sem medo:

— Você não vai me denunciar, Laura. Porque, se você chamar a polícia, você vai presa comigo, no mesmo camburão. Esqueceu que eu sei do seu segredo? Que você roubou o Matheus da verdadeira família dele? Aliás, nem Matheus ele era. O nome verdadeiro dele é Diogo. Você e o seu advogado "um-sete-um" forjaram uma certidão de nascimento para registrar o garoto no seu nome e no do seu falecido marido.

O tom de Laura era de incredulidade:

— Você tem a audácia de me ameaçar, seu canalha?

— Agora o jogo entre nós não é esse? Pois então: é toma lá, dá cá. Uma coisa pela outra. Se você me deixar ir embora sem me causar problemas, ninguém vai ficar sabendo do seu "segredinho", Laura Leubart.

— Você me causa nojo, repulsa. Como eu pude passar tantos dias e noites deitada ao seu lado, na mesma cama?

— Garanto que, nesse tempo todo, eu não era o único sujo. Você entende tão bem quanto eu de sujeira e trapaça, meu anjo.

De repente, Homero sentiu um estalo quente e úmido bem no meio do seu rosto. Levou uma das mãos à face, depois olhou para os dedos e viu escorrendo a grande quantidade de saliva que ela cuspira em cima dele.

Laura acrescentou:

— É isso que você merece, seu crápula! Eu deveria pegar uma arma e encher essa sua cara sem-vergonha de tiros. Patife! Biltre! Meliante de merda!

Ele apelou para o sarcasmo:

— Mas que falta de educação. Você está perdendo a classe, *darling*. Não precisa descer tanto o seu nível. Estou aberto para negociarmos as nossas diferenças. Fazermos um acerto bom para nós dois.

Ela caiu na gargalhada. Riu tanto que o seu rosto se avermelhou e subitamente parecia queimado de sol. Era um riso escandaloso, jocoso, que conseguiu deixar Homero constrangido.

— Não, eu não creio que estou ouvindo isso, pelo amor de Deus — ela soluçava durante a crise de riso. — Você é muito descarado. Acha mesmo que eu faria qualquer acerto com você? Que eu desperdiçaria dinheiro meu fazendo um acordo com um bandido burro como você? Sim, você é burro. É um otário, como se diz aí fora. Não teve cacife para enganar uma pobre viúva milionária. Ridículo! Você é ridículo.

Homero mudou de expressão. Ficou sério. E a voz saiu rouca. Não aparentava estar blefando quando lhe respondeu:

— Tudo bem. Chame a polícia. Pode chamar. Eu não vou tentar fugir. Faço questão de esperar e ser o denunciante do seu crime. Sairemos os três hoje desta casa com o futuro incerto: eu, você... e o Matheus. Ou devo dizer Diogo?

Laura se manteve em silêncio. Apenas o observava como se tentasse descobrir qual era o plano por trás daquele discurso.

Homero pegou o aparelho de telefone do escritório e estendeu para ela, oferecendo-o com a firmeza de quem sabia o que estava fazendo.

— Pegue. Chame a polícia.

Laura hesitou por alguns instantes, o olhar frio, inexpressivo. Acabou dizendo:

— É isso mesmo o que eu vou fazer. Pode me denunciar. Eu tenho dinheiro. Contrato bons advogados, os melhores do país, provo o bem que estou fazendo a um órfão e esse pesadelo acaba! Enquanto você, meu caro, vai envelhecer e morrer atrás das grades, comendo lavagem e dormindo num cubículo onde mal cabe um beliche. — Ela abriu os braços, exibindo-se para ele como um baú de ouro. — Sabe por que caprichei tanto hoje? Para você gravar na sua memória tudo que perdeu. Quando você estiver na sua cela minúscula e fedorenta, quero que se lembre de mim. Desta mansão. Da comida. Da vida a que você nunca terá direito. Pobre infeliz!

Homero levou o telefone de volta à base. Fitou Laura por breves segundos e, de repente, as vistas dele se encheram de lágrimas. A partir daquele momento aparentava ser outro homem, não mais o bandido calculista a quem ela acusava.

— Eu planejei, sim, tirar proveito da sua grana — ele confessou, afinal. — Sabe? A minha vida foi muito dura, eu só queria ter um pouco de dignidade, como eu nunca tive...

Laura ergueu a mão e não permitiu que ele continuasse:

— Não me venha agora com essa patranhada clichê que todo vagabundo conta para justificar a própria canalhice! Tenha pelo menos a decência de não inventar mais! Fale a verdade, nem que seja uma vez na sua vida!

— Eu não quero justificar nada! — ele protestou, com a maior seriedade. — O que quero dizer é que todos somos passíveis de errar em busca dos nossos objetivos.

— Hum... — ela demonstrava certo cansaço em ouvi-lo.

— E ainda que você não acredite em mim — prosseguiu Homero —, uma coisa não estava em meus planos: eu me apaixonar por você de verdade.

— Como você é cínico. Que canastrice! Eu pensei que nada mais em você fosse me surpreender. Mas juro que estou surpresa com esse seu lado ator. De nenhum talento, claro. Você não serviria nem para fazer mocinho de teatro de marionetes em festa infantil.

— Eu juro para você!

— Vamos acabar logo com isso! Eu chamo a polícia, entrego as provas que tenho contra você, eles te prendem, você me denuncia e, no final, veremos quem vai, de fato, esquentar lugar na cadeia! — Laura precipitou a mão cheia de joias ao telefone, porém ele a impediu, pondo a mão dele sobre a dela. — Acha que vai me convencer a não te denunciar com essa atuação de marido arrependido? Você não me conhece... Uma mulher que fez o que eu fiz pelo direito de ser mãe, pode coisas de que até Deus duvida.

Homero então a agarrou com toda a força e lhe deu um beijo sôfrego, profundo e carregado de paixão. Seus lábios se prenderam aos de Laura, que também teve o céu da boca invadido despudoradamente pela língua dele.

— Eu te amo, Laura. Eu te amo! — ele repetia, tão logo os beijos deram lugar aos abraços cada vez mais quentes e ousados. Por um momento, Homero sentiu que era capaz de deitá-la no chão e ali mesmo possuí-la, como bem quisesse seu desejo.

Laura parecia envolvida por aquela onda de sedução. Mas quando Homero se deu conta, ela sussurrava maliciosamente ao pé do seu ouvido:

— Quem é o seu cúmplice?

Ele piscou, aturdido.

— Quê?

Ela afastou-se, rompendo o clima.

— Quero saber quem fazia parte do seu plano para me dar um golpe?

— Como assim, quem?

— Ora, Homero, sejamos sensatos. É claro que você não estava sozinho nessa jogada. Alguém lhe dava suporte esse tempo todo. Agora que não há mais segredos entre nós, quero saber quem.

— Por que acha que tem mais alguém?

— Você não teria dinheiro para comprar as ações do banco — ponderou Laura. — E pelo que pesquisei sobre os seus crimes, nenhum deles te deixou bem financeiramente. Nem mesmo o golpe que você aplicou naquela espanhola, a Sarita Hernandez, foi capaz de fazer de você um homem rico. Aliás, Sarita Hernandez foi atropelada e morreu logo depois que decolamos do aeroporto de Madrid. Que fatalidade, não fosse por não ter havido testemunhas nem o suposto motorista ter prestado socorro. Durante as investigações, a polícia local e a *Interpol* descobriram que Sarita morreu em circunstâncias parecidas com as de outros crimes dos quais você é suspeito. Inclusive, em outros países.

Homero estava perplexo demais para fazer qualquer comentário. As informações que Laura conseguira reunir o deixaram tonto. Era impressionante como ela conseguira esquadrinhar quase toda a sua vida em tão pouco tempo. Ele se perguntou o que mais ela saberia.

Como se escutasse os pensamentos dele, Laura prosseguia, enquanto consultava um documento que tinha em mãos:

— Aqui estão os nomes e as nacionalidades de algumas das suas vítimas. No México, Angelina Carrera; em Portugal, Maria de Lourdes Gonçalves; em Londres, Sarah Macline; nos Estados Unidos, Rebeca White; na Itália, Loreta D'Angelo... Enfim, é infindável a lista de mulheres que você enganou.

Homero caiu sentado numa cadeira. Finalmente, Laura se deu por satisfeita. Diante dela, um homem derrotado, humilhado. Ele nem de longe lembrava o conquistador inteligente e amoroso que ela conhecera há meses. Laura ficou convencida de que, se havia uma guerra sendo travada, ela saiu vencedora.

Conseguiu surpreender e atacar o inimigo sem que ele tivesse chance de defesa. Preparou a armadilha, e deu certo. Ter sido mais esperta do que aquele homem, acostumado a enganar mulheres mundo afora, provocava em Laura uma grande excitação.

— Você perdeu, Homero. Você fracassou. Eu não sou como as suas outras vítimas. Fui mais audaciosa que você. Agora, o que te resta é jogar carteado com os seus companheiros na prisão. Quem sabe nas cartas você tenha mais sorte que na sua carreira de estelionatário. Pode até virar um líder entre os presos, o que acha?

A voz dele era um sopro quase inaudível ao dizer:

— Você está certa. Eu perdi...

Ela soltou o documento que segurava e caminhou em passos lentos até onde Homero estava sentado. De cabeça baixa, extenuado, como quem tivesse corrido quilômetros debaixo de um sol escaldante, ele respirava com dificuldade, tal qual um asmático. Era o fim da linha.

Laura pôs delicadamente o dedo indicador sob o queixo dele e sibilou de forma bastante suave, feito mãe amorosa que busca tranquilizar o filho. Ele resistia em fitá-la de novo, parecia muito envergonhado, mas acabou erguendo a cabeça.

— Que mais você quer? Já tem todas as provas contra mim. Vá em frente, chame a polícia, garanto que não vou tentar fugir daqui.

— Podemos fazer um acordo — disse Laura.

Ele se mostrou curioso:

— Acordo?

— Sim. É algo bem simples. Você me diz quem é o seu cúmplice, o cabeça do plano, e eu deixo você ir embora, levando as provas que tenho contra você — ela propôs.

— Não tenho cúmplice nenhum. Eu sempre fiz tudo sozinho — afirmou Homero. — Não sei de onde você tirou essa ideia...

Laura pasmou-se:

— Incrível! Você prefere ir para a cadeia a me dizer quem é o seu comparsa? Você deve ter muito medo dessa pessoa.

— Não existe pessoa alguma! — ele insistia, com veemência.

— Dane-se! A escolha foi sua. Vou chamar a polícia e acabamos com essa conversa fiada.

— Espere! — ele bradou, com um fio de vigor que ainda lhe restava.

Ela se voltou.

— O que foi?

A figura de Homero lembrava a de um condenado à morte, prestes a fazer seu último pedido antes de ser levado para a execução.

— Queria pelo menos ter um término de noite agradável com você, antes de a polícia chegar e me prender — explicou humildemente. — Será que eu poderia ir até a adega e escolher um vinho para nós?

Laura soltou uma gargalhada e perguntou com deboche:

— Qual é o plano agora, hein?

Ele ficou nervoso.

— Não é nenhum plano, pombas! Eu só quero ir até a adega, escolher um vinho, pegar duas taças e voltar para bebermos juntos. Eu não vou tentar fugir, pode trancar todas as portas e janelas se quiser. Com as provas que você tem, eu não iria muito longe mesmo.

Homero tinha razão. Com as provas que Laura possuía, seria inútil ele tentar fugir. Em poucas horas, a polícia do Rio de Janeiro em peso estaria atrás dele. Sair do país seria impossível. Mudar de cidade também era arriscado, uma vez que a Polícia Rodoviária Federal receberia um aviso e redobraria a vigilância nas estradas.

Pensando nessas possibilidades, Laura assentiu:

— Tudo bem. Você tem dez minutos. Se não voltar, ligo para a polícia, e você será um foragido.

Ele criou alma nova. Agradeceu exultante:

— Obrigado, muito obrigado! Não demoro!

Quando Homero entrou na cozinha, conferiu no Rolex que Laura lhe dera de presente quantos minutos se passaram. Ele sabia que tinha pouquíssimo tempo. Precisava agir muito rápido e não podia falhar, ou todo o seu plano iria por água abaixo. Deu mais alguns passos e adentrou a copa. Havia um telefone sobre uma bancada. Discou e esperou alguém atender. Assim que ouviu a voz do outro lado da linha, começou a falar depressa, quase cuspindo as palavras:

— Oi, preciso falar rápido. Escuta! Vou ter que me livrar dela, é a única saída. Ela descobriu muita coisa a meu respeito... Não, não falou nada sobre você, mas tem certeza de que não estou sozinho nessa... Pois é, se a gente não acabar com ela agora, ela vai descobrir tudo... O menino vai junto com ela... Eu tenho que desligar, depois te mando notícia.

Desligou.

Abaixou-se, abriu alguns armários sob a bancada, tomando muito cuidado para que a madeira e as dobradiças não fizessem barulho, e se pôs a vasculhar dentro deles, procurava algo. Revirou quase do avesso prateleiras, pratos, talheres. De súbito, deteve-se, puxando pela memória. Recordou-se de onde os guardara. Correu até um armário antigo, que ficava num canto afastado. Abriu-o.

Na última prateleira, encontrou o que procurava: um estojo de comprimidos hipnóticos, usados no tratamento de pacientes com casos severos de insônia. Separou alguns pares do medicamento e os colocou no bolso da calça. Fechou o armário e saiu da copa. Ao passar pela cozinha novamente, pegou uma garrafa de vinho tinto que estava por ali e duas taças, e foi em direção ao escritório...

◆ ～ᄋᄋᆞᄋᆞ～ ◆

Assim que o viu cruzar a porta, Laura não poupou o sarcasmo:

— Ah, você voltou! E trouxe o vinho. Quanta gentileza, meu Deus do céu! Eu tenho que reconhecer que você continua sendo um *gentleman*, mesmo na hora de ir para a cadeia. É admirável. Outro no seu lugar estaria procurando um bom defensor público, já que você não terá dinheiro para custear um advogado.

"A tua hora tá chegando, sua vaca!", era o que ele tinha em mente. Contudo, respondeu outra coisa, sorrindo:

— Eu jamais abriria mão desse momento, ainda que eu estivesse à beira da morte.

Homero foi até a mesa do escritório, pôs o vinho sobre ela, abriu a garrafa e encheu as duas taças. Sem que Laura percebesse ou desconfiasse, esfarelou os comprimidos com os dedos e despejou em uma das bebidas. Serviu para ela:
— Espero que goste. É doce.
Laura pegou a taça e cheirou o vinho. Tinha um aroma delicioso. Devagar, virou alguns goles na boca.
— Muito bom.
— Sabia que você iria gostar.
Os dois bebiam...
A última imagem que Laura teve diante dos olhos foi a do teto. As paredes pareciam deformadas e desalinhadas. O gosto bom do vinho tinha sumido completamente. As vistas estavam pesadas. Não conseguia dizer mais nada: a língua e os lábios ficaram dormentes. Laura apagou.

Ele a levava no colo feito uma noiva, como se estivessem em lua de mel. Ela estava linda em seus braços. Subia a escada a passos lentos, degrau por degrau. Avançou pelo corredor que dava acesso à suíte. Poucos minutos depois, deitou-a na enorme banheira de mármore, ligou as torneiras e esperou que a água subisse à altura do pescoço da mulher.

A cena, de longe, pareceria romântica, no estilo dos filmes franceses que, em preto e branco, retratavam a década de trinta, não fosse por um único detalhe: Laura estava dopada, incapaz de perceber o que acontecia à sua volta. Seu batimento cardíaco e sua pulsação já quase não existiam. Do canto da sua boca escorria uma baba densa e viscosa.

Homero tinha a impressão de que a vida de Laura estava por um fio muito frágil e que seria quase impossível reverter aquele coma provocado pelo excesso de hipnóticos que colocara em sua bebida.

"Tem de parecer um acidente".

Uma parte do plano já tinha sido executada. Faltava a outra. Homero sabia o que fazer para que a tragédia na mansão parecesse uma fatalidade.

Ele desceu novamente ao primeiro andar. Voltou à cozinha e abriu as saídas de gás do fogão. Logo após, tão calmo quanto um monge tibetano, saiu pelos fundos, passando pela copa mais uma vez naquela noite. Caminhou pela grama do terreno até chegar ao distribuidor de energia, que controlava todo o sistema elétrico da casa.

Tirou um alicate do bolso, cortou dois fios dentro da caixa de energia e uniu um ao outro. As mãos executavam movimentos firmes, de precisão cirúrgica.

Em poucos segundos houve uma grande explosão na cozinha, estremecendo a casa inteira. O clarão iluminou o céu como fogos de artifício no *réveillon*. Não demorou para que as chamas se alastrassem e fossem parar nos outros cômodos. As labaredas subiram pelas escadas, derrubaram portas, queimaram cortinas; tudo tão rápido, que a casa parecia ser feita de papel. O imenso lustre de bronze da sala de jantar caiu do teto, atravessando a mesa embaixo dele. Cristais e objetos de vidro se estilhaçaram com a pressão do calor sobre eles.

Matheus acordou assustado com o barulho e começou a chorar.

Laura continuava desacordada dentro da banheira...

O fogo chegou ao segundo andar e se multiplicou ao longo do *hall* que dava acesso aos quartos. E foi destruindo tudo que encontrava pela frente: quadros, móveis, tapetes, esculturas valiosas de artistas famosos. No meio do *hall* se abriu uma cratera, de onde era possível avistar o pavimento inferior, completamente incendiado.

Matheus chorava como se pressentisse que o fim trágico estava cada vez mais próximo.

O coração de Laura ainda batia dentro do peito, mas ela era incapaz de esboçar qualquer reação. Homero lhe dera uma superdose de remédio para dormir. Não tinha como acordar diante do perigo. Só no dia seguinte. Entretanto, seria tarde demais.

A mansão, encravada no meio de uma extensa área verde no bairro da Gávea, transformou-se em poucos minutos numa fogueira gigante.

Não havia mais nada que pudesse ser feito para poupar a vida de Matheus e de Laura.

A travessia

Capítulo 7

RIO DE JANEIRO - 1996

Ele abriu a porta devagar e entrou a passos lentos. Já estivera várias vezes naquele escritório, mas era sempre como a primeira vez: uma mistura de encantamento e apreensão. Imaginava por que o chamaram. Tinha medo de que este dia chegasse, porém não havia como impedir. Uma nova realidade estava prestes a acontecer. Trazia muita tristeza no peito, muita amargura; no entanto, sua consciência repetia diariamente que se ele não estivesse ali, já teria morrido há muito tempo.

Olhou para a foto do Papa emoldurada no alto da parede, atrás da pesada mesa em madeira maciça e da poltrona de couro já meio descosturada pelo tempo. Noutro canto, uma enorme cruz metálica com um Cristo de louça crucificado. Apesar de todo o simbolismo religioso, o escritório era escuro e melancólico, e exalava um cheiro de poeira que ele não sabia distinguir de onde vinha. Por um instante, perguntou-se quantos jovens passaram por aquela mesma situação nos últimos anos. Era horrível e lastimoso só de pensar.

Deteve-se para observar um quadro feito de cortiça pendurado em outra parede, à esquerda da poltrona. Nele estavam várias fotografias de crianças, em tamanho três por quatro, em preto e branco. Notou que a maioria das crianças possuía uma expressão deprimida e profunda, o que era natural nas circunstâncias em que foram fotografadas.

A porta foi aberta novamente e entrou uma senhorinha de aspecto frágil, com um leve tremor nas mãos, vestindo um hábito negro no qual pendia do pescoço ao peito um escapulário com a imagem de um santo. Ele deu um meio sorriso seco, quase sem mexer os lábios. Lembrou que as freiras tentavam fazê-lo decorar o nome dos santos e a ordem das rezas, e que ele nunca conseguira. É claro que jamais revelou a elas que tudo aquilo não tinha a menor importância para ele. Não fazia o menor esforço para decorar nada. Era um segredo que não lhe causava nenhuma satisfação, mas que gostava de lembrar.

A freira foi até a janela e afastou para os lados as bandas da cortina marrom desbotada. Um risco fino da luz do Sol atravessou a sala. Ela ainda recuou pouquíssimos milímetros das vidraças, o suficiente para correr um vento tão fraco quanto a sua aparência.

Virou-se para ele e fez com um gesto contido:

— Sente-se, meu filho. Por favor!

Ele encarou o rosto pálido e cheio de rugas da freira e se sentou de frente à mesa dela. A velha então tomou assento na poltrona de couro e descansou as mãos trêmulas sobre a madeira.

— Me avisaram que a senhora queria falar comigo, madre — ele tentou agir com naturalidade, mesmo sabendo do que se tratava. — Fiz alguma coisa de errado?

— Não, meu filho — ela respondeu depressa, a voz baixa, quase um sopro. — Desde que você chegou a esta casa de caridade, você só nos trouxe muitas alegrias.

— Então...?

— Sabe que dia é hoje, filho?

— Sei, sexta...

A freira sorriu complacente e acrescentou:

— Dia do seu aniversário. Hoje, com a graça de Deus — ela ergueu rapidamente as mãos rugosas e geladas para o alto —, você completa dezoito anos. Eu fico muito feliz. É uma vitória para todas as irmãs que ajudam a cuidar das nossas crianças.

— A senhora sabe que não ligo pra isso.

— Sim, eu sei. Da última vez que preparamos aquela festinha, com todos os seus coleguinhas do futebol, você ainda era um menino, mas teve uma crise tão agressiva que nos deixou muito preocupadas com você.

— A senhora me perdoe...

— Não há o que perdoar. Como eu disse, você era só um menino. E respeitamos a sua vontade de que não fizéssemos mais nenhuma comemoração pelo seu aniversário.

Ele se ajeitou na cadeira, irrequieto.

— Desculpe, madre, mas ainda não entendi por que fui chamado.

A velha parecia muito desconfortável com o que iria dizer. Apesar de já repetir aquele momento há muitas décadas, não deixava de ser desagradável. Principalmente, porque as freiras criavam laços afetivos com as crianças, que inevitavelmente se tornariam jovens adultos.

— Filho... acho que você compreende... este orfanato sobrevive de doações que mal sustentam as crianças que vivem conosco... Quando essas crianças completam a maioridade, elas devem receber um encaminhamento. Nós sentimos e lamentamos muito, mas não há como manter todos no orfanato. Muitas são adotadas, contudo, as que não conseguem uma família de bom coração que lhes dê um novo lar são obrigadas a buscar o seu próprio sustento fora daqui.

— Entendi. A senhora quer dizer que, quando as crianças crescem, elas são expulsas do abrigo?!

A religiosa se inclinou sobre a mesa e fez uma cara de reprovação.

— Não fale assim, Matheus.

Ele também se debruçou mais para perto:

— Não? Mas não é verdade? Isso aqui é só mais um depósito de infelizes que não têm pra onde ir. Não há garantia de nada. Somos muito bem tratados, é verdade, no entanto sabemos que além desses muros não há salvação para nenhum de nós. Ou há?

O rosto da velha endureceu. A sua voz passou a soar fria.

— Sabe que não gosto quando você fala certas coisas, Matheus. As outras irmãs o consideram rebelde, insurgente, e até mesmo ingrato com todas nós, que o acolhemos com muito amor, carinho e dedicação.

— Porque falo a verdade. É contra as leis da Igreja a verdade, madre?

— Nem sempre o que pensamos representa a verdade.

— Então me diga a senhora: do que adianta uma criança ser acolhida, cuidada, receber afeto, se depois o mundo vai poder transformar isso tudo em dor e sofrimento? Quem não tem uma família, como é o meu caso, vai ser abrigado pela rua.

— Eu consigo compreender a sua revolta em ter de nos deixar, mas...

— Não! — ele reagiu forte. — A revolta não é por ter de ir embora daqui. A revolta é com o mundo. Esse mundo podre. Ver como ele funciona de fato. Isso é revoltante. Eu sabia que cedo ou tarde teria de seguir o meu caminho; mesmo que não mandassem, eu iria embora; nunca foi a minha intenção morrer neste orfanato. Eu tenho um objetivo.

— O que acontece no mundo são desígnios de Deus, não cabe a nós questionar.

— Se tudo que acontece no mundo é desígnio de Deus, eu chego à conclusão de que esse Deus não é tão bom quanto pensam...

— Heresia! — ela se benzeu, indignada.

Matheus se recostou na cadeira outra vez. E propôs calmamente:

— Me dê uma prova, madre. Uma prova de que esse mundo é de fato justo.

A freira piscou, surpreendida:

— Como assim?

Então Matheus a desafiou:

— Me diga quem me trouxe pra cá na noite do incêndio. Quero saber a minha verdadeira história, madre. Eu sei que tive uma família. Eu lembro da casa em chamas. Apesar de ser um bebê na época me lembro. E essas lembranças nunca saíram da minha cabeça. Nunca me deixaram em paz.

— Isso não são lembranças — afirmou a freira —, é pura imaginação, fantasia da sua cabeça. Muitas crianças criam passados nas suas mentes, à procura de uma explicação, de uma razão para terem sido deixadas aqui, mas são apenas fantasias.

— No meu caso, eu sei que não é. Eu tenho absoluta certeza do que vivi, madre Eulália. O que eu não consigo entender é por que a senhora, sendo religiosa e administradora desse lugar, mente sempre que toco nesse assunto.

Há exatos trinta e cinco anos Irmã Eulália era responsável pelo Orfanato Casa de Caridade Santa Beatriz de Vicência, num bairro do subúrbio carioca. Descobriu a vocação para o sacerdócio ainda na adolescência. De família simples, a então menina acordava todas as manhãs bem cedo para rezar, participava de todos os ritos da Igreja, e não faltava às missas aos domingos nem se estivesse doente.

Sua religiosidade, obediência e extrema dedicação à Ordem lhe renderam a oportunidade de conhecer o Papa pessoalmente, na breve passagem do pontífice pelo Brasil. Sempre foi muito respeitada e admirada pelas outras freiras e pelos fiéis que iam à paróquia atrás dos seus sábios conselhos. Era uma líder religiosa por excelência. Ninguém jamais ousou confronte-la. Matheus era o primeiro.

— Como pode me ofender dessa maneira? Está me chamando de mentirosa? — A freira se irritou. — Você não sabe o que diz, Deus há de perdoar tanta ignorância!

Matheus insistiu:

— A senhora também precisa ser perdoada, ainda que tenha motivos pra mentir. Eu sei o que estou dizendo. Tenho certeza de que a senhora esconde a minha verdadeira história. Não vim parar aqui por acaso, por mero abandono, como as outras crianças.

A anciã ainda encontrou forças para cerrar o punho e dar um leve murro sobre a mesa. Sua raiva era tão veemente, que Matheus ficou surpreso; no entanto, não se deixou intimidar. Ele estava firme das suas convicções. Irmã Eulália, naquele instante, falava alto, enquanto a sua figura de velha frágil começou a se desvanecer no ar.

— Ora, chega! Basta! Não quero ouvir mais nada, Matheus! Durante todo este tempo de orfandade só o que fizemos foi cuidar de você, torná-lo um homem digno! Mas estou vendo que falhamos: você se tornou um rapaz revoltado, insolente, que não demonstra respeito e gratidão pelas pessoas que o acolheram nesta casa!

— Bem, acho que não vamos chegar a lugar nenhum com essa discussão, madre — arguiu Matheus, dando as costas para ela e indo na direção da porta. — Vou pegar os meus trapos agora mesmo, enfiar tudo na mochila e dar o fora daqui.

A freira dizia, sem olhar para ele:

— O seu comportamento é um insulto!

Matheus abriu a porta e parou, virando-se uma última vez.

— A senhora deve ter uma ligação muito forte com Deus, madre, a ponto de Ele lhe revelar fatos que só um Deus pode saber; como, por exemplo, o dia exato do meu nascimento.

Ela fitou-o em pânico.

Ele continuava:

— Durante todos esses anos, o meu maior respeito foi nunca questionar como a senhora sabe a data de nascimento de um menino que foi "abandonado" no seu orfanato. A sua ligação com a minha história parece bem maior do que a senhora conta. Mas um dia eu descubro a verdade. — E saiu, batendo a porta de leve.

Com a mochila nas costas, Matheus parou para observar alguns meninos que jogavam bola no gramado, na maior algazarra, como se aquele mundo de ausências não existisse.

Da janela, Irmã Eulália também o observava. Irmã Aurora, que era uma espécie de secretária da diretoria do orfanato, estava atrás dela. Era com Aurora que Eulália dividia alguns dos seus segredos. Sabia que podia confiar nela.

— Por que a senhora não conta a verdade para ele, madre? — indagou Aurora, em voz baixa.

— Jamais — ela retrucou. — Um fato como esse pode abalar os dogmas da Igreja. Não, é preferível esquecer, fingir que naquele dia nada aconteceu...

Aurora também deu uma espiada pela janela.

— Para onde será que ele vai?

— Não sei. Isso agora não é mais da nossa responsabilidade. Talvez tenha sido melhor assim.

Irmã Eulália fechou as cortinas.

Matheus não tinha para onde ir. A partir daquele momento, sua vida começou a trilhar um caminho desconhecido. Por um lado, era assustador; por outro, experimentava uma sensação de liberdade. Era "cidadão do mundo". Não havia amarras capazes de impedir que fosse atrás da sua própria identidade; não existiam dogmas ou falsas verdades que o fizessem desistir.

Trazia na alma, porém, um vazio tão enorme, tão descomunal, que se sentia envenenado em doses homeopáticas. Ou despencando de um precipício sem fim. Há tempos não se olhava mais no espelho, porque era angustiante se ver e não se reconhecer. Era como uma fotografia sem rosto. E quando tinha rosto, este era deformado, obscuro; não conseguia chamar aquele rosto de seu. Queria também descobrir o sentido da vida, porque tudo que passara desde o seu nascimento não justificava o fato de estar vivo.

Ele foi uma criança que só saía da introspecção macabra quando tinha seus rompantes de raiva, muitas vezes acompanhados de extrema agressividade. Não exercia controle sobre si mesmo. Algumas irmãs afirmavam em determinadas situações que Matheus sofria de possessão demoníaca. Era comum chamar o padre na tentativa de abrandar a fúria daquele menino problemático.

Na adolescência, não foi diferente. Parecia até que o seu temperamento instável tinha se agravado. Estava sempre envolvido em confusões. Brigava de rolar no chão com os outros garotos. Certa vez, quebrou o nariz de um deles e depois tentou esganá-lo. Quando as irmãs chegaram para desfazer o tumulto, viram Matheus em cima do menino, querendo sufocá-lo com as mãos. O rapaz ficou inconsciente e teve de ser levado às pressas para a enfermaria.

Aos quinze anos, fumou um cigarro de maconha pela primeira vez. Um senhor de meia-idade que vendia doces em uma barraquinha simples na porta do orfanato era famoso entre os meninos mais "descolados", mais "espertos", os que comandavam grupinhos, organizavam o futebol e sacaneavam as freiras falando palavrões quando passavam perto deles.

Matheus nunca comandou grupo nenhum, porque nunca se interessou. As pessoas, em geral, o deixavam entediado facilmente. Comandar um grupo pressupunha também dar atenção a esse grupo, e ele não tinha "saco" para isso. Tão facilmente quanto gostava de algo, enjoava. Não podia ser contrariado, e esse era um dos motivos para tanta irritação e intolerância. Também gostava de chamar a atenção; ser ignorado era insuportável para ele.

Nessa mesma época, descobriu que o seu corpo era capaz de proporcionar alguns breves momentos de prazer. Masturbava-se todos os dias, sempre mais de uma vez. Às vezes, num intervalo de meia hora entre uma ejaculação e outra. Percebeu que aquilo era muito bom. Aliviava por poucos minutos a bigorna que parecia carregar no peito e nas costas.

Transar, sentir uma mulher de verdade, foi questão de tempo. Um dia fez sexo com uma jovem prostituta que os garotos conseguiram infiltrar clandestinamente no orfanato. Embora não tivesse beleza, a menina sabia "trepar". Levava os rapazes à loucura. Cavalgava no colo deles feito uma égua sem sela. Matheus penetrou-a até ficar exausto e as pernas bambearem. No entanto, queria mais, queria sempre passar dos seus limites. Depois que ejaculou, fez a jovem limpar o seu pênis com a língua bem devagar. Ele acabou por ter uma segunda ereção e participou de uma orgia junto com os outros meninos. Todos "comeram" a garota ao mesmo tempo.

Lembrou de tudo isso, enquanto pegava um ônibus sem destino, com os míseros trocados que roubara da caixinha de doações do orfanato.

Aprendeu a violar o cadeado utilizando um grampo de cabelo como ferramenta. Ele sabia que era habilidoso e inteligente.

Desceu do ônibus e fitou o céu estrelado. Com certeza, era mais bonito que o teto do alojamento onde dormia com os outros meninos. E hoje, não precisaria rezar antes de se deitar, nem confessar a Deus os seus inúmeros pecados.

Caminhou por algumas quadras e, de repente, avistou o mar de Copacabana diante dele. O calçadão cheio de gente. Uma efervescência que aguçava os sentidos. Por um instante, teve vontade de sair correndo e agarrar aquelas pessoas, mas conteve a empolgação; afinal, era apenas a primeira de muitas noites.

O pior viria com a madrugada. Um frio intenso. Procurou se ajeitar na areia, sentando-se de cócoras, trazendo os joelhos para junto do peito a fim de esquentar o corpo. A mochila, pôs em cima dos pés. Adormeceu vencido pelo cansaço.

— Ô, rapaz! Acorda!

Matheus abriu os olhos com dificuldade. Sentiu as vistas arderem. O sol do Rio de Janeiro naquela manhã já estava fortíssimo. O calor aumentava a sensação de cansaço e de noite mal dormida.

Um homem, vestindo uniforme azul e quepe, observava-o com cara de poucos amigos. Por um segundo, Matheus se lembrou da expressão raivosa do cão que tentou mordê-lo em uma das vezes que fugiu secretamente do orfanato para dar um rolé pelas ruas vizinhas. Demorou até perceber que se tratava de um policial.

— Dormiu aí por que, meu camarada? Usou muita droga e tá esperando pra fazer um ganho?

— Eu? Não, seu guarda. Eu parei aqui ontem pra descansar e acabei pegando no sono. Não sou bandido não, senhor.

O policial examinava-o com nítida desconfiança. Não parecia acreditar nele. Matheus viu que estava sendo "avaliado" e, ao reparar em si mesmo, notou que as suas roupas e a sua aparência desleixada e malcuidada não o favoreciam.

— Documentos, cidadão!

Matheus procurou a mochila e descobriu que tinha sido furtado. Levaram a pouca roupa que ele ainda guardava, umas duas ou três cédulas que sobraram do troco da passagem e todos os seus pertences.

— A minha mochila... roubaram... — ele sussurrou, sem saber o que fazer.

O guarda segurou o braço dele com violência e começou a puxá-lo para o meio da rua, quase arrastado, feito um animal teimoso. As pessoas ao redor assistiam e comentavam entre si, umas aprovando a atitude do agente da lei, outras apenas dando vazão à curiosidade.

— Ei, eu não sou bandido! — protestava Matheus, enquanto era levado à força.

— Melhor tu calar a tua boca, "mermão", senão vou te colocar as pulseiras de prata e tu vai algemado pra delegacia! — ameaçou.

A delegacia de Copacabana definitivamente não lembrava nem de longe o charme do tão famoso bairro carioca. Não havia glamour em parte alguma daquele prédio de paredes velhas e descascadas. A vizinhança também não era nada elegante; consistia em alguns bares sujos e malcheirosos, onde se viam sacos de lixo amontoados sobre o meio-fio. Os prédios próximos não aparentavam nenhum luxo e os mendigos disputavam espaço na calçada com os outros pedestres.

O policial entrou levando Matheus pelo braço. Colocou-o sentado em uma cadeira perto do balcão de atendimento e se debruçou para falar com o colega de plantão. Matheus correu um olhar despercebido para o coldre onde o policial carregava o revólver e sentiu uma enorme tentação de arrancar a arma dele e sair disparando contra tudo e contra todos.

Sabia que não teria muita chance, nunca tinha chegado perto de uma arma de verdade. Tinha visto algumas em fotos em jornais de baixa ou nenhuma credibilidade, que o vendedor de doces mostrava para os meninos. Sempre havia uma tragédia estampada na primeira página: alguém que levou vários tiros e teve o rosto desfigurado; um bandido que tinha sido morto em tiroteio com a polícia; algum traficante flagrado com um rifle na mão...

Um dos traços mais admiráveis da personalidade do jovem Matheus era a ousadia. A coragem que ele demonstrava quando decidia tomar uma atitude, por mais arriscada que fosse. Sempre fora escolhido pelos outros garotos para burlar algumas proibições do orfanato e trazer de fora todo o tipo de "irregularidade". E ele assim o fazia não porque fosse escolhido, mas porque sentia prazer em transgredir as regras; experimentava o *frisson* de quem estava acima de qualquer autoridade.

Chegara a hora de pôr em prática a audácia que fazia sucesso entre os seus companheiros de orfandade.

Matheus procurou se levantar da cadeira sem fazer barulho. De pé, foi se arrastando pela parede até a porta de vidro da delegacia. Enquanto o policial que o prendera continuava de costas, debruçado no balcão, falando com outro agente, ele saía para a calçada. Então, Matheus desatinou a correr o mais rápido que pôde, esbarrando em todos que encontrava pelo caminho, fazendo muito estardalhaço, sentindo o vento agitar o seu cabelo e tremular sua roupa velha. As pessoas olhavam sem entender direito o que estava acontecendo. Mais parecia um pivete que acabara de afanar a carteira de alguém. Ele não parava de correr...

Na delegacia, o policial descobriu tarde demais que o "suspeito" havia fugido. Ainda foi até a porta do distrito na esperança de avistá-lo por perto, mas nem sinal do rapaz maltrapilho com cara de meliante. O policial xingou um palavrão e entrou bufando de raiva, inconformado por deixá-lo escapar.

O albergue Caminho do Mar consistia em um charmoso casarão antigo, que tinha sido reformado pelos proprietários há alguns anos. Possuía tijolinhos vermelhos e telhado colonial, com detalhes verdes e enfeites coloridos pendendo do teto na extensa varanda em madeira, no finalzinho da Rua Djalma Ulrich, vindo da praia. Era uma excelente opção para os turistas que visitavam o bairro mais famoso do Rio na alta temporada. Muitos gostavam do albergue, porque remetia a um clima familiar, de muita paz, sem a impessoalidade de um hotel tradicional, bem no meio do fervedouro de uma metrópole praiana.

Hercília e Martinho eram os donos do estabelecimento. Casados há uns vinte e poucos anos, como costumavam dizer orgulhosos, a vizinhança os conhecia não só por serem comerciantes bem-sucedidos, mas também pela simpatia de ambos. Tinham dois filhos adultos: o mais novo, Fabrício, de vinte e um anos; e Jéssica, de vinte e três. Ele cursava universidade no interior; ela, muito bonita e carismática, seguia carreira de modelo na Europa.

Depois que os filhos começaram a se tornar independentes, Martinho e Hercília sentiram a casa vazia demais. O convívio com os hóspedes ajudou a mantê-los ocupados e não caírem na rotina. De certa forma, levavam uma vida muito divertida, pois além de um casal, eram grandes amigos.

Hercília adorava jogar carteado nas horas vagas, e Martinho tinha na sinuca o seu passatempo predileto. Porém, o que mais os agradava era assistir televisão juntinhos no sofá até a madrugada. Nunca tiveram problema com a propalada falta de segurança do Rio de Janeiro. Nunca tinham sofrido nenhuma violência, mas sempre ouviam comentários de vizinhos que foram assaltados nas ruas, ou tiveram os seus apartamentos arrombados.

Naquele dia quente, de praia lotada, escutaram pela primeira vez um barulho no terreno em frente à porta principal do casarão. Um barulho esquisito, como se alguém ou algo houvesse sacudido os arbustos e as plantas no jardim.

— Que será isso? — perguntou Hercília, chegando à porta de entrada.

Martinho deu de ombros.

— Ah, não foi nada, Hercília. Vai ver é algum bicho passando, só isso.

— Não — ela insistiu. — Foi um barulho como se alguém tivesse pulado no quintal.

— Bobagem, mulher!

Martinho entrou, sem dar muita importância.

Mas Hercília ficou um tempo por ali, observando, desconfiada. Sabia o que tinha ouvido. E a sua intuição infalível lhe dizia que a partir daquele momento não estavam mais sozinhos...

O jantar no albergue era servido pontualmente às oito. Os hóspedes podiam optar por alugar o quarto com ou sem direito à refeição. No entanto, o tempero de Hercília fazia sucesso, e quase todos os pernoitados preferiam a sua comida caseira e saborosa.

Hercília tinha preparado arroz com brócolis, frango desfiado, batatas cozidas e uma salada sortida naquela noite. O cheiro da comida ia além da cozinha, espalhando-se por todos os ambientes, inclusive pelo quintal.

As horas do almoço e do jantar eram as mais alegres. Quase todos se sentavam ao redor da mesa e partilhavam as suas experiências; cada um dizia de onde tinha vindo, o que estava achando do Rio de Janeiro, expectativas, curiosidades sobre as suas vidas e até certas intimidades. Martinho brincava que, se a esposa não fosse comerciante, seria uma excelente psicóloga. E era verdade. Hercília demonstrava interesse e paciência com aqueles "desconhecidos", por mais banal que fosse a conversa.

Martinho era mais fechado. Gostava de discutir assuntos mais sérios. Era militar da reserva, também graduado em Filosofia; se deixassem, passava horas a fio discursando sobre como a sociedade estava "doente". Tanto papo-cabeça só fez aumentar a admiração de Hercília pelo marido. Ela dizia que Martinho conseguia falar "desses assuntos" sem ser chato.

— O Rio de Janeiro é lindo, pena que a violência "queima o filme" da cidade lá fora, né? É muito triste isso — comentou uma hóspede, enquanto se servia.

Martinho logo argumentou:

— Mas a violência parte da omissão do poder público. As pessoas não se reconhecem como cidadãos de verdade. Hans Kelsen já dizia que as minorias precisam participar da formação da democracia para haver ordem. Só que acontece ao contrário. O povo é excluído dos seus direitos, daí não se reconhece nem vê a necessidade de seguir as normas que são impostas.

A hóspede se admirou:

— Nossa! O senhor tem razão!

Hercília tirou alguns pratos da mesa e os pôs dentro da pia; em seguida se intrometeu com bom humor:

— Dá corda pra esse homem pra ver como essa conversa vai render! Nós vamos ficar aqui até amanhã ouvindo...

Martinho dizia para a moça, empolgado com o próprio discurso:

— Eu tenho um livro chamado Essência e Valor da Democracia, desse filósofo, Hans Kelsen. Se quiser, te empresto depois.

Durante a madrugada, Hercília tornou a ouvir um barulho misterioso. Dessa vez, parecia dentro de casa. Levantou-se enquanto Martinho dormia e desceu as escadas lentamente, com medo de que fosse um bandido. Chamaria a polícia sem que o invasor percebesse. Olhou a sala. Não havia ninguém. Um ruído veio da direção da cozinha. Hercília foi até lá e tomou um grande susto quando acendeu a luz: um estranho remexia as suas panelas.

— Ai, meu Deus!

Ele também se assustou e acabou derrubando no chão alguma coisa que, naquele silêncio, fez o mesmo estrondo de uma bomba.

Ficou sem reação. Apenas tentou dizer:
— Calma... eu...
— Quem é você?
— Eu... eu não sou ladrão, eu... só estou com fome... Queria só um pouco de comida...
— Como você entrou aqui, rapaz? — Quis saber Hercília, embora já imaginasse.
— Eu estava lá fora desde cedo, escondido. Eu não sou marginal. Eu só ia pegar um pouco de comida e ia embora. Juro!
Ele parecia dizer a verdade.
— Como é o seu nome?
— Matheus.
— Você é morador de rua?
— É, acho que agora sou.
— Você é muito novinho, menino. Quantos anos você tem?
— Fiz dezoito ontem. Eu morava num orfanato, lá no subúrbio, mas me mandaram embora porque eu já sou "de maior" — explicou.
O coração de Hercília ficou apertado.
Ela indicou o armário onde guardava a louça.
— Pode pegar um prato ali dentro. Os talheres estão na gaveta.
Uma sensação de extremo alívio correu o corpo de Matheus. A última coisa de que precisava era um novo problema com a polícia. Sabia que, se fosse preso, não haveria ninguém que o ajudasse. Era sozinho no mundo.
— Muito obrigado, senhora! — ele agradeceu com tanta sinceridade, que, por um instante, Hercília se sentiu culpada pela situação.
— Tem suco de goiaba na geladeira, pode pegar também — ela disse gentilmente. — Não tenha pressa, não me incomodo, está tudo em paz.
Matheus se serviu de um prato de comida bem cheio. Parecia que não se alimentava há séculos. Comia com tamanha vontade que a cena lembrava os flagelados africanos. Hercília observava-o de longe. Vendo-o comer, perguntava-se quantos rapazes como aquele haveria no mundo. Quanta injustiça social. Martinho faria um brilhante discurso sobre isso.
Depois de matar a fome que o acompanhava desde o dia anterior, Matheus foi convidado a pernoitar no albergue.
— Muito obrigado, nem sei como agradecer. A senhora está sendo muito generosa comigo.

Hercília levou-o a um quarto vago no primeiro andar e arrumou a cama com travesseiro e lençóis limpos. Pegou também uma toalha de banho macia e um sabonete fechado na caixa; entregou a ele.

— Saindo no corredor tem um banheiro logo em frente. Você pode tomar banho lá.

Matheus baixou os olhos, todo sem jeito.

Hercília fitou-o preocupada:

— Que foi?

— Bem, é que... — Ele deu de ombros. — Eu não tenho roupa limpa. Roubaram a minha mochila na praia. Eu tive que me ajeitar por lá mesmo, não tinha pra onde ir.

A dona do albergue sorriu amavelmente.

— Não tem problema. Eu tenho umas roupas do meu filho, devem servir em você.

Matheus espantou-se:

— Ele não vai se incomodar?

Hercília respondeu de um jeito divertido, como se contasse um segredo:

— O meu filho não mora aqui. São só umas roupas que ele não queria mais, por isso não levou. Mesmo se ele soubesse, tenho certeza de que não iria se incomodar.

— Ah, então tudo bem. — E Matheus esboçou o que parecia um sorriso.

— Nesse caso, vou te arrumar também uma escova de dentes — acrescentou. — Pode ir tomar o seu banho, que eu já volto com as roupas e mais algumas coisas.

Matheus custava a acreditar na bondade daquela mulher. Nem mesmo no orfanato sentiu tamanha atenção para com os necessitados. Era surreal imaginar que ainda existissem pessoas assim. Era reconfortante também.

Ficou surpreso quando sentiu que, pela primeira vez na vida, não tinha vontade de ir embora ou fugir.

Queria ficar.

Capítulo 8

O suntuoso prédio de escritórios ocupava uma área enorme na Avenida Paulista, quase à esquina da Rua Itapeva, próximo ao MASP, um dos mais importantes centros culturais da cidade. O edifício ficou bastante conhecido nas imediações por sua arquitetura moderna. Tinha vidraças retangulares em fumê, portaria automatizada, elevadores e ambientes climatizados, além de uma decoração com obras de arte que valiam alguns milhões de reais. Quem entrava no prédio era vigiado o tempo todo por um circuito de segurança israelense, com câmeras de última geração, capazes de detectar até uma eventual diferença no peso do corpo humano. O sistema era conhecido mundo afora como à prova de furto, muito utilizado em locais que operavam com dinheiro em espécie.

No terraço havia um heliponto com uma escada de acesso direto ao escritório da presidência e seus anexos, como a sala de reuniões, a cozinha e o banheiro privativo, além do *lounge* panorâmico, com vista para os outros arranha-céus da metrópole.

Aquele era um dia atípico na empresa. O presidente fazia uma visita aos escritórios, o que era incomum e sempre sem aviso prévio. Ele não gostava de ser anunciado. Não confiava em uma empresa que funcionasse bem nos dias em que "o chefe" estivesse presente. Dizia que uma corporação tinha de ser confiável todos os dias, não quando recebesse uma inspeção programada.

— Doutor, seja bem-vindo! — dizia alegremente o diretor da unidade. — É uma honra para nós recebê-lo!

— Menos, Roberto — respondeu de um jeito entediado. — Espero que esteja com os relatórios que te pedi.

— Claro. Estou, sim.

Roberto procurava sorrir, no entanto, entre os colegas mais chegados nunca escondera a mágoa pela rejeição que sentia da parte do doutor. Achava-o arrogante e mal-humorado. Até as brincadeiras dele com os seus subalternos eram de mau gosto, na intenção de humilhá-los. Um homem intragável. Porém, ninguém jamais ousou reclamar ou fazer cara feia para ele; afinal, era o "doutor Homero", um executivo poderoso e influente. E rico. Muito rico. Constava na Forbes como um dos empresários mais bem-sucedidos do planeta. O seu patrimônio estava entre os mais valorizados de uma lista restrita, criada por um órgão internacional especializado em medir fortunas. O *Pex BL Investment* era um gigante do mercado financeiro.

Roberto e quase toda a equipe alimentavam uma esperança negra: a de que Homero um dia virasse notícia nos jornais em virtude de algum escândalo ou "podre" capaz de arruinar sua reputação. Não queriam a falência do grupo, porque isso colocaria em risco o emprego dos funcionários. Mas um pequeno escândalo seria ótimo! Roberto, certa vez, comentou com um colega de escritório que Homero escondia algo. Não sabia bem o que, porém sua percepção não falhava.

— Fiz a reserva naquele restaurante da Oscar Freire de que o senhor gosta — anunciou um secretário a Homero.

Sempre que ia a São Paulo, Homero almoçava no mesmo restaurante, um dos mais caros e requintados do país. A carta de vinhos apresentava marcas e valores mais caros que uma peça de joia. Homero era recebido como rei, e os garçons eram como súditos apressados em agradá-lo ao máximo. Para os outros clientes, chegava a ser angustiante presenciar quase uma operação de guerra para servir o presidente do *Pex BL Investment*.

No cardápio, escrito com uma linda caligrafia, constava a sugestão do *chef*:

Cordeiro preparado ao molho de caça, servido com *funghi porcini freschi*
Harmonização: *Château Cheval Blanc*
Sobremesa: Queijos finos e frutas secas assadas
Harmonização: Porto Fonseca Vintage

Embora a notória sofisticação de Homero fosse uma característica marcante, a desconfiança de Roberto tinha fundamento. Pelo menos no que se referia à vida noturna do empresário.

Durante as madrugadas, os locais frequentados por Homero não possuíam nenhum tipo de requinte. Era uma região conhecida como Boca do Lixo, na parte central da cidade. A área ficou famosa nas décadas de 1920 e 1930, quando indústrias cinematográficas internacionais ocuparam as redondezas. Com o passar dos anos, porém, o *glamour* e as empresas de cinema foram sufocados por uma onda crescente de violência. Usuários de drogas dominavam o local e praticavam delitos a fim de sustentarem seus vícios. A degradação sobreveio de maneira espantosa.

Além das drogas, o mercado do sexo também mudara parte das suas atividades para aquela área. Construções antigas viraram bordéis miseráveis, com prostitutas e cafetinas, jovens e idosas, que chegavam a cobrar o valor de uma pedra de crack por uma hora de prazer. Hotéis baratos ofereciam vagas em cubículos para rapazes e moças vindos de outras cidades do Brasil, à procura de trabalho em São Paulo.

Sempre que "visitava" a Boca, Homero agia da mesma maneira: dispensava o motorista, deixava o seu carro luxuoso em um estacionamento rotativo e seguia de táxi para o local. O endereço que ele dava ao *chofer* também era o mesmo em todas as ocasiões: um prostíbulo na Rua Vitória.

Homero sentia uma excitação incrível quando estava lá, participando secretamente daquele submundo. A dona da casa já o conhecia e sempre lhe indicava "uma das melhores garotas". Não foi diferente naquela noite.

— Hoje você vai com a Valeska — disse a cafetina, cheia de ares libidinosos. — O "dotô" não vai se arrepender. — E estalou a língua dentro de uma boca em que faltavam dentes.

Homero subiu a um dos quartos acompanhado da garota, que não tinha mais do que dezoito anos. Ela era do jeito que ele gostava: seios durinhos, magra, cabelo longo e preto, cara de safada. A bunda também era voluptuosa, bem empinadinha e torneada, com a marca fina da calcinha fio-dental.

Transaram até a exaustão. Homero exigiu todas as posições que tinha em mente. Deixou a garota marcada de chupões e bofetadas em toda parte do corpo. Ejaculou no rosto dela e depois fez Valeska esfregar os dedos no seu sêmen e engolir os resíduos. Em seguida, ainda deitado na cama, acendeu um baseado e começou a tragá-lo lentamente.

— Foi bom? — perguntou a moça, após um breve silêncio.
— Normal — ele respondeu.

A indiferença que Homero demonstrava conseguia irritar até as prostitutas mais experientes do bordel. No entanto, elas eram orientadas a não destratar o cliente e só reagir em casos de violência não consentida.

Valeska tentou amenizar o clima:
— Quer alguma coisa pra comer?

Homero sorriu irônico.
— E o que tem pra comer nesse pardieiro?

Ela fez uma expressão desanimada.
— Arroz, feijão e um pedaço de carne.

Homero riu alto, depois falou:
— Isso é lavagem pra porco.
— É o que se tem por aqui. Muitas vezes, nem isso — retrucou Valeska, resignada. — E a depender do cliente, a gente só oferece a porta da rua quando ele já se satisfez.

Homero olhou no relógio.
— Tá na minha hora.

Valeska deu um pulo da cama, totalmente nua, e foi abraçá-lo próximo à janela de onde ele observava a madrugada cinza da Boca do Lixo. Ela cercou Homero com os seus braços, envolvendo o tórax dele com muita delicadeza. Ele já estava de cueca.
— Fica mais um pouco...
— Não posso. Tenho de estar no aeroporto logo cedo. — E começou a recolher a calça e a camisa, que estavam jogadas sobre uma poltrona encardida. — Por enquanto, boneca, a sua diversão acabou.
— Uma pena.
— Mas eu volto.
— Quando?
— Um dia desses...

Valeska beijou sua nuca de maneira bem sexy e sussurrou no ouvido dele:
— Se você me der preferência, garanto que não vai se arrepender...

Ele concordou, retribuindo o tom malicioso:
— Tenho certeza que não. Você se saiu muito bem. Costumo ser exigente. Gosto de novidade.
— Conheço muitas novidades!

Homero fechava o zíper da calça enquanto dizia a ela:

— A sua amiga de cabelo cacheado, uma moreninha, de narizinho arrebitado, também não deixou nada a desejar quando estive aqui um tempo atrás. Tinha um fôlego e tanto, a danada!

— Sei quem é: a Andressa. Ela não é minha amiga.

Ele abotoava a camisa.

— Não? Pensei que fosse.

Valeska ficou séria e respondeu:

— Nessa vida ninguém é amiga de ninguém. É cada uma por si e Deus por todas. Ganha quem chegar primeiro. Tem concorrência igual em qualquer outro ramo, não dá pra ter amizade quando o assunto é dinheiro.

Homero pôs a mão no queixo dela carinhosamente.

— Vou te dar preferência, não se preocupe.

Depois ele tirou umas notas amassadas do bolso da camisa e as dispôs sobre a cama, separando as cédulas de modo que Valeska enxergasse o valor de cada uma. Era uma quantia razoável.

— Eu já tinha deixado pago lá embaixo. Mas isso é uma gorjeta pra você. É de praxe quando sou bem servido e a "comida" é boa.

Ela riu.

— É bom matar a fome de alguém. Melhor ainda quando esse alguém valoriza a comida.

Homero puxou Valeska pela cintura, firmando o seu corpo contra o dela. A garota pôde sentir o órgão dele endurecendo e presumiu que logo estariam na cama novamente, entretanto ele apenas beijou entre os seios dela e em seguida saiu do quarto.

A mansão no bairro do Itanhangá, na zona oeste do Rio de Janeiro, despertava a admiração até dos vizinhos que moravam no mesmo condomínio de casas luxuosas. Além de lindíssima, era a casa mais valorizada da localidade, ocupando mil e seiscentos metros quadrados de terreno e área construída. Localizada no alto de uma montanha, com vista para o mar da Barra da Tijuca, a propriedade possuía vastos salões, seis suítes, ala *gourmet*, hidromassagem, piscina com uma ilha artificial, academia, sauna e ainda um *SPA* completo.

O escritório ficava no mezanino da sala principal. Uma reluzente escadaria de mármore branco, com corrimão dourado, levava à parte superior. Era de lá que Homero comandava os negócios quando não se sentia disposto a ir à sede do banco. E era para o seu *home office* que se dirigia quase sempre que chegava de uma viagem de negócios. Tinha o hábito de guardar todos os papéis importantes num cofre, e também de fazer anotações no computador. Um ritual que seguia à risca.

Sheilla se aproximou do marido.

— Meu amor, nem trocou de roupa e já veio se enfiar nesse escritório?

Homero respondeu enquanto digitava:

— Você sabe que não gosto de deixar nada pendente.

— É, eu sei — ela fez uma careta. — Mas conta, como foi a viagem?

— A mesma chatice de sempre — respondeu, ainda digitando. — Reuniões que não acabavam mais, muito falatório, calor, trânsito horrível... A cada dia que passa, São Paulo parece ainda mais estressante. — Finalmente olhou para ela quando disse: — É muita sorte a sua não precisar viajar comigo, você ficaria entediada. Eu fico doido para vir embora logo. Passar horas em reunião e depois ter que jantar sozinho no hotel não é nada agradável.

— Imagino, amor. Mas eu até gosto de ir a São Paulo conferir as novidades na Oscar Freire. Tem também uns restaurantes ótimos e umas joalherias de enlouquecer! — Ela deu uma cutucada nele. — Bem que você podia ter trazido um *presentinho* pra mim, né? Aposto que nem lembrou...

Homero se levantou da cadeira e abraçou a mulher festivamente.

— Você é quem pensa! Eu te trouxe um presente, sim. Nunca me esqueço de você, meu bem. Sei da sua paixão por joias.

Sheilla podia ser considerada uma mulher compulsiva e consumista. Filha única de um fazendeiro rico do interior de Minas Gerais, cresceu cercada de mimos e de todo o luxo que o dinheiro podia proporcionar. Aos dezesseis anos, tão logo terminou os estudos, mudou-se para o apartamento da família na zona sul do Rio de Janeiro e nunca mais voltou para a sua cidade de origem.

Nos primeiros anos, chamou uma amiga para morar com ela. As duas moças dividiam as despesas, embora para Sheilla isso fosse indiferente; ela queria apenas uma companhia para curtir as festas da *high society* carioca, ir às baladas da moda, flertar com os meninos na praia e, claro, fazer compras no *shopping*.

Na fase adulta, começou a se relacionar com homens mais velhos. Foi nessa época que conheceu Homero. Ela estava com não mais do que trinta anos, e ele já passara dos quarenta. Sheilla se descobriu perdidamente apaixonada por ele durante o tempo em que saíam juntos. Sabia que Homero era viúvo, que tinha sido casado com Laura Leubart, a presidente do extinto Banco Leubart, e que mais tarde veio a ser o presidente do *Pex BL Investment*, uma das maiores instituições financeiras do país. O presidente era o seu futuro marido. O casamento seria perfeito!

A cerimônia aconteceu na igreja do Outeiro da Glória, quase um ano depois de terem se conhecido. O casamento foi notícia nos principais jornais da cidade, também nas revistas especializadas em ricos e famosos. A lua de mel, apelidada de "lua dos sonhos" por uma parte da elite carioca, foi registrada por uma infinidade de *paparazzi*.

Na ocasião, Sheilla e Homero viajaram para Veneza e se hospedaram no pomposo hotel *Bauer Palazzo*, que ficava em um magnífico prédio do século XVIII, com vista panorâmica para o Grande Canal, próximo à *Piazza San Marco*. Visitaram o nababesco palácio *Ca'Rezzonico*, foram ao *Casinò di Venezia*, tiraram fotos no *Ghetto Nuovo* e passearam nas suas ruas com cheiro de lavanda.

Houve apostas de que Sheilla voltaria grávida. Porém, não foi o que aconteceu. Em todas as entrevistas, eles deixavam claro que filhos não estavam nos planos do casal. Homero não queria que Sheilla engravidasse. Dizia que não estava preparado para ser pai. Ela assentia por mera vaidade; sempre ouvira dizer que a gravidez destrói o corpo da mulher, e Sheilla queria estar sempre bonita para o marido. Gostava de exibir um belo corpo nas fotos. Gabava-se de estar em ótima forma, enquanto mulheres da mesma idade começavam a "despencar".

Homero pegou na bolsa de viagem uma caixa retangular em veludo preto e entregou nas mãos da mulher, que não disfarçava o entusiasmo. Quando Sheilla abriu a caixa, o brilho do colar de safiras com diamantes pareceu iluminar o ambiente inteiro. Ela ficou sem palavras...

— Gostou? — Ele sabia que sim, mas queria ouvir dela.

Sheilla quase sussurrava:

— Adorei... É lindo... É a mais linda de todas as joias que você me deu até hoje... Deve ter custado uma fortuna...

— Bem menos do que você merece.

Sheilla abraçou-o forte, lacrimejando de emoção: aquele era o marido mais incrível que ela poderia ter. Em pensamento, agradeceu a Deus o dia em que Homero cruzou o seu caminho.

No meio da madrugada, ele se certificou de que a mulher estivesse dormindo. Então, afastou o lençol com muito cuidado, pôs os pés no chão, um de cada vez, e saiu da cama de forma quase imperceptível. Caminhou por alguns metros até uma sala próxima à suíte, ainda no segundo pavimento da mansão.

— Alô?
— Estou ouvindo.
— Cheguei de São Paulo hoje.
— Eu sei. Novidades?
— Tudo corre como o previsto. Estou me saindo muito bem. Acho que nunca vão descobrir a nossa ligação.
— Melhor assim.
— Amanhã vou anunciar a compra que fizemos. O mercado vai tremer!
— Valeu a pena eliminar aquela vadia da Laura do nosso caminho.
— Opa! Se valeu!
Desligaram.

Na manhã seguinte, o Centro de Convenções do *Pex BL Investment* estava lotado. A imprensa circulava a notícia de que Homero Mancini, presidente da instituição, e seus principais diretores, divulgariam uma recente operação financeira do banco, envolvendo trinta e três bilhões de dólares.

Todos que ocupavam cadeiras no salão do Centro de Convenções pareciam sob forte expectativa. Ali se reuniram empresários, executivos, agentes do mercado financeiro, investidores, acionistas e repórteres de várias emissoras de TV e jornais.

Houve um atraso. Quando Homero entrou, já se haviam passado mais de trinta minutos desde a hora marcada para o início da reunião. Três executivos acompanhavam-no. *Flashes* de câmeras fotográficas começaram a espocar. O silêncio tomou conta do salão, enquanto Homero e os outros tomavam seus lugares à mesa defronte ao público. Um técnico de som ligou os microfones e verificou os alto-falantes: tudo pronto. Ele fez um sinal de *"ok"* com o polegar.

— Bom dia, senhores e senhoras — encetou Homero. — É com muito prazer que os recebo aqui hoje para anunciar mais uma grande conquista do Banco *Pex BL Investment*. A partir do contrato assinado ontem e aprovado pelo Conselho Administrativo de Defesa Econômica, o CADE, bem como pela Comissão de Valores Mobiliários, a CVM, a nossa instituição passa a deter sessenta por cento da TMI, a Telefonia Movel *di*

Itália. É a primeira empresa de telefonia móvel a investir no Brasil, para que daqui a alguns anos milhões de clientes tenham acesso a essa tecnologia.

Ouvia-se um burburinho de vozes excitadas.

Homero prosseguia:

— O *Pex BL* aposta na modernidade e tem o compromisso de ajudar no crescimento social e econômico do nosso país. Para isso, não medimos esforços. Eu, como presidente desse banco desde o falecimento da minha saudosa esposa, Laura Leubart, assumo a responsabilidade em contribuir para a melhoria de vida dos nossos atuais e futuros clientes. Quero uma instituição mais humana, que promova a igualdade entre as pessoas. O *Pex BL* tem como meta disponibilizar, em cinco anos, a tecnologia da telefonia móvel a todos os brasileiros, de todas as classes sociais.

O auditório ficou de pé e aplaudiu vigorosamente as palavras de Homero. Parecia um nobre sendo aclamado rei, ou um político prestes a conquistar o Planalto. Foi ovacionado como nunca imaginou que seria em toda a sua vida. Homero sorria, mas por dentro dava gargalhadas. Aquela sensação de poder era fabulosa. Era um líder, afinal. Um homem de prestígio. Adquiriu a confiança de muita gente. Chegou a pensar que aquelas pessoas seriam capazes de lhe entregar as suas vidas, bastava que lhes pedisse com muita gentileza. Isso mexia com ele. Às vezes, sentia fome. Mas era uma fome diferente. Se pudesse, comeria, devoraria aquelas almas para se tornar um deus.

Os outros três executivos faziam parte da companhia telefônica. Quando se pronunciaram a respeito do negócio, ninguém lhes deu muita atenção. Homero tinha sido o "dono do espetáculo". Era um excelente orador. Sabia orquestrar as palavras, formar frases de impacto. Tinha um discurso claro e motivacional. O segredo do seu sucesso consistia em dizer o que as pessoas queriam ouvir. Foi assim que Homero conquistou a confiança e a admiração dos que o cercavam.

No entanto, ainda havia algo que ele precisava fazer. E tinha chegado o momento...

———⁂———

Homero entrou no carro e saiu em alta velocidade da garagem do Centro de Convenções, derrapando feito um adolescente irresponsável ou um ladrão que houvesse acabado de roubar o veículo, causando pânico nos pedestres agrupados na calçada. O luxuoso automóvel, de vidros escuros e carroceria preta, logo sumiu na extensa avenida. Dentro daquela máquina possante e perigosa, Homero acelerava, e o velocímetro subia. Ria do medo estampado no rosto dos pedestres que tentavam atravessar, e dos motoristas que ele ultrapassava com manobras quase acrobáticas. Provocar medo nas pessoas também era uma das suas formas preferidas de diversão.

O Cemitério São João Batista era conhecido por abrigar a última morada de artistas, intelectuais e figuras proeminentes da sociedade carioca. Um dos maiores cemitérios do Rio de Janeiro, localizado na Rua General Polidoro, em Botafogo. Lá estavam enterrados os restos mortais de Laura Leubart, no jazigo da família, onde também jazia o seu marido, Alberto.

Homero parou o carro no portão principal. Saltou, deu uns trocados para o rapaz que tomava conta da área e entrou no cemitério. Caminhou tranquilamente entre as sepulturas. Testemunhou o sofrimento de pessoas ao redor de um pequeno caixão branco, que descia à cova. Um homem e uma mulher choravam abraçados, como se a qualquer momento pudessem desmaiar. Buscavam forças um no outro. Homero via aquilo, mas não conseguia sentir nenhuma tristeza, tampouco era capaz de compreender o que provocava uma dor tão imensa naquele casal. Era comum, para ele, não ter empatia pelas pessoas. Tão comum, que aquela cena não fazia a menor diferença de qualquer outra que já tivesse visto.

Homero avançou por mais algumas quadras e se deteve diante do imponente jazigo do casal Leubart. Sorriu e adentrou com muita calma. Os túmulos em mármore negro estavam limpos e conservados. Brilhavam. Homero pôde observar a própria imagem refletida sob seus pés ao subir no túmulo de Laura. Os sapatos dele, em couro alemão, também estavam polidos e brilhantes.

Sobre a sepultura e debaixo dos pés de Homero, lia-se a inscrição póstuma:

Laura Leubart
✡ 1942 ✝ 1980
Disse-lhe Jesus: Eu sou a ressurreição e a vida.
Quem crê em mim, ainda que esteja morto, viverá.
João 11:25

Então, Homero abriu a braguilha da calça social Armani, colocou o pênis para fora e despejou a sua urina fétida, viscosa e amarelada sobre o túmulo de Laura. E dizia, enquanto o líquido se derramava na pedra:

— Você se achava muito esperta, né, vadia? Olha o que você merece. Eu venci. Eu roubei seu dinheiro, sua empresa, seus dias, sua alma e a alma do seu filho impostor. Me diz agora... — Ele terminou de urinar e pôs o membro para dentro da calça. — Tá muito quente aí no inferno, tá?

E riu como nunca.

Sheilla estava eufórica.

A notícia bombástica de que o *Pex BL* havia comprado um gigante do ramo da telefonia a deixava inquieta. Como o seu marido fofo não lhe contou nada? Uma novidade assim merecia ser comemorada com uma festa inesquecível, daquelas dignas de sair nas capas das melhores revistas de celebridades, com muita pompa e ostentação.

Ela foi recebê-lo na garagem de casa. Não suportava mais tanta ansiedade. Queria detalhes do negócio. Queria saber em quantos milhões o marido ficaria mais rico. Um interesse que não podia esperar.

Assim que ela ouviu o motor desligar, agarrou-se na porta feito criança. Homero, ainda saindo do veículo, tomou um susto, mas tentou manter o controle. Conhecia como ninguém aqueles rompantes de euforia.

— O que houve, Sheilla? Que desespero é esse? — Ele fingiu não saber.

Sheilla franziu o cenho:

— Como assim, o que houve? O seu banco acaba de fechar um negócio histórico, eu nem desconfiava de nada, e você ainda me faz essa pergunta? Ah, por favor!

Homero foi andando em direção à porta de casa, respondendo ironicamente:

— Não sabia que agora você se interessa pelos negócios.

Entraram.

Ela bateu a porta, estava irritada.

— Eu sempre me interessei, querido. Você é que nunca percebeu.

Homero explicou de forma cansativa:

— Sim, meu bem, nós vamos ficar mais ricos, vamos embolsar bilhões de dólares, se é isso que você quer saber.

Soou como música aos ouvidos dela.

Sheilla amansou de pronto.

— Oh, meu amor... Eu só queria participar da sua felicidade. Poxa, me senti ignorada, como se eu não merecesse receber uma notícia tão boa.

Homero foi até ela e lhe deu um beijo carinhoso na testa.

— Eu vou tomar um banho, meu amor. Estou muito cansado, voltei até mais cedo do escritório.

Ela sorriu.

— Tudo bem, querido! Vou pedir à Eurides que faça algo bem gostoso pro jantar.

— Ótimo. Então mais tarde conversamos, *ok*?

Sheilla assentiu.

Homero apertou as bochechas dela e seguiu para a suíte, no andar de cima.

O banheiro anexo ao amplo quarto do casal era deslumbrante e acompanhava o requinte dos demais cômodos da mansão. Tinha azulejos brancos, vidros *Blindex* no *boxe*, dois extensos lavatórios em mármore com cubas em porcelana e torneiras cromadas, dois aparelhos sanitários, espelhos com molduras douradas e uma ampla banheira de hidromassagem com regulador de temperatura.

Homero estava nu diante do espelho de um dos lavatórios, vendo a sua figura inexpressiva refletida como um espectro fantasmagórico. Em silêncio. Feito máquina que foi desligada. Ouviu a esposa adentrar o quarto e pronunciar qualquer coisa a qual ele não deu atenção, mas que o despertou da letargia em que se encontrava. Percebeu quando Sheilla saiu.

Foi até a banheira, pendurou num porta-toalhas uma toalha felpuda com o seu nome bordado à mão e se inclinou para ativar as saídas de água. Quando baixou os olhos para dentro da banheira, não pôde acreditar no que via: o corpo de Laura estava ali, coberto por um sangue espesso, bem diante dele. Um cheiro de carne podre impregnou o ambiente. Laura tinha um lado do rosto queimado, onde já não existia mais pele. Uma imagem assustadora.

Homero cerrou os olhos depressa e esperou passar um tempo. Quando voltou a abri-los, a banheira estava vazia novamente. Desativou as saídas de água, pegou a toalha, enrolou-se e foi ao telefone, que ficava no criado-mudo, ao lado da cama. Discou. O interlocutor não demorou a atender...

— Alô.

— Acho que estou ficando louco.

— Por quê?
— Acabei de ver aquela piranha dentro da minha banheira, em casa! Dá pra acreditar?
— Que piranha?
— A Laura! A Laura! — frisou.
A pessoa na outra linha riu, e disse:
— Bobagem.
— Bobagem ou não, eu sei o que vi.
— Está com medo?
Homero respondeu baixo:
— Medo? Eu? Se ela estivesse realmente aqui, eu teria prazer em mandá-la para o inferno pela segunda vez! — Ele segurou a cabeça, confuso. — Eu só te liguei mesmo pra comentar.
Num tom de zombaria, o interlocutor concluiu:
— Pois faça o que você pensou, meu caro. Se ela aparecer por aí, trate de matá-la mais uma vez. Nós já avançamos muito em nossos planos, não é uma aparição maldita que vai nos atrapalhar.
— Pode ter certeza!
Desligaram.

O jantar foi servido. Eurides, a governanta, cuidou para que tudo estivesse ao gosto dos patrões. Sabia o quanto eram exigentes. Eurides estava na faixa dos cinquenta e poucos anos, e há quatro trabalhava para o casal. Foi escolhida por intermédio de uma agência que recrutava funcionários para exercer diversas funções em casa de pessoas ricas. Todos os candidatos que passavam por lá tinham de ter obrigatoriamente ótimas referências. No caso de Eurides, ela já havia trabalhado no exterior, na mansão de um astro do cinema americano. Falava cinco idiomas e conhecia de cor e salteado as regras de etiqueta social. Porém, a sua maior qualidade era a discrição: nunca via nem ouvia nada que não fosse das suas atribuições domésticas.
Sheilla provou da comida e disse:
— Está uma delícia...
— Pedi à cozinheira que não exagerasse no tempero — explicou Eurides. — Sei que a senhora e o doutor Homero só gostam de ervas finas.
— Você acerta em tudo — retrucou Sheilla.
— A senhora deseja mais alguma coisa?

— Não, Eurides, obrigada. Pode ir.
— Com licença.

Depois que a serviçal se retirou, Sheilla fitou Homero ao seu lado na cabeceira da mesa. Ele permanecia calado desde que viera do banho. Não tocou na comida, nem mesmo fez movimento algum. Parecia uma estátua de pedra. Sentou-se apenas. E dali por diante não esboçou nenhuma reação.

— Meu amor, você está bem? — a voz de Sheilla saiu preocupada.

Ele se mostrou surpreso.

— Sim. Por que não estaria?
— Sei lá. Você está tão estranho...

Homero se fez de desentendido:

— Estranho?
— É, não comeu, não disse nada. Está aí com cara de quem tem o pensamento longe. É como se o seu corpo estivesse aqui, entretanto, não o seu espírito.
— Lá vem você com essas teorias de revista.

Sheilla se debruçou para mais perto dele. De repente, quis saber:

— Amor, como era a Laura?

Ele quase deu um pulo da cadeira.

— O quê?!
— A falecida. A sua primeira esposa, a banqueira.
— Mas por que você está me perguntando isso agora? — ele indagou, desconfiado.
— Por nada. Curiosidade.
— Que curiosidade mais estapafúrdia!
— Acho que toda mulher tem curiosidade sobre as outras com as quais o marido se relacionou.
— Perda de tempo. Tolice.
— Você não gosta de falar nela, eu já percebi.

O rosto de Homero amargurou-se. A voz dele começou a sair embargada:

— É um assunto muito difícil para mim. Eu amei muito a Laura. Até hoje eu me culpo por não estar em casa quando aconteceu a tragédia. Talvez eu conseguisse salvá-la.

Sheilla pôs a sua mão sobre a dele, carinhosamente:

— Você não deve se culpar, meu amor. Você foi à rua atendendo a um pedido dela. O incêndio foi provocado por um problema elétrico, você não tinha como adivinhar.

— Eu sei. — Ele parecia perturbado. — Mas se eu não tivesse ido buscar o tal vinho na *delicatesse*? Se eu tivesse ficado com ela ou insistido que ela e o Matheus me acompanhassem naquela noite... Eu não fiz nada disso. Eu os abandonei à própria sorte.

— Eu já te disse. Você não tinha como adivinhar que aconteceria uma tragédia. — Ela segurou o queixo dele com muita ternura. — É claro que você não teve culpa de nada. Não pode carregar esse sentimento para o resto da sua vida. Aceite que foi uma fatalidade.

Ele se ergueu da cadeira e passou à sala de estar. Sheilla foi atrás.

— Você tem que se livrar desse pensamento, querido.

— É uma ferida aberta que não cicatriza nunca, que jamais deixa de doer.

Sheilla parou no mesmo lugar. E argumentou:

— A polícia e os bombeiros não encontraram o corpo do menino. Você já pensou na possibilidade de essa criança ter sobrevivido e você carregar mais essa suposta morte na cabeça?

Homero estava de costas, e ela não pôde ver a expressão de orgulho que ele fez:

— Impossível. Não tinha como o garoto sobreviver.

Porém, Sheilla deduzia:

— Não? E onde está o corpo, que nunca foi encontrado? Se não há cadáver, não há morte. E se não há morte, há vida. Ou seja, esse menino pode estar em qualquer lugar desse mundo. Um dia ele pode aparecer.

"Se aparecesse, eu o mataria", pensou Homero.

Capítulo 9

A água jorrava sem parar. O encanamento que passava sobre a pia havia estourado, inundando a cozinha inteira. Quatro homens tentavam controlar o vazamento, sem êxito. A cena era tragicômica e inédita em anos de funcionamento do albergue. Hercília acompanhava de longe, em pânico. Martinho era um dos que tapavam com as mãos o enorme buraco de onde rebentava o aguaceiro.

De repente, Matheus entrou na cozinha, despercebido, segurando um pedaço de cano. Abriu espaço e se meteu no meio dos outros, quase sorrateiramente, feito uma criança curiosa e arteira. Com muita habilidade, ligou o cano que trazia ao que estava estourado, estancando o vazamento na hora. Depois, com um pouco de *Durepoxi*, arrematou o acabamento para que não minassem resíduos de água da emenda que fizera. O resultado ficou perfeito. Tudo com uma rapidez que deixou os hóspedes e os donos do albergue boquiabertos.

— Pronto. Agora é só emboçar com cimento e colocar por cima um azulejo igual pra não ficar feio. Se não achar na loja aí de frente, pode procurar no Cemitério dos Azulejos. — O desembaraço dele era cativante.

Hercília cutucou o marido e cochichou:

— Não te falei? Eu sabia que esse menino não era um vagabundo. Tem boa índole, é prestativo, humilde. Gosto dele.

Martinho respondeu, contente:

— A sua intuição não falha nunca, mulher! É um ótimo rapaz, sim...

As palavras de Martinho foram diferentes às que ele dissera no dia em que a esposa resolveu dar abrigo ao desconhecido. Teve muito medo de que se tratasse de um drogado ou de um ladrão que, tão logo entrosado nos hábitos da casa, roubaria tudo na calada da noite. Enganara-se.

Matheus se mostrou muito reservado, por vezes, dúbio nas suas afirmações, mas em momento algum deu motivos para que dissessem que não era um bom sujeito.

Hercília lhe ofereceu moradia em troca de alguns serviços que Matheus prestaria no albergue, como receber os hóspedes, realizar pequenos reparos, e cuidar para que os ambientes se mantivessem limpos e arrumados. Além disso, ele ganharia um salário fixo para custear despesas pessoais.

O quarto cedido a Matheus não era lá grande coisa, mas era bem melhor do que o quarto coletivo do orfanato: com seus beliches impessoais e lençóis com cheiro de naftalina. O bom era ter se livrado das rezas obrigatórias antes de se deitar.

Hercília perguntou-lhe mais tarde:

— De onde você trouxe aquele cano, Matheus?

— Ah, dona Hercília, eu vi que os caras não estavam resolvendo, fui aí em frente e pedi fiado o cano pro dono da loja de material de construção — respondeu casualmente.

— E o dono da loja confiou em te vender fiado? — Hercília parecia espantada.

— Confiou. O cano e o Durepoxi. Por quê?

— Porque ele nunca te viu na vida, menino!

— Eu disse que trabalhava aqui, ué.

— Ele acreditou?

— Acreditou. De boa.

O jeito de Matheus falar soava tão ingênuo que Hercília não aguentou e riu. Ele observava-a com a testa franzida, sem entender nada.

Durante as tardes em que não estava trabalhando, Matheus gostava de se jogar na sua cama estreita de solteiro e passar o restante do dia lendo. As coisas faziam um novo sentido para ele. Preferia a solidão quando não estava em serviço. No quarto dele, além da cama, tinha a cômoda de madeira com a televisão de quatorze polegadas, uma escrivaninha velha com uma cadeira, o guarda-roupa simples de duas portas e a janela por trás de uma pequena cortina azul-claro.

Os fundos do quarto davam para o quintal, e ele, vez ou outra, gostava de se debruçar na janela e sentir a brisa do fim de tarde em Copacabana.

Aproveitava para pensar. Ainda eram muitos os questionamentos que carregava. A maior parte deles tinha a ver com o seu passado.

Queria descobrir a sua origem. Quem eram os seus pais? Por que o abandonaram no orfanato das freiras? E que incêndio foi esse cuja imagem nunca lhe saiu da memória, nunca o deixou em paz? Precisava saber. Nas ocasiões em que parava para conversar com Hercília, o assunto era quase sempre o mesmo.

— Por que você quer tanto encontrar os seus pais, Matheus? — ela perguntava. — Você acha que eles se arrependem de ter abandonado você no orfanato?

— Quero só entender por que fizeram isso — respondia. — Eu lembro de chegar ao orfanato pelos braços de uma mulher. Só pode ser a minha mãe. Mas antes vem a imagem do fogo.

— Fogo?

— É... um incêndio. Lembro do calor. Das labaredas. Mas é tudo muito confuso. Não consigo criar conexão entre essas lembranças. Nem mesmo sei se as coisas aconteceram no mesmo dia.

— Será que isso não é imaginação?

— Não. Não é — garantia Matheus. — As freiras sabem a verdade, principalmente a Irmã Eulália. Dava pra sentir que tinha medo das minhas perguntas. Desconversava sempre, criava um jeito de transformar o diálogo em discussão só pra me mandar longe dela.

— Bem, até aí é compreensível, né? Em geral, as freiras não têm permissão pra falar dessas coisas — ponderava Hercília. — Elas fazem votos de sigilo e proteção aos assuntos ligados à Ordem, todo mundo sabe disso.

— Existe algo a mais na minha história, eu sinto isso — ele afirmava com veemência. — E seja lá o que for eu vou descobrir, cedo ou tarde. A senhora pode anotar o dia de hoje.

Na semana seguinte, Hercília e Martinho receberam uma ligação da filha, avisando que chegaria ao Brasil por aqueles dias. Disse que estava em *Saint-Barthélemy*, uma ilha no Caribe frequentada por milionários e celebridades. Contou que as fotos eram para o catálogo de uma badalada grife feminina de moda-praia. Como era de se esperar, Jéssica pôde sentir pelo telefone a alegria dos pais quando ouviram a notícia.

A famosa modelo não os visitava havia pelo menos três anos. Os intervalos entre as visitas de Jéssica tornavam os reencontros carregados de muita emoção. Hercília sempre reclamava da saudade, enquanto Martinho só fazia chorar vendo a sua menina cada vez mais crescida e bela. Ele era orgulhoso da filha que tinha, era o seu xodó.

Jéssica desembarcou no Rio de Janeiro em um final de semana ensolarado, muito parecido com os dias que passara no Caribe. Seria perfeito, não fosse o fato de a *top model* detestar a cidade em que nascera, o que já era sabido por toda a imprensa. Ela declarou várias vezes que só visitava o Rio de Janeiro por causa dos seus pais ou de compromissos marcados na sua movimentada agenda. Fora isso, estava sempre viajando e desfilando nas passarelas mais importantes do mundo da moda. Amava Nova Iorque, com os seus arranha-céus de concreto, suas ruas apinhadas de gente, lojas de luxo e a agitação comum de uma sociedade assumidamente capitalista. Jéssica dizia que até a poluição emitida pelos escapamentos dos carros lhe dava a sensação de estar em casa.

Ela olhava através dos óculos de sol *Police* a paisagem que surgia do lado de fora do táxi que a conduzia pela zona sul. Lembrava-se de quando criança achar bonito o Aterro do Flamengo e a Enseada de Botafogo. Uma lembrança distante, porque há tempos já não via beleza naqueles lugares.

O táxi atravessou o Túnel Novo e avançou pela Avenida Princesa Isabel. O *chofer* fitou-a pelo espelho retrovisor e indagou:

— A senhora quer que vá pela orla ou pela Barata Ribeiro?

— Pode ser pela Barata Ribeiro — ela respondeu, indiferente e antipática. — Não há nada nessa praia que eu já não tenha visto.

— Praia mais linda do mundo! — exclamou o taxista, vaidoso.

Jéssica não perdoou:

— Pode até ser... pra quem nunca conheceu o Caribe ou as praias da Califórnia.

O taxista fez um muxoxo, que ela não percebeu, e se manteve calado pelo resto do trajeto.

Martinho e Hercília prepararam uma mesa farta de doces e salgados. Espalharam algumas flores pelo ambiente e puseram almofadas novas e elegantes no sofá. Cuidavam para que a filha se sentisse confortável. Não a queriam decepcionar. Por um instante, era como se a própria filha fosse uma estranha, uma pessoa muito importante e que se tem vergonha de receber em casa.

Jéssica desceu do táxi e se deparou com o antigo casarão da sua infância. Observou os detalhes e notou que pouca coisa mudara desde a última vez em que estivera ali, três anos antes. Talvez uma cor de parede, mas nada substancial. Uma coisa, porém, era admirável para Jéssica: o cuidado que os seus pais tinham com o imóvel. Ela imaginou que, se não fossem eles os proprietários, aquela velha casa perdida em meio aos prédios de Copacabana já teria sido demolida para a construção de um novo prédio ou hotel de luxo.

Martinho e Hercília vieram correndo de dentro da casa, mal avistaram a filha entrar pelo portão puxando a sua luxuosa mala de viagem Rimowa.

Jéssica os presenteou. Para o pai trouxe um relógio suíço; para a mãe, uma bolsa *Louis Vuitton* preta com detalhes em dourado. Os presentes em nada se pareciam com eles, mas ainda assim ficaram emocionados. Jéssica conhecia o gosto simples dos seus pais; no entanto, sempre optava por presentes caros. Era como se tentasse mostrar a eles que existia outro mundo, no qual ela gostaria que vivessem. Contudo, não era o mundo deles.

Ao sair do banho, horas mais tarde, vestida com um roupão felpudo e uma toalha enrolada na cabeça, Jéssica disse para a mãe:

— Eu não entendo por que vocês não vendem essa casa e não vêm morar comigo. Você e o papai teriam uma vida muito mais confortável no exterior.

— Ah, não, Jéssica! — Hercília evitava o assunto. — Já conversamos sobre isso.

A jovem insistiu, contrariada:

— Eu sei, mãe. É que não dá pra entender mesmo. Não sei qual é a graça de manter esse albergue. As despesas devem ser maiores que os lucros, porque só quem se hospeda aqui é turista pobre, mochileiro que não tem grana pra gastar. Os hotéis de luxo, sim, são compensadores, mas um casarão velho numa ruazinha escondida...

Hercília engoliu em seco. Fitou Jéssica nos olhos e não conseguiu disfarçar o quanto se sentiu ofendida. Mas nada disse, apenas abaixou a cabeça, em silêncio.

Jéssica procurou consertar:

— Ai, desculpa, mãe. Eu não quis ser indelicada. É que me preocupo demais com vocês.

A mãe tentou sorrir.

— Eu sei, filha.

— Você e o papai são os meus bens mais preciosos. O que eu puder fazer pra vocês terem uma vida melhor, eu farei.

Martinho adentrou o quarto.

— E aí, filhota, tudo certo por aqui? As coisas estão do jeitinho que você deixou quando veio pela última vez.

— Eu reparei — ela respondeu, sem nenhum entusiasmo; e quis logo saber: — Ligou pro Fabrício?

— Liguei, sim, falei que você tinha chegado, só que ele disse que não vai poder vir, está cheio de trabalho da faculdade para terminar — respondeu Martinho.

Jéssica criticou, aborrecida:

— O Fabrício e essa mania de ser *nerd*. Eu trouxe presente pra ele também, mas, se ele não pode vir, paciência, problema dele. Depois eu entrego, ou vocês.

Hercília aduziu depressa:

— Seu irmão é muito responsável com os estudos. Eu acho certo. Ele quer ser um bom profissional. E será, se Deus quiser!

— Ele é muito bobo, isso, sim! — rebateu a modelo. — Não sei que futuro ele pensa que vai ter com um diploma debaixo do braço nesse país de merda. É muita ingenuidade. No máximo vai ganhar um salário de fome que mal vai dar pra se sustentar. Vai acabar vindo trabalhar nesse albergue com vocês.

Dessa vez, Hercília não deixou barato.

— Se o seu irmão vier trabalhar com a gente, será muito bem-vindo. E tenho absoluta certeza de que ele não vai se sentir diminuído em nada, nem vai ter do que se envergonhar. Assim como nós, ele é batalhador e tem humildade.

Se Jéssica e o pai se davam bem, tinham afinidades e um carinho especial um pelo outro, não se podia dizer o mesmo com relação à mãe. Hercília e Jéssica constantemente tinham pensamentos e opiniões opostas. Hercília amava o Brasil, amava o Rio de Janeiro e o seu povo alegre, que sempre encontra motivos para ser feliz. Ao passo que Jéssica odiava o seu país de origem e a pobreza da maioria dos brasileiros. Essa discordância entre as duas era um bom exemplo de estilos e pensamentos contrários, que sempre terminava em discussão.

Jéssica não acreditava em uma felicidade que não fosse tangível ou que não fosse capaz de colocá-la numa posição privilegiada em relação às outras pessoas. Ter a sua imagem reconhecida nas principais cidades do mundo era a sua maior conquista. Ser assediada, comentada e perseguida por uma infinidade de jornalistas e fotógrafos causava nela uma sensação que era um misto de poder e imortalidade.

Matheus foi o primeiro ponto divergente entre Jéssica e o pai. Quando ficou sabendo da história do novo empregado do albergue, ela se alarmou. Argumentava que os pais corriam enorme risco mantendo um estranho em casa. E que ela também, a partir daquele momento, corria grande risco. Imediatamente, abriu a mala e mostrou uma caixa cheia de joias valiosíssimas.

— Mas pra que andar com tanta joia na mala? — quis saber Hercília.

Jéssica arrazoou:

— Nunca me separei delas!

Martinho saiu em defesa do novo empregado:

— O rapaz é honesto. Tem boa índole. Não há motivo para se preocupar com ele.

Jéssica, no entanto, parecia irredutível:

— Isso é o que vocês dizem. Vocês não veem maldade em ninguém. Conheço esse tipo: chega como quem não quer nada, depois faz uma limpa na casa da gente. Rouba tudo. Se deixar, rouba até o teto!

— Você está sendo preconceituosa, minha filha. Está julgando uma pessoa que você nem conheceu ainda — advertiu a mãe.

Porém, Jéssica não passaria muito tempo sem o conhecer. Assim que Martinho e Hercília saíram do quarto, ela pegou uma roupa na bagagem e se vestiu apressadamente.

Ele estava cuidando do jardim.

O suor escorria no seu peitoral nu e rolava para o abdômen moldado em rígidas camadas de músculo. As costas largas e firmes. Braços e pernas fortes. A bermuda apertada, talvez um número a menos, marcando e revelando o sexo volumoso. O cabelo preto, liso, caindo na testa. Um adolescente se tornando adulto à luz do sol.

Jéssica se acostumara a encontrar homens bonitos em sua carreira de modelo. Desfilou, fotografou e namorou muitos deles. Não havia beleza masculina capaz de surpreendê-la. Ou assim pensara até aquele dia. No momento em que seus olhos capturaram a imagem perfeita de Matheus no jardim do albergue, ele não lhe pareceu um marginal. Parecia uma escultura de prazer.

Matheus pegou a camisa que havia no ombro e enxugou o suor que lhe descia no rosto. Depois, colocou-a de volta no lugar e continuou o serviço. Não percebeu que era observado pelo olhar voluptuoso de Jéssica. Ela começava a ficar excitada. Não se conteve e foi puxar assunto com ele.

— Olá.

Matheus parou o que estava fazendo e a fitou, sem falar nada.

— Você deve ser o Matheus, o novo funcionário. — Ela se aproximava um pouco mais; ele não esboçava nenhuma reação. — Os meus pais me falaram de você.

Ele lembrava um bicho arredio no meio da floresta, perseguido pelas lentes indiscretas de um repórter, como nos documentários que Jéssica costumava assistir vez ou outra no *Discovery Channel*.

— Meu nome é Jéssica — apresentou-se, querendo ser simpática.

— Eu sei quem é você: filha do seu Martinho e da dona Hercília.

"Ah, ele fala! Que bom!"

— Sim, sou eu — ela confirmou, sorrindo.

— Tá precisando de alguma coisa?

"De você, gostoso!"

— Não. Eu só vim mesmo te conhecer. Os meus pais me falaram muito bem de você, e eu fiquei curiosa. — Era a primeira vez que Jéssica se preocupava em escolher palavras para conversar com alguém. — Eu vejo que eles não exageraram, você é um cara legal...

"Mas que estúpida! Isso foi ridículo! 'Cara legal', nada a ver! Ele vai pensar que sou uma completa idiota!"

Matheus respondeu-lhe:

— Que nada! Eles é que foram muito legais comigo me deixando ficar.

Jéssica considerava uma ousadia; no entanto, não conseguiu guardar para si o que pensava naquele exato instante:

— Sabia que você é muito bonito? Um gato, como se diz por aí.

Ele corou e respondeu meio sem jeito:

— Obrigado...

— Você deve ter uma namorada bem ciumenta. — "Não acredito que tive a coragem de falar isso!" — Quero dizer... ciumenta e bonita.

— Eu não tenho namorada.

"Não?! Por que será?!"

— Ah... desculpe...

— Tudo bem.

Ele fez menção de voltar ao trabalho no jardim.

Jéssica acrescentou:

— Você podia ser modelo. Ganharia rios de dinheiro. Rapazes como você fazem muito sucesso nos catálogos de moda. Eu acabei de chegar de uma sessão de fotos no Caribe, e lá não tinha um modelo que fosse tão bonito quanto você.

Naquele momento, Matheus parou, demonstrando claro interesse no que acabara de ouvir. Ponto para Jéssica, que conseguiu prender a atenção dele. Ela só não imaginara que seria com um assunto aparentemente tão fútil.

— Você acha mesmo?

— O quê?

— Que eu sirvo pra esse lance de modelo?

— Acho, não, tenho certeza. Você é muito bonito, tem um corpo bacana, e é isso que as agências de moda procuram e...

Ela se entusiasmou para continuar, mas quando menos esperava, Matheus saiu de perto dela e a deixou falando sozinha.

"Será que ele é louco?", foi o último pensamento de Jéssica.

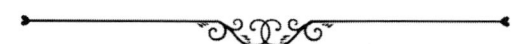

Abriu a torneira do chuveiro e deixou que o jato de água fria caísse sobre a sua cabeça. Sentiu um alívio imediato. Passara algumas horas trabalhando sob o forte calor de uma tarde ensolarada. Pegou o sabonete e começou a passá-lo devagar pelo corpo, enquanto se lembrava das palavras ouvidas minutos antes: "você é muito bonito, tem um corpo bacana, e é isso que as agências de moda procuram..."

Matheus experimentava uma ansiedade que não conseguia compreender. Talvez fosse a primeira oportunidade de muitas que ainda viriam depois de tantos anos esquecido num orfanato. Conseguia presumir o quão difícil era para um animal domesticado ser solto em uma selva. E aquela era a selva em que ele fora solto, fazia pouquíssimo tempo.

A ansiedade excitava-o. Era como o estopim de uma grande explosão que acontecia dentro dele. Uma torrente de sensações percorria o seu interior sem que ele pudesse controlar. Vinha da mente e se espalhava por todo o seu corpo feito areia ao vento. Algo se mexeu abaixo da sua cintura. Ficou um pouco assustado ao ver que teve uma súbita ereção. O apetite sexual não demorou a vir: era como se alguém tivesse acendido uma lâmpada incandescente.

Matheus fechou os olhos e começou a se masturbar sem pressa, mordiscando os lábios de prazer. Fantasias eróticas pairavam na sua imaginação, feito nuvens que anunciam uma intensa tempestade. Aumentou o ritmo com a mão direita. De repente, deu uma leve estremecida e ejaculou no boxe...

Era noite e todos no albergue já tinham se recolhido.

Jéssica escutou uma batida leve na porta do seu quarto. Esperou com atenção. Nova batida, daquela vez um pouco mais forte. Ela se levantou da cama, vestiu o robe de seda vermelha e preta que trouxera da Ásia e foi em passos lentos até a porta.

— Quem é? — perguntou.

— Sou eu, Matheus... — foi a resposta que veio do outro lado.

Ela abriu.

Matheus a encarou:

— Eu queria falar com você.

— Agora?

— É.

— Que horas são?

— Quase meia-noite.

Jéssica hesitou, com estranheza. Por fim, acabou lhe dando passagem.

— Entra.

Ele avançou para dentro do quarto. Parou ao lado da cama. O perfume de Jéssica quase o deixou entorpecido. Era gostoso e instigante, como a personalidade misteriosa que ela aparentava. Também, só naquele momento ele reparou o quanto Jéssica era bonita. Tinha a pele branca, os traços suaves, lábios pequenos e naturalmente rosados, o nariz fino com a ponta meio arrebitada. O cabelo castanho e liso caía alinhado, abaixo dos ombros.

Ela lhe dizia:

— Você quer falar comigo? Fala.

Matheus ficou surpreso ao perceber que ela esperava, enquanto ele permanecia calado nos seus pensamentos. Sentiu-se ainda mais tolo e desconfortável.

Apressou-se em respondê-la:

— Eu queria te pedir desculpas por hoje mais cedo. Eu me comportei como um idiota.

Jéssica deu uma risada gostosa e perguntou de maneira divertida:
— Você veio aqui só pra me pedir desculpas?
— Não... é que... Bem, eu fiquei pensando... — Por algum motivo, Matheus estava tímido diante dela. — Pensando no que você me falou...

Ela pôs a mão dele entre as dela, fechadas em concha. Foi uma sensação maravilhosa e acolhedora para Matheus. Um ato de carinho que ele não se lembrava de algum dia ter sentido.

— Você parece nervoso, relaxa... — Jéssica demonstrava toda paciência do mundo.

Ele então falou rápido, de uma só vez:
— Eu queria saber como faço pra ver se levo jeito mesmo pra esse lance de modelo.
— Você está interessado?

Essa pergunta amedrontou-o. Matheus saiu de perto dela e foi procurar outro canto, onde não ficasse tão tímido ou não tivesse de encará-la. Escolheu ficar de costas, próximo à janela do quarto.

— Não sei se é interesse. Acho que é mais curiosidade. Ninguém nunca me falou isso. Eu nem sei bem o que eu quero. Nunca encontrei um objetivo que me desse vontade de viver.

— Não? — Jéssica parecia surpresa. — E descobrir o seu passado? Os meus pais me contaram que você tem esse objetivo.

— Sim, eu tenho mesmo! Mas, quando eu falo em objetivo, eu falo em algo além. Eu posso até descobrir o meu passado, só que... e depois? O que eu vou fazer do restante da minha vida?

Jéssica aconselhou:
— Deixe que as coisas caminhem por si mesmas. Um dia tudo se encaixa.

Matheus fechou o semblante gravemente e retrucou:
— Há o que nunca caminhe para lugar algum.
— Você já fez análise? — ela indagou.
— Análise? Tipo, com psicólogo, psiquiatra, essas coisas?
— Sim. Tipo isso.
— Não. Nunca saí do orfanato, e lá não tinha...
— Era bom você fazer. Ajuda a entendermos melhor a nós mesmos. Ajuda a encontrarmos um caminho que às vezes nós não conseguimos enxergar.
— Entendi.

Jéssica foi até o guarda-roupa, tirou a sua bolsa lá de dentro, abriu-a e pegou um cartão de visitas escrito com uma linda caligrafia acinzentada. Deu a ele, explicando:

— Este é o endereço e o telefone aqui no Rio da agência de modelos para a qual eu trabalho. Liga pra eles e marca uma entrevista sem compromisso. Se você levar jeito, eles vão te dizer. Daí o resto é por conta deles. Se quiser, posso ir com você.

— Sim, quero que você vá comigo — decidiu Matheus, virando-se para sair do quarto.

Ela segurou-o pelo braço e acrescentou:

— A gente combina o dia. E fico te devendo o contato de um bom terapeuta.

Ele sorriu meio abobalhado, abriu a porta e foi embora com o cartão no bolso da bermuda.

Jéssica deu um longo suspiro, apagou a luz e foi se deitar, inconformada.

Bem que ele podia me ter jogado na cama, arrancado meu robe e me possuído a noite inteira! Mas eu ainda pego esse garoto de jeito!

Pela manhã, Hercília tirava a mesa do café. Os hóspedes já haviam tomado o desjejum.

— Eu acho que vou ficar mais tempo do que pensei aqui no Brasil — anunciou a filha ao descer do quarto, depois que todos saíram.

A mãe admirou-se:

— Vai? Mas você não gosta daqui, Jéssica.

— Ah, não gosto mesmo! — Ela passava geleia numa torrada. — Mas eu acho que vai valer a pena, por isso resolvi ficar.

Hercília levou alguns pratos para a cozinha e voltou, já indagando:

— E os seus compromissos no exterior?

— Nada marcado. Meu agente está negociando ainda alguns desfiles e eventos. Tenho tempo pra ficar — explicou, enchendo um copo com suco de laranja. — O meu último compromisso agendado foi a sessão de fotos no Caribe.

Se Jéssica fosse um livro, Hercília já o teria decorado por inteiro. Conheceria todas as palavras escritas, os verbos, as frases, e até mesmo o que estivesse subentendido nas entrelinhas, coisa que Martinho não faria tão bem; para ele, Jéssica sempre seria uma garotinha inocente.

No entanto, Hercília sabia que não era bem assim. Lembrava-se das ocasiões em que a filha ficara "doente" e que a "cura" era algum brinquedo que ela queria ganhar.

Desconfiada, Hercília questionou:

— E o que te fez tomar essa decisão?

Jéssica foi sucinta na resposta:

— Um motivo muito bom. Não se preocupe.

"Eu quero o Matheus pra mim!"

Capítulo 10

Na Avenida Augusto Severo, no bairro da Glória, zona sul do Rio de Janeiro, funcionava um dos nichos da prostituição carioca. Ao longo da calçada, era possível encontrar diversos travestis disputando território na oferta de serviços aos frequentadores, que circulavam de carro à procura de diversão sexual. Um submundo sob as vistas grossas das autoridades. Havia quem dissesse que a prostituição na Augusto Severo fazia parte da tradição cultural da cidade. Mas não era bem assim. Um observador mais atento saberia que o local era conhecido também pela violência e por ser um vetor de transmissão de doenças sexuais, em índices alarmantes, principalmente entre homens casados que procuravam realizar as suas fantasias com aquelas ditas quase mulheres.

Embora não fosse um trecho turístico valorizado da zona sul, não era difícil avistar automóveis luxuosos estacionados ao meio-fio, com travestis seminus debruçados nas suas janelas. O preço do programa variava de acordo com os atributos físicos do acompanhante escolhido pelo cliente. Quanto mais feminino o travesti, maior era o valor cobrado. Se não fosse pelos que se prostituíam apenas para sustentar o vício em drogas, o mercado sexual no bairro da Glória seria mais seleto.

No entanto, o meretrício naquela rua era altamente democrático e diversificado. Mais da metade dos frequentadores pertenciam a uma classe social abastada. Eram homens de negócios, executivos, assessores parlamentares, juízes, artistas, jovens universitários.

Lola Brum era o codinome de Otávio Louzada Moreira. Tão logo completara dezoito anos, Otávio largou a vida precária que tinha com os pais no município de Duque de Caxias, na Baixada Fluminense, e foi viver da prostituição no bairro da zona sul carioca.

Otávio se descobriu homossexual ainda criança. Sonhava com o dia em que toda aquela pobreza fizesse parte do seu passado. Pensava em sair de casa sempre que arrumava um namorado, mas nunca teve sorte. Nenhum dos companheiros o assumira de fato. Otávio era extremamente romântico e sempre ficava muito submisso aos relacionamentos. Alguns dos seus namorados o exploravam, levavam seu dinheiro, roubavam-lhe objetos pessoais e até o agrediam. Porém, nada se comparava à humilhação de ser espancado pelo próprio pai em razão dos seus traços delicados e voz mansa.

"Fala que nem homem, moleque! Eu não quero filho veado!"

Não raramente, precisava ser hospitalizado em virtude dos graves ferimentos que o pai lhe provocava. A mãe — semianalfabeta e religiosa de uma igreja pentecostal — fingia não perceber as severas consequências morais e físicas das repetidas agressões. No íntimo, ela pedia a Deus que um dia o filho se afastasse.

"Seria bom para todos", ela pensava. De certa forma, Otávio pensava a mesma coisa e ansiava pelo dia em que esse afastamento se tornaria real.

Por influência de uma amiga, o jovem homossexual conheceu o mundo dos travestis. Ele tinha uma enorme vontade reprimida de se vestir e se portar como uma mulher, contudo, não sabia por onde começar essa transformação; talvez, a mais importante de toda a sua vida.

Começou por trocar o vestuário: desfez-se das roupas masculinas. A partir daquele momento, usaria somente trajes de mulher. Depois vieram as injeções de hormônio feminino. Posteriormente, a aplicação de silicone nos seios e nas nádegas, e as sessões de eletrólise para se livrar da barba e dos pelos. Otávio deixou de ser um rapaz sem muito charme para se tornar uma linda e desejada garota. Lola Brum nasceu da junção dos nomes de duas estrelas do cinema europeu, escolhidos pela mesma amiga que apresentou Otávio ao novo mundo.

Cinco anos depois de todas as possibilidades de um emprego tradicional haverem se esgotado, Lola caminhava mais uma vez para a rua onde era contratada pelos clientes. Tinha por hábito não levar ninguém à minúscula quitinete em que morava, no mesmo bairro. Já era conhecida em todos os hotéis velhos e fétidos que costumavam alugar quartos para os travestis da região. Os donos desses hotéis também lucravam com o comércio. Era uma rede informal no mercado do sexo.

Lola se encostou num poste. Olhou o relógio, ainda era um pouco cedo, mas recebera um recado para estar ali àquela hora. Logo, o carro preto de vidros escuros veio na sua direção e parou. Ela encarou o veículo por um instante, enquanto o vidro dianteiro do carona era abaixado. O homem que estava ao volante sorriu. Lola ajeitou a pequena bolsa no ombro e entrou no automóvel.

— Oi, boa noite, tudo bem?

— Tudo — ele respondeu. — Demorei?

— Não. Ainda é cedo — disse Lola, puxando os cabelos negros para um lado do rosto, enquanto o outro ficava livre para exibir uma pele branca e suave. Os lábios estavam pintados de batom vermelho-escuro.

— Que bom que é cedo. Assim teremos mais tempo pra aproveitar — concluiu, dando partida no carro.

Lola sabia que os clientes gostavam de ter bastante tempo para curtir o programa. E pagavam por isso.

O que ela quase nunca sabia era a identidade daqueles homens.

———— ⚜ ————

A BMW 325is comprada recentemente parou no pedágio da Rodovia Washington Luís, a alguns quilômetros da subida da serra de Petrópolis. Da janela do carro, o motorista estendeu a mão e entregou o dinheiro à funcionária da cabine de cobrança. Segundos depois, a cancela abriu passagem e o automóvel pôde seguir.

Lola parecia pouco confortável no banco do carona. O cliente guiava em silêncio. A escuridão densa ao longo da estrada ensaiava uma espécie de buraco negro sem começo e sem fim. Era como se o tempo não existisse.

Ele tirou rapidamente do bolso da camisa um filete de papel e amassou-o na boca. Acendeu a ponta com um isqueiro, usando uma das mãos, enquanto a outra permanecia firme no volante. Lola sentiu o cheiro de maconha impregnar o carro.

— Quer um teco? — perguntou, com os lábios entreabertos e já escondidos pela fumaça.

— Não, obrigada. Sou careta — respondeu o travesti. E indagou, espiando a paisagem indefinida à beira da estrada: — Tá muito longe ainda de onde a gente vai ficar?

— Não. É no alto da serra. Logo a gente chega. Só uns minutinhos. Por quê?

— Por nada. Nunca vim pra esse lado. Em geral as meninas atendem lá mesmo, no Centro.

— Você vai gostar.

— Se o senhor tá dizendo, eu acredito.

O homem deu uma risadinha, sem desequilibrar o cigarro de maconha da boca.

— Vamos parar com esse negócio de senhor, é broxante. Pode me chamar de você.

Lola assentiu. Mas, se pudesse, diria a ele que estava achando tudo muito estranho. Ao longo dos anos de trabalho como profissional do sexo, o travesti desenvolveu intuição para dois tipos de situações: risco e perigo. Naquele caso, especulava a segunda opção; no entanto, era tarde demais.

Não demorou até que o carro parasse. Haviam chegado ao local. Lola percebeu que os vidros do carro embaçaram com o frio que fazia do lado de fora. Era bem provável que estivessem na parte mais alta da serra.

— É aqui — ele disse.

Lola baixou o vidro e sentiu os ossos congelarem. Nem mesmo o batom vermelho-escuro foi capaz de impedir que os seus lábios rachassem subitamente feito pedra. O verdadeiro arrepio, porém, sentiu ao descobrir que naquele lugar nada havia além do veículo em que estavam e da mata cerrada e sinistra, que ficava bem próxima a eles. Não havia motel, pousada, nem coisa parecida no meio daquele breu. Nenhum sinal de luz, por precária que fosse.

— A gente vai curtir aqui dentro do carro mesmo? — arriscou Lola.

— Não... — retrucou simplesmente, com a voz rouca.

"Talvez ele se excite assim", pensou o travesti.

Lola não teve tempo de pensar nada mais, porque Homero Mancini desferiu um soco tão forte no seu rosto carregado de maquiagem que foi possível ouvir o barulho de alguns ligamentos da sua face trincarem.

Lola desmaiou.

Uma hora e meia se passara. Naquele instante, ele descia de volta ao Rio. Os vidros do carro estavam abertos, o cigarro de maconha entre os dedos. No rádio, tocava alta a sua música preferida: (*I Can't Get No*) *Satisfaction*, do *Rolling Stones*. O vento gelado batia em seu rosto duro, trazendo uma incrível sensação de liberdade e de desejo realizado.

Em um trecho da rodovia, enquanto a BMW fazia uma curva fechada, Homero viu a imagem de uma mulher vestida de branco ao lado de uma placa de sinalização. Ele se surpreendeu ao notar que os pelos do seu braço se eriçaram. Era como se um campo magnético exercesse alguma influência sobre ele. Talvez fosse efeito da maconha. Ele cuspiu o cigarro pela janela e continuou o trajeto.

Mais à frente, perto de uma entrada para retorno, a mesma mulher acompanhava, com os olhos fixos, o automóvel avançar pela estrada. Ele se distraiu observando o espectro e acabou derrapando na pista. Homero acionou os freios, e o carro parou alguns metros adiante. Apesar do forte barulho de capotagem, o carro apenas havia batido forte com uma das rodas no meio-fio do acostamento. Saltou depressa, apanhou uma lanterna de emergência no porta-malas e foi verificar os pneus. O aro da roda estava empenado. Não tinha como seguir viagem.

Ele deu uma pancada com muita raiva no capô:

— Caralho!

Estava possesso. A sua ira aumentou feito combustível derramado sobre uma fogueira quando viu que estava sendo observado de longe pela mulher de branco. Ela motivara a sua distração, dando causa ao acidente.

— Piranha!

Homero não pensou duas vezes: entrou no carro, abriu o porta-luvas, pegou a pistola semiautomática que costumava levar sempre que ia "se divertir" e, já do lado de fora, mirou na mulher e fez três disparos, gritando:

— Morre, filha da puta... Morreeeee!

Porém, as balas incandescentes da pistola não a atingiam. Homero atirava, e era como se os projéteis sumissem na metade do caminho.

— Tá pensando que eu tenho medo de porra de fantasma, caralho? — berrava, indo para cima dela, furioso. — Eu vou te matar, sua vaca! Filha da puta! Desgraçada!

Àquela altura, o ódio que ele sentia já o deixava fora de si. Ele caminhou alguns metros. A mulher continuava serena, impassível, mesmo o vendo ir ao seu encontro com a arma em punho. Ela não demonstrava medo, não esboçava nenhum tipo de reação. Ele foi se aproximando, cada vez mais perto...

Uma carreta veio de repente na sua direção, beirando o acostamento, em alta velocidade. O motorista disparou a buzina, passando a pouquíssimos metros de Homero. Os faróis cegaram as vistas dele instantaneamente. O caminhoneiro gritou um impropério, que se desfez no vento gelado daquela noite. Homero apertou os olhos com força e quando voltou a abri-los teve outra surpresa...

A mulher havia desaparecido.

Era início da madrugada.

Ele já estava em casa, de pijama. Sheilla dormia.

Ao telefone, Homero contava para o seu interlocutor o apuro em que se metera horas antes e como saiu dele.

— Tô falando pra você! Tinha uma filha da puta na estrada! Eu não sei como, mas ela me seguiu por quilômetros! E estava a pé! A pé! — frisou.

— Mas quem era?

— Aí é que tá: não sei. Só sei que ela estava toda vestida de branco, tipo a porra dum fantasma mesmo, sabe? No início, eu pensei que era uma favelada qualquer da região a fim de dar um susto em motorista babaca, só que não era.

A voz do outro lado ficou áspera.

— Pois eu acho que você está fumando muito bagulho. Ainda vai fazer merda por causa disso. Vai botar tudo a perder.

— Não foi nada disso. Eu só fumei dois baseados: um na ida, outro na volta. Até ofereci pro veado, mas ele não quis. — Ele encostou o bocal do telefone nos lábios e falou mais baixo: — Aliás, você já conheceu algum traveco que não usa droga?

O interlocutor ficou ofendido.

— Porra, nunca comi veado!

Homero também se indignou.

— Nem eu! O meu lance foi só brincar mesmo... só pra matar... Você sabe que de vez em quando eu tenho que fazer isso pra relaxar, senão eu explodo. Muita responsabilidade na minha cabeça.

— E como você fez com o carro?

— Larguei na estrada.

— Você ficou maluco, seu idiota?

Homero se apressou em explicar:

— Não, tá tranquilo! Usei placa fria como das outras vezes. Comprei o carro à vista, usando documento falso. Mesmo que encontrem o carro, não vão conseguir chegar até mim. Deixei aquela porra lá mesmo e peguei uma carona até o Centro. De lá tomei um táxi até o estacionamento do banco, peguei meu carro e vim pra casa.

— Espero que não dê merda!

— Não vai dar. Fica tranquilo.

— Vai dormir. Acho que você já se divertiu demais por hoje.

— É o que eu vou fazer.

Desligaram.

No dia seguinte, Homero acordou mais tarde. Havia perdido a hora. Passara a madrugada toda brigando com a própria insônia e só foi cochilar quando a luz do sol transpassou a janela do quarto. Tivera uma noite agitada, razão pela qual trazia no rosto um cansaço, que o envelhecia uns cinco anos, e duas olheiras enormes. Encontrou Sheilla à mesa, tomando café e folheando um jornal.

— Bom dia! — cumprimentou-a secamente, o humor péssimo por causa da noite mal dormida.

Eurides lhe serviu café e um prato com mamão coberto de açúcar, como ele gostava.

— Bom dia, doutor Homero!

A governanta se retirou.

Homero fitou Sheilla, que parecia muito concentrada na página do jornal. Sentiu-se ignorado.

— Agora é assim, eu dou bom dia e a minha mulher não responde — reclamou, enquanto tomava um gole do café. — O que tem de tão importante nessa porcaria de jornal? Alguma liquidação? Estão vendendo o *shopping*?!

Sheilla dobrou o jornal em duas partes e se virou para o marido.

— Desculpe, meu amor. É que fico chocada com os casos de violência nessa cidade.

Ele deu de ombros.

— Grande coisa! Já deveria estar acostumada.

Sheilla retrucou severamente:

— Não com os casos brutais!

Homero respondeu com ironia:

— Não me diga!

Ela não reparou no tom irônico dele. Em vez disso, fitou-o com atenção e indagou, preocupada:

— Que cara é essa? Você está bem?
— Não dormi à noite, só isso.
— Chegou tarde, que eu sei. Ouvi o barulho do carro, mas não consegui ficar acordada pra te receber. Eu estava com um sono do cão. — Ela se inclinou para mais perto dele e falou de um jeito maternal: — Sabe o que eu acho? Que você deveria diminuir o ritmo lá no escritório do banco. Você já conquistou tantas coisas, Homero. Pra que se matar de trabalhar desse jeito? Deixa os seus empregados cuidarem um pouco dos negócios.

Ele parecia esconder algo que Sheilla não conseguia captar. As conquistas ao longo da trajetória meteórica de Homero, como banqueiro e empresário, davam a impressão de que tudo não passava de um imenso fardo. Não havia prazer ou satisfação naquilo. Homero não demonstrava alegria e estava longe de ser um homem grato por tudo que a vida lhe proporcionara. Sheilla não compreendia tanta dedicação do marido aos negócios, se ele nunca se mostrava realizado. Ele parecia sempre um passo atrás dos seus objetivos.

— Falta muito que fazer — ele disse. — Quando eu tiver terminado, aí, sim, eu vou poder descansar.

Sheilla acariciou o braço dele:

— Meu amor, por que nunca divide comigo o que se passa com você? Eu sinto que tem alguma coisa te incomodando aí dentro. — Ela passou a mão no peito dele, com ternura. — Confia em mim.

— Mas eu confio.

— Às vezes, tenho a nítida sensação de que você me esconde coisas...

— Besteira! — negou Homero, tirando com a colher uma lasca do mamão.

Sheilla levantou-se.

— Eu vou pegar a minha bolsa e depois vou sair. Marquei uma consulta hoje com um médico lá em Ipanema.

— Médico? — ele interrogou, pondo um pedaço de fruta na boca. — Você está doente?

— Não. Consulta de rotina. — Ela se curvou e deu um beijo afetuoso no rosto dele. — No final da tarde eu devo estar de volta. Sabe como anda o trânsito nessa cidade! Outro dia uma amiga disse que levou uma hora e meia da Barra até a Gávea.

— Vai no seu carro?

— Vou. Dispensei o motorista.

— Ok.

— Até mais tarde, amor.

Sheilla foi até o *living*, apanhou a bolsa em cima do sofá e saiu.

Homero pegou o jornal que a mulher deixara em cima da mesa e o desdobrou. Correu os olhos pela página aberta. Em destaque, a matéria que causara espanto em Sheilla:

RIO — TRAVESTI É ENCONTRADO MORTO NA SERRA DE PETRÓPOLIS

Um travesti foi encontrado morto no início desta manhã na serra de Petrópolis, sentido Juiz de Fora. Segundo a Polícia Rodoviária Federal, o corpo da vítima foi mutilado. No local, foram encontrados um soco inglês, um alicate e uma faca de caça, objetos que a polícia suspeita terem sido utilizados para tortura, além de uma corda que prendia parte do tórax da vítima a uma árvore. O travesti foi identificado como Otávio Louzada Moreira, de 26 anos. A Divisão de Homicídios vai abrir inquérito para investigar o caso. Suspeita-se que um carro da marca BMW abandonado às margens de um trecho da rodovia tenha ligação com o crime. A placa do veículo estava adulterada e não constava na base de dados do Detran-RJ.

Homero riu dentro de si. O café tinha ficado subitamente delicioso.

Capítulo 11

O casarão branco de telhas coloniais ficava no Alto da Boa Vista, localizado no centro de um enorme terreno, com uma extensa área verde. Lembrava uma fazenda do século XIX. Era um lugar muito bonito. O interior da casa contrastava com a paisagem externa. Logo na entrada principal, um balcão moderno, com luminárias geometricamente irregulares, porém requintadas, que pendiam sobre ele. Atrás do balcão, uma recepcionista muito elegante e bem maquiada, apesar do seu rosto inexpressivo, que lembrava uma linda boneca de cera.

A *Hunt Models* funcionava naquele mesmo imóvel havia anos. O proprietário era um italiano radicado no Brasil, Francesco Bartolotto, muito conhecido por lançar ícones no mercado da alta moda. Vários nomes do ramo passaram pelo seu crivo antes de se tornarem celebridades exponenciais. Francesco tinha olhos de lince, como costumava dizer com orgulho, também um faro genuíno por belezas que seriam sucesso certo em grandes desfiles ou em catálogos fotográficos conceituados.

Jéssica foi uma das descobertas de Francesco. A jovem de Copacabana sempre sonhara em ficar famosa, ser desejada e admirada pelos homens. Sabia que era bonita, e isso alimentava o seu ego. A sorte sorriu para ela quando Francesco e alguns dos seus olheiros faziam um evento de moda na praia de Copacabana. O empresário italiano avistou Jéssica a alguns metros, banhando-se no sol, e pediu que um dos seus agentes a chamasse para uma conversa.

Em menos de meia hora, sem muita dificuldade, Francesco a convenceu a acompanhá-lo até o casarão. Ela topou e seguiu com ele para o Alto da Boa Vista, sem sequer avisar os pais ou trocar de roupa: estava de biquíni, deitada sobre uma canga transparente, que usou para se enrolar. Na mesma tarde, Jéssica fez uma espécie de ensaio fotográfico. Quinze dias depois, embarcava para o primeiro desfile na Europa.

Ela entrou com Matheus e parou na recepção. A moça inexpressiva, e com cara de poucos amigos, olhou sem paciência ou traço algum de simpatia para os dois.

— Boa tarde, em que posso ajudar?

— Não está me reconhecendo, Zenaide? — Jéssica tirou os óculos escuros. — Sou eu.

A secretária esboçou o que seria um sorriso.

— Oi, Jéssica, como vai?

— O Bartolotto está aí?

— Está sim, mas ele...

Antes que a recepcionista pudesse acrescentar mais alguma coisa, Jéssica pegou Matheus pela mão e avançaram para o enorme e sofisticado *living* de piso de porcelanato branco, ricamente decorado com estatuetas de bronze, mesas e cadeiras arrojadas e um conjunto de sofás em couro preto. Nas laterais, portas e passagens para todos os lados.

Matheus fitou uma das portas, entreaberta, e reparou que existia uma parafernália imensa de equipamentos. Vários daqueles ambientes eram estúdios fotográficos, alguns com cenários fiéis de belas paisagens.

Ela se deteve repentinamente e se virou para Matheus:

— Espere aqui. Te chamo já.

Ele assentiu.

Em seguida, viu Jéssica se dirigir a uma escadaria em mármore. Ela subiu de modo elegante, como se desfilasse, mas com naturalidade, nada era forçado. Naquele momento se deu conta de que Jéssica era uma linda mulher, mas o seu interesse nela era outro. Não pretendia ter nenhum envolvimento amoroso com a filha de Hercília e Martinho.

No andar superior, Jéssica abriu uma porta e entrou sem se deixar anunciar. A secretária mal teve tempo de erguer a mão e sinalizar para que ela esperasse. Conhecia bem aquele escritório. O cheiro de incenso de canela era familiar. Os quadros com mulheres lindíssimas em *closes* ousados também. Sobre a mesa de trabalho, pilhas de revistas e fotografias. Ela lembrou que o italiano se dizia "organizado na sua própria desorganização".

Era verdade! Francesco Bartolotto conseguiria achar uma agulha no palheiro, se estivesse muito interessado.

O italiano, já na casa dos sessenta e poucos anos, ficou feliz ao se deparar com Jéssica em frente à sua mesa. Era a sua *top* favorita, o que despertava o ciúme de muitas outras modelos candidatas ao posto de "preferida do chefe".

— *Mia bella ragazza*! Não sabia que você estava no Brasil. — Ele se levantou alegremente da sua confortável poltrona para abraçá-la. — A nossa sucursal não avisou que você viria.

— Cheguei por esses dias, querido!

Os dois se deram um forte abraço.

Jéssica tratou de acrescentar:

— Eu vim fazer uma visita e trouxe uma pessoa comigo pra você conhecer. Acho que você vai gostar do tipo. Posso chamar?

— Claro!

Ela voltou à escadaria e lá de cima fez sinal para Matheus subir. Por um instante, achou engraçado vê-lo tímido no meio daquele salão pomposo. Ele estava com as mãos nos bolsos da calça jeans, retraído feito um bicho do mato.

Francesco estava analisando um *book* fotográfico no instante em que Jéssica voltou ao escritório, acompanhada por Matheus. O italiano ergueu a cabeça, e os seus olhos espertos se fixaram na imagem do rapaz à sua frente.

— Então. É ele quem eu quero te apresentar — disse Jéssica a Francesco, indicando Matheus, que permanecia um passo atrás dela, acanhado. — Veja se ele não tem porte pra fotografar... Acho que daria um ótimo modelo.

Francesco foi até ele e deu uma volta ao seu redor, como se analisasse detalhadamente uma peça de arte para ser exposta. Reparou nos traços bem delineados do rosto dele, no tórax alto, rijo, nos braços longos e fortes, nas coxas torneadas marcando a calça desbotada. Matheus corou. Sentia-se violado, invadido de forma arbitrária e libidinosa.

— Bem — considerou o italiano —, ele tem porte. É um rapaz muito bonito, sem dúvida. Mas só saberemos se leva jeito, fotografando-o. Vamos fazer um ensaio.

A ideia de ser fotografado deixou Matheus arredio. Teve vontade de ir embora. Por um instante, aquilo tudo lhe pareceu muito estranho, nada a ver com ele. Sentia-se parte solta de um quebra-cabeça que não se encaixava.

— Jéssica, é melhor eu ir. Seus pais devem estar me procurando. Deixei um monte de coisas por fazer.

Ela o segurou, sorrindo.

— Ei, calma, rapaz! Tá fugindo do quê?

— Não tô fugindo. É que acho que tá na minha hora mesmo.

O sorriso de Jéssica desapareceu. Ela o encarou com muita seriedade, e as palavras saíram firmes ao dizer:

— Sim, você está certíssimo. Já está na sua hora mesmo. Na hora de mudar a sua vida. Ou você pensa em morrer trabalhando num albergue? Às vezes perdemos grandes oportunidades porque não nos damos conta de que elas estão diante do nosso nariz. Pensa se não é isso que você está prestes a fazer agora.

Matheus ficou em silêncio por um tempo.

Depois de um longo suspiro, tomou coragem.

— Tá bom. Eu topo fazer as fotos. É pra que dia?

Francesco Bartolotto respondeu de pronto:

— Pra já.

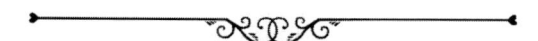

Matheus foi encaminhado a uma sala ampla, com uma enorme parede azul ao fundo. Posicionada nesta direção estava a câmera fotográfica sobre um tripé.

Uma loira alta, magra, de nariz afilado, vestindo uma camisa customizada da *Hunt Models*, entrou trazendo uma arara com rodinhas, com várias peças de roupas penduradas em cabides metálicos.

— Separei essas — disse a loira para um homem de meia-idade que a aguardava. — Não sei se vão servir.

Ele pegou algumas roupas, examinou-as com cuidado e comprimiu os lábios:

— Não é bem o que eu pensei, porém vamos usá-las assim mesmo. O Bartolotto quer que façamos o ensaio agora.

A jovem magrela fitou Matheus diante do painel azul e fez um muxoxo. Parecia incomodada:

— Essa falta de critério dele me assusta às vezes, sabia? Daqui a pouco vamos agenciar até os mendigos da cidade. E o pior é que a gente que tem que se virar na produção desse povo, né? — Ela tornou a olhar para Matheus e comentou com desdém: — Esse cara pode até ser bonito, mas me parece muito rude, muito boçal pra pisar numa passarela, que dirá ilustrar um catálogo.

— Aí é que você se engana. — Jéssica apareceu de repente, atrás dela. — Muitos modelos aparentemente sem perfil fazem muito sucesso. Nada que um bom preparo não resolva. É como uma joia que precisa ser lapidada.

A loira arqueou as sobrancelhas e respondeu com ironia:

— Claro. Talvez por isso a cada dia apareçam tantos novos modelos e, com eles, tantos novos tombos e vexames diante do público. Só que isso não é nada perto do que faturam, não é mesmo? No final, importa quanto se ganha... ou não é? Com licença! — E se retirou antes mesmo que Jéssica pensasse em responder.

— Mulherzinha insuportável — disse para o homem que segurava as roupas. Depois, foi falar com Matheus, que continuava parado no mesmo lugar, feito um dois-de-paus: — Tudo bem com você? Daqui a pouquinho eles vão começar a te fotografar. Tenta ficar calmo, ok?

— Não sei se foi boa ideia — ponderou Matheus. — Eu não levo jeito pra isso, Jéssica.

— Você diz que não leva, mas quem avalia são os outros — ela frisou. — Hoje eles vão fazer apenas um ensaio simples, pra ver a sua fotogenia.

— Minha o quê?! — assustou-se.

Jéssica riu alto, e explicou:

— Fotogenia. Avaliar se você se sai bem nas fotos, só isso.

— Ah, tá! — Ele parecia confuso.

O homem de meia-idade era um produtor. Matheus descobriu isso quando ele se aproximou e pediu que vestisse uma das roupas que trazia nas mãos. Meio tímido, mas muito encorajado por Jéssica, Matheus foi se trocar, dirigindo-se a um canto da sala dividido por um biombo. Era a primeira troca de figurino...

Em meia hora, ele trocou de roupa mais de dez vezes. Experimentou vários estilos. Sentia-se um verdadeiro boneco, sem alma, sem vontade própria. Os *flashes* o incomodavam. Os clarões ardiam na sua córnea, e o barulho mecânico e preciso do dispositivo da câmera reverberava desde os seus ouvidos até o cérebro.

Tudo passava muito depressa: usava trajes de surfista, depois se alinhava em um terno de executivo; vestia uniforme de polícia, em seguida, *jeans* rasgados com camiseta e sandálias. Os cabelos não paravam no lugar. A cada instante vinha alguém e mudava o penteado, deixando-lhe com um alinhamento impecável, ou simplesmente o bagunçava, dando-lhe um ar despojado.

Este era o visual que mais agradava a Jéssica. O tipo másculo-relaxado despertava nela desejos quase incontidos. Matheus, na flor da sua idade, era lindo, corpo desejável, traços perfeitos. E era ali, diante dela, que ele desabrochava a sua beleza para as lentes de uma câmera. Não precisava da confirmação de ninguém. Ele faria muito sucesso no mundo da moda.

Jéssica percebeu que estava quente e úmida entre as pernas. Tesão era o que estava sentindo. Não conseguia parar de olhar para o peso volumoso na braguilha de Matheus, enquanto ele posava com muita seriedade para o fotógrafo. Por breves minutos, sonhou acordada: ele vinha por cima dela, penetrava-a com força, urgência, vigor. Sem perceber, levou uma das mãos ao seio, imaginando-se tocada por ele. Contraiu o lábio inferior e quase teve um orgasmo ali mesmo, diante de todos. Um pouco de saliva molhou de leve a sua boca voluptuosa. Não podia reprimir aquela vontade, era avassaladora. Ele tinha que ser seu, de qualquer maneira. Faria de tudo para que isso acontecesse...

À noite, durante o banho, Matheus lembrava como havia sido o dia. As intermináveis trocas de roupa, os cliques incessantes e luminosos da máquina fotográfica, o sorriso de Bartolotto no momento em que ia embora. Antes de deixar o casarão, ouviu do italiano: *"te è bello ragazzo"* e ficou envergonhado quando Jéssica traduziu o elogio.

Nunca um homem lhe havia dito que ele era bonito. Nem no orfanato, onde vez ou outra aparecia um "florzinha", como apelidavam os meninos mais delicados ou até mesmo os que simplesmente não jogavam futebol nem participavam das atividades físicas com outros meninos. E Bartolotto parecia um "florzinha", o que deixou Matheus ainda mais sem graça.

Saiu do chuveiro e se enrolou numa toalha, sem se secar e sem interromper os seus pensamentos. Permitiu que o calor do seu corpo farto absorvesse a água que ainda lhe escorria na pele. Ligou o ventilador. Gostava disso: sentir aquele vento depois de uma ducha. Trazia-lhe uma sensação de frescor e de liberdade. Ele arrancou a toalha da cintura, ficou nu e foi acender a luz. A lâmpada incandescente iluminou o quarto, cobrindo as paredes com um amarelo intenso. Só então ele percebeu que havia alguém em sua cama...

Jéssica.

Ela vestia apenas um robe muito fino e transparente. Matheus percebeu que ela não usava nada por baixo. Viu seus pelos pubianos e o formato perfeito e curvilíneo do seu sexo.

— O que você tá fazendo aqui, Jéssica?

Ela puxou o robe e recuou-o até os ombros, exibindo-se de maneira provocante.

— Gostou? — perguntou-lhe.

Matheus tentou não olhar.

— Jéssica, por favor, você é filha dos meus patrões! Isso não tá certo.

Ela se aproximou dele lentamente. Chegando bem perto, tocou de leve com os dedos na sua barriga, e foi descendo a mão até alcançar o seu pênis, que àquela altura já estava duro feito um pedaço de madeira; segurou-o firme. Ele suspirava e sabia que não aguentaria por muito tempo.

— Jéssica...

— Shhh... — ela sibilou, soprando no rosto dele o seu hálito quente. — Não diz nada. Só me beija. Me beija, Matheus! — ordenava. — Eu quero você! Dentro de mim! Será que você dá conta?

Matheus a derrubou na cama e foi para cima dela. Penetrou-a. Começou a empurrar seu órgão rijo para dentro dela com toda a força de que era capaz. Jéssica gemia de prazer e de contentamento. Com os olhos fechados, e com as mãos em torno das costas largas do rapaz, ela o arranhava e pedia mais. Ele socava sem parar...

— Atrás... Agora atrás... — ela implorava.

Ele a virou de bruços e penetrou seu ânus macio e cálido. Era também bonitinho. Rosado. Diferente dos das outras meninas que havia conhecido.

Jéssica mordia os dedos enquanto, finalmente, era devorada por Matheus.

Acordaram com o sol batendo na janela. Haviam passado a madrugada inteira fazendo sexo. Ele era, de fato, o que ela imaginara nos seus delírios eróticos: viril e incansável. Bom amante. Com boa pegada. Mas ela ansiava por mais. Algo além. Queria-o só para ela. Jéssica era linda, culta, bem-sucedida, cobiçada por milhares de homens ao redor do mundo, e sempre teve o que desejou; com ele não seria diferente.

Ela fazia mil planos na cabeça quando Matheus se mexeu na cama e deu um longo bocejo, despertando.

"Meu Deus! Ele é ainda mais bonito acordando!"
Ela o admirava em silêncio.
Matheus se virou na cama para fitá-la. Parecia preocupado.
— Isso não podia ter acontecido...
Jéssica riu, levou na brincadeira:
— Que coisa mais indelicada pra se dizer a uma mulher depois de uma noite tão boa! Eu fiquei exausta. E estou morrendo de fome. — Ela levantou-se, pegou o robe no chão e vestiu-o apressada. — Acho que nunca senti tanta fome na minha vida.
— Jéssica, eu tô falando sério.
— Eu também — retrucou. — Preciso comer algo, senão vou desmaiar. Você viu meu chinelo por aí? Acho que vim descalça...
— Jéssica! — A voz dele tinha saído mais alta do que o habitual, e agressiva.
Ela congelou na hora, assustada.
— O quê?
— Você tá prestando atenção no que eu tô falando?
— Claro que estou!
— Não parece.
— Escuto com os ouvidos, não com os olhos.
Ele também se levantou depressa e foi até a velha cômoda de madeira.
— A gente não podia ter transado.
— Por que não? Somos adultos!
— Eu sei, mas eu tinha que respeitar você, respeitar seus pais — ele argumentou, enquanto vestia uma cueca. — Eles me acolheram aqui e me deram emprego. A gente não podia misturar as coisas.
— Como assim, misturar? Tivemos interesse um pelo outro. Normal.
— Interesse. Só interesse, você falou certo. A gente não precisava ter ido pra cama. Eu não quero encrenca com os seus pais! Sou grato pela oportunidade que me deram e não posso desperdiçar. Preciso desse emprego.
— Interesse é modo de dizer. Pra mim não é só cama. Eu quero te conhecer um pouco mais, conviver com você... Quem sabe rola algo? A gente pode viver uma história legal...
Matheus não a deixou terminar.
— Para, Jéssica! Você sabe que o que eu sinto por você é amizade. O que rolou ontem entre a gente foi só cama, sim. Eu não tenho intenção de me relacionar com você. Aliás, nem com você, nem com ninguém.

Ela demonstrou surpresa:
— Como assim?
— Eu quero continuar sozinho. Namorar agora não tá nos meus planos.
— Pra você foi só uma transa?
— Pra você não?
— Eu pensei que a gente pudesse pelo menos se conhecer melhor!
— A gente pode! Só que namoro não vai rolar. Eu acho você uma gata, gente fina mesmo, uma pessoa dez, mas o que eu sinto por você é só amizade. Eu não quero te enganar. Quero jogar limpo contigo.

Jéssica não titubeou:
— Mas eu quero você pra mim.

Ele soltou um riso frouxo, desanimado, e foi se sentar na cama. Apoiou os cotovelos sobre os joelhos e baixou a cabeça, com as duas mãos firmes nas têmporas. Pressentiu que ali começaria um problema...

Ela insistiu:
— Eu quero você pra mim.
— Jéssica...
— Eu me apaixonei por você! Essas coisas acontecem, sabe? Até entendo que de início não sinta o mesmo por mim, mas com o tempo isso vai mudar!
— Não vai mudar! — rechaçou com muita firmeza; e foi cruamente sincero: — E eu também não quero que mude nada. Eu tenho objetivos pra minha vida, e eles não me permitem ter alguém ao meu lado nesse momento. Vai ser um caminho muito difícil pra mim, um caminho que é só meu. Não cabe a mais ninguém, entende? Eu não sei o que ainda vou encontrar pela frente. Não quero dividir isso. É algo que diz respeito só a mim. É a minha vida!
— Você está sendo egoísta!
— Pode até ser. Mas é como prefiro agir.

Jéssica abriu a porta do quarto e se deteve antes de sair. Ainda se virou pela última vez e lhe garantiu:
— Eu vou fazer você gostar de mim, custe o que custar, demore o tempo que demorar. Você vai ser meu.

Saiu, deixando a porta aberta e Matheus inquieto. Ele passou a mão pelo rosto e percebeu que estava suando. Respirou fundo. Sentiu-se culpado e arrependido pela noite anterior. Jéssica não parecia a pessoa mais fácil do mundo de lidar, porém já era tarde.

Capítulo 12

O médico entrou às pressas no quarto de Irmã Eulália. A freira já estava pálida e sem forças. A voz saía aos sussurros. Estava ofegante e parecia extremamente cansada. Ainda que nos últimos dias tenha permanecido acamada por conta de um problema cardíaco, não largava um minuto sequer o seu inseparável rosário.

Apesar de muito doente, a velha rezava algumas horas pela manhã e mais tantas horas à noite. Acreditava carregar um fardo do qual só Deus poderia aliviá-la na Sua "glória eterna". E isto estava prestes a acontecer. A qualquer momento, ela pressentia.

Irmã Aurora estava de joelhos diante da imagem de Santa Beatriz de Vicência, a santa benemérita da Casa de Caridade e Orfanato que levava o seu nome. Ela mantinha com Irmã Eulália uma amizade fiel havia anos, e era também secretária da Diretoria da instituição.

O doutor Kassim se aproximou e tocou com a sua mão branca e enrugada o ombro de Aurora.

— Irmã...

Aurora se benzeu três vezes e se levantou do chão. Estava aflita.

— Então, doutor, ela melhorou?

Doutor Kassim era um velho descendente de árabe que se convertera ao catolicismo ainda na juventude. Filho de pai árabe e mãe italiana, sempre fora um menino estudioso e inteligente. A influência do catolicismo veio da mãe, devota de Santa Bibiana. O jovem Kassim alimentava o sonho de estudar Medicina para atender aos necessitados.

Segundo ele, a fé da sua falecida mãe e a bênção de Santa Bibiana o fizeram atingir seu objetivo de vida. Especializara-se em Cardiologia e logo foi nomeado pela Ordem para ser o médico particular da Casa-Orfanato. Acompanhava e tratava a doença de Irmã Eulália havia muito tempo. Sabia que um dia não teria mais nada a fazer por aquela freira tão dedicada e fiel aos dogmas da Igreja. E aquele dia havia chegado...

— Lamento muito, Irmã Aurora, mas fizemos tudo que era possível. Agora é esperar que Nosso Senhor abrevie o sofrimento dela.

Irmã Aurora desabou em prantos. Soluçava. Quando finalmente recuperou a voz, só conseguiu dizer:

— Que Deus a ampare nos Seus braços...

— Ela quer falar com você — avisou o médico. — Disse que é urgente. Recomendo que vá o mais depressa possível... Ela não poderá esperar muito.

Aurora secou as lágrimas rapidamente, respirou fundo e se prontificou:

— Claro! Vou agora mesmo, doutor!

Irmã Eulália já quase não se mexia na cama. Qualquer movimento, por mais leve que fosse, lhe causava falta de ar. Ela sabia que a sua vida estava por um fio. Todos sabiam. No entanto, a angústia estampada nos seus olhos tinha outro motivo: o segredo que guardara durante anos e que estava prestes a levar consigo para o túmulo. Fazia questão de que todas as evidências desse segredo morressem também junto com ela. Contudo, para isso precisaria da ajuda da única pessoa em quem confiava...

Ao avistar Aurora, o rosto da anciã se iluminou em meio à atmosfera fúnebre que já pairava no ambiente. Aurora quase foi capaz de sentir o cheiro dos girassóis que costumavam usar nos velórios.

Irmã Eulália tremulou uma das mãos, sem forças para erguer o braço; a voz saía tão abafada, que lhe era necessário falar aos poucos, para conseguir respirar.

— Que bom... que você veio. Por favor... chegue mais perto... de mim.

Aurora se ajoelhou ao lado da cama e inclinou a sua cabeça para junto da boca de Eulália. Os lábios da velha ficaram bem próximos ao ouvido da irmã mais nova.

Ela sussurrou, cansada:

— Eu quero... que você... faça algo por mim.

Aurora respondeu, sem hesitar:

— Faço qualquer coisa!

— Dentro... do meu guarda-roupa... — ela dizia, com enorme esforço — há um fundo falso... na parte do meio. Eu quero... que você... o abra... e pegue... um diário... Quero... que o destrua.

— Diário, Madre? — Aurora parecia surpresa, não era prática comum entre as freiras escreverem diários. Os acontecimentos durante a clausura eram protegidos por sigilo. Não se podia fazer nenhum tipo de anotação fora do âmbito administrativo.

Irmã Eulália arfava em agonia. Parecia estar sendo esganada lentamente por um inimigo invisível. Ficou um tempo em silêncio, juntando todo o ar que podia nos pulmões. E continuou:

— Eu escrevi... sobre a noite... em que o Matheus... foi deixado... aqui.

— Mas a senhora nunca se permitiu sequer tocar no assunto! — admirou-se Aurora. — Por que escreveu isso num diário? Não teve medo de que alguém lesse? Que caísse em mãos erradas?

— Eu quis... documentar os detalhes... tudo que aconteceu... tudo que ouvi naquela noite. Eu não queria acreditar... que fosse verdade... não queria. Escrever... foi a forma... que encontrei... para tentar entender — declarou. — Na época... procurei o Arcebispo... contei a ele. Fui proibida... de passar... a história adiante. Achei por bem esquecer. Não pelo menino, mas pela Igreja... que seria abalada.

O Arcebispo parecia ranger os dentes:
— Essa história deve morrer aqui, irmã!
— Sim, senhor.
— Se isso se espalhar, correr de boca em boca, a Igreja será abalada em seus alicerces, questionada em todos os seus fundamentos, em tudo que pregamos e acreditamos desde o início dos tempos!
— Mas juro que é verdade, Arcebispo... Eu não tenho paz desde o dia em que o menino chegou, trazido nos braços por...

O Arcebispo a interrompeu com austeridade:
— Basta! É algo que precisa ser esquecido e nunca mais comentado! Nunca mais! Estamos conversados, Irmã Eulália?

Ela baixou a cabeça.
— Sim, senhor.

No seu leito de morte, Eulália revelava a Aurora:

— Por isso... você precisa... destruir o diário... para não cair... em mãos erradas... Você deve queimá-lo... Prometa... fazer isso... por mim... Preciso... partir em paz.

— Mas, Madre...

— Prometa...

— Não sei se devo...

— Deus... chamou o arcebispo... para a Glória... há muito tempo... Agora... é a minha vez... Você... será a única... a guardar... o segredo... O diário... não pode... existir... Deve ser... queimado. — Como por um milagre, Eulália conseguiu erguer o braço e segurar o de Aurora com toda a força: — Prometa... Quero partir... em paz... Não me negue... o último... desejo.

Aurora sorriu, complacente. As lágrimas desciam pelo rosto, sem que as pudesse conter. Disse à outra o que ela tanto queria ouvir:

— Eu prometo à senhora. Prometo, sim.

Irmã Eulália deu então um sorriso frouxo e balbuciou as suas últimas palavras:

— Obrigada... Deus... te abençoe.

Depois, a velha cerrou os olhos para sempre.

Aurora entrelaçou as suas mãos às dela e, debruçada sobre o corpo já sem vida, chorou de resignação e lamento.

Ele acordou no meio da madrugada pingando de suor. Um suor frio, que lhe escorria pela testa. Percebeu que tremia como das outras vezes. Havia perdido a conta das madrugadas em que a mesma lembrança em forma de pesadelo lhe viera tirar o sono, perturbar a paz. Tateou o criado-mudo e acendeu a luz do abajur. A sombra assustada das suas mãos sobre o rosto se desenhou na parede do quarto.

A mulher também acordou. Ela ficava muito irritada sempre que isso acontecia.

— Já sei... O mesmo maldito pesadelo.

— Eu não aguento mais...

— Você precisa procurar um tratamento, tomar um tranquilizante, cansei de falar!

— Não é culpa minha. É fora do meu controle. Duvido que remédio resolva!

— Tem muita gente que toma remédio pra dormir. A dona Alda, aquela vizinha da casa verde, de esquina, disse que toma um ótimo. Derruba até elefante. E evita que o cérebro funcione à noite!

— Não fala besteira, mulher!

— Besteira é ficar sofrendo por uma coisa que aconteceu há anos e que não tem como voltar atrás!

Ele a encarou, pensativo. E se questionou profundamente, sem perceber que a voz saíra:

— Será que não tem?

Ela ficou furiosa.

— Claro que não! Larga de ser besta! Você nem sabe por onde anda a criatura. Tem muitos anos. Mesmo que você quisesse consertar, não teria como! — Ela o segurou. — Escuta aqui, você ainda vai estragar a nossa vida por causa disso! Capaz até de perder a sua aposentadoria, que já é uma merreca, e a gente passar fome! Se isso acontecer, eu largo você e levo a nossa filha comigo! Ela já tem vinte e um anos, não é mais criança, vai entender que tem um pai irresponsável e vai me acompanhar!

Ele entrou em pânico:

— Não fala isso nem de brincadeira! Eu não vivo sem a minha filha!

A mulher deu um sorriso debochado e cruel:

— Experimenta fazer burrada pra ver se não vive. Experimenta!

— Se você fizer isso, eu me mato!

— Se mata coisa nenhuma! — Ela deu de ombros.

Ele fechou o cenho e a voz saiu rouca.

— Eu não tenho nada a perder se a minha filha não estiver comigo! Eu já vivo praticamente morto. A minha consciência não me deixa viver. Não há um só dia que eu não me arrependa do que fiz. Morrer não seria nada.

Havia algo muito ruim nos olhos dele. Não era blefe, nem chantagem emocional, como ela imaginava. Um súbito golpe de vento atravessou o quarto, embora a porta e a janela estivessem bem fechadas. Ela se enfiou sob o edredom e ficou em silêncio. Sabia o que aquilo significava. Era um mau presságio...

Capítulo 13

Não era raridade o carro luxuoso avançar pelas ruas estreitas da favela. Do pé do morro, que começava em uma avenida de grande movimento da zona sul carioca, até o ponto mais alto, o que se via era uma infinidade de barracos e vielas que se alastravam pela paisagem feito labirinto. O motorista, no entanto, conhecia bem o trajeto.

Homero espiava aquele cenário por trás do vidro escuro do automóvel. Em qualquer outro, aquelas imagens poderiam causar medo ou repulsa. Em Homero não causavam nada. Era, sim, uma realidade triste, insalubre, mas ele estava protegido por uma blindagem tão poderosa quanto a que revestia a lataria do seu carro importado.

Ao longo do caminho, homens, mulheres e crianças marcados pela miséria, quase todos sem brilho nos olhos, sem perspectiva. Era como se o tempo não existisse para aquelas pessoas. Ali, o mundo parecia atemporal. As gambiarras nos postes de luz denunciavam a ausência de serviços básicos. Donas de casa estendiam as suas roupas em varais improvisados com arame e bambu. Botequins exalavam cheiro de urina, e um bêbado sugava o último gole de cachaça que restara na garrafa.

Em algumas esquinas, funcionavam bordéis ainda durante o dia, e era comum ver pessoas se drogando pelas calçadas. Homero se pôs a calcular em pensamento quantos milhões de reais o crime movimentava por baixo daquela pobreza. E riu ao especular que boa parte do dinheiro dele também corria por ali.

Num determinado ponto da favela, o automóvel foi parado por meia dúzia de sentinelas do tráfico, fortemente armados. Havia fuzis e metralhadoras para todos os lados. Não fossem pelas vestimentas e pelo cenário adjacente, nada se diferia de qualquer quartel general do exército. Homero percebeu que havia homens posicionados de maneira estratégica nas laterais e nos terraços das casas, mirando seus rifles e pistolas. Ao menor sinal de ameaça, largava-se munição, e eles tinham o suficiente para dizimar um bairro inteiro.

Um homem negro, enorme e musculoso, com uma metralhadora afivelada no tórax, aproximou-se do carro. Homero abaixou o vidro traseiro.

— Fala, "doto"! — disse o grandalhão, tão logo avistou o cliente. — Veio buscar mais farinha? Ou só um pouco de café pra relaxar? — perguntou, dando uma risada asquerosa.

— O de sempre — ele respondeu, seco.

— Hum, beleza. Farinha e café — retrucou o homem, fazendo sinal para um dos seus soldados.

Alguns instantes depois, outro homem, também negro e baixo, com um fuzil pendurado no ombro, levou até eles um pacote grosso, em papel marrom e lacrado com fita adesiva transparente. Entregou na mão do que estava debruçado na janela do automóvel, falando com Homero.

— Tá aqui, "dotô": farinha e café "du bão"!

Homero pegou o embrulho e lhe devolveu um calhamaço de dinheiro.

— Confere aí... — disse para o brutamontes.

Esfregando o maço de cédulas no nariz, o meliante respondeu:

— Não precisa. O "dotô" é cliente *VIP* da casa, nunca "vacilo". As nota tão novinha, parece que "cabaro" de sair do forno.

Homero desembrulhou o pacote e examinou a quantidade de maconha e cocaína que lhe havia sido entregue. As drogas estavam divididas em pequenos sacolés de plástico, embalados de forma artesanal.

— Se eu precisar de mais, aviso e venho buscar.

O traficante sorriu, exibindo dentes tão brancos que pareciam tocos de giz. Fez um movimento breve com a cabeça, assentindo. Sabia que o doutor nunca deixava de procurá-lo.

Homero apertou um botão e o vidro da janela do automóvel subiu imediatamente. O motorista ligou o motor, deu marcha à ré e desceu a rua. O homem continuou parado no mesmo lugar, vendo o carro desaparecer na parte baixa da favela.

Já em casa, Homero se trancou em seu escritório. Digitou a senha e abriu o cofre, que ficava no compartimento secreto de uma estante abarrotada de livros. Havia muitos dólares e joias lá dentro. Homero despejou uma quantidade mínima de cocaína sobre a mesa do escritório e escondeu o restante da droga no interior do cofre, fechando-o em seguida.

Enfileirou com os dedos o pó que tinha deixado na mesa. Tirou do bolso da camisa um pedaço de papel, improvisou uma espécie de canudo e cheirou toda aquela cocaína. Ficou em êxtase. Era uma sensação maravilhosa. Quase um orgasmo. Quase. Sentia-se ainda mais poderoso, invencível. Mas o prazer não estava completo. Após a droga passar pelas narinas, Homero abriu a braguilha da calça e pôs o pênis para fora; começou a se masturbar lentamente, aumentando aos poucos o ritmo da mão contra o seu membro duro. Depois de ejacular no tapete, usou um lenço de algodão, bordado com as iniciais do seu nome, para se limpar. Recompôs-se e saiu do escritório, indo para a suíte tomar banho.

Um par de sapatos para bebês esperava por Homero em cima da cama. Ele piscou várias vezes ao se deparar com a "surpresa". Notou que havia um pequeno cartão junto. Pegou para ler. Estava escrito com uma linda caligrafia:

Papai, estou chegando.

Gritou o nome da mulher na mesma hora. Ela já aguardava atrás dele sem que ele tivesse percebido. Homero não parecia nada feliz ao questionar:

— O que significa isso, Sheilla? É alguma brincadeira de mau gosto?

O sorriso cheio de expectativa de Sheilla desvaneceu do seu rosto rapidamente. A reação do marido foi oposta à que ela esperara com tanta ansiedade desde cedo. Deveria ser a melhor notícia das suas vidas. Era, para ela.

— Você acha que seria uma brincadeira de mau gosto? — indagou, com a voz embargada de frustração.

Homero não se sensibilizou.

— Sim, de muito mau gosto! Aliás, de péssimo gosto!

— Por quê? — Ela quis saber.

Ele foi categórico:

— Porque eu não quero filho nenhum!

Sheilla cruzou os braços e tentou parecer forte ao retrucar:

— Pois então, meu querido, você vai ter que repensar a sua decisão. Eu estou grávida. Fiz todos os exames pra confirmar, estou de dois meses. Lembra das minhas idas ao médico? Pois é, eu achei que estivesse doente, que houvesse alguma coisa errada comigo, enfim... não era nada, não era doença, eu estava grávida, só isso.

— O quê? Você só pode estar de sacanagem comigo!

— Não seja grosso! Que linguajar horrível!

— Mas só pode ser isso!

Homero bufava de raiva.

— Só isso? Você diz só isso, como se fosse a coisa mais natural do mundo?

— E não é?

— Não! — ele respondeu no grito. — Eu não quero filho nenhum! Nunca esteve nos meus planos ter um filho!

— Nem nos meus, mas agora isso mudou. Não entendo essa revolta toda! Um filho representa uma bênção na vida de qualquer casal.

— Nós não somos qualquer casal!

— Um filho é um presente de Deus!

— Pro inferno com esse presente! Eu não quero, entendeu? Não quero, pronto, acabou o assunto. Não quero, está decidido!

— Acontece que essa decisão não cabe só a você. Cabe a mim também. Eu sempre quis ser mãe, você sabe disso. E agora eu já carrego essa vida aqui dentro de mim. É fato consumado.

Homero olhou firme nos olhos dela e disse:

— Você vai tirar.

— Quê?! Eu não acredito que você esteja me sugerindo isso!

— Não estou sugerindo, estou mandando.

Sheilla riu, nervosa:

— Não acredito nisso. Não pode ser sério.

— Estou falando muito sério. Eu não quero essa criança. Eu não quero filho nenhum. Isso não está incluído nos planos.

Ela começava a se desesperar:

— Que raios de planos são esses que têm mais importância que o nosso filho?

Homero desconversou:

— Isso não vem ao caso agora.

— Vem, sim! Claro que vem! Nós estamos tratando de uma gravidez que, embora não tenha sido planejada, deveria trazer muita alegria e felicidade pra esta casa, pra nós!

— Sheilla, nós levamos uma vida confortável, boa pra ambos, ótima pra você! Isso não basta? A minha empresa cresce a cada dia. Negócios milionários são concretizados pelo meu banco toda semana! Você quer mais?

— Será que pessoas e coisas não têm diferença nenhuma para você? — ela perguntou, ainda em estado de choque. — Você não consegue perceber que uma vida vale mais do que qualquer dinheiro?

— Lá vem você com as suas teorias de revista de um e noventa e nove — ironizou. — Esse tipo de discurso não me comove. Eu sou prático, objetivo. Se eu não quero ter filhos, a minha vontade tem que ser respeitada.

— E a minha de ser mãe, não conta?

Ele argumentou de forma definitiva:

— Conta menos que a minha, porque sou eu quem sustenta esta casa. É do meu dinheiro que você mantém seus luxos. Além do mais, o que não foi planejado nem pedido por nenhum de nós dois não tem preferência nas nossas vidas.

— Talvez essa amargura toda seja porque no fundo você se culpa pela morte do Matheus, o filho da Laura — arriscou Sheilla, quase a meia-voz, buscando uma justificativa para a reação do marido.

— Que ideia é essa agora? — Homero reagiu, aturdido.

— Ele era como um filho pra você.

— Uma coisa não tem nada a ver com a outra.

— Talvez você se culpe por ele ter morrido naquele incêndio, junto com a mãe, sem que você pudesse salvar nenhum dos dois...

— Você não sabe o que está dizendo!

— Mas nós já conversamos sobre isso. Só acharam o corpo da Laura — ela prosseguia, tentando racionalizar. — Se não acharam o corpo do menino, ainda há uma esperança de ele estar vivo. — Então levou as mãos à barriga de forma carinhosa. — Só que não é justo que uma criança que ainda nem veio ao mundo pague por traumas seus, causados por algo que aconteceu há quase vinte anos! O filho da Laura pode não ter morrido no incêndio e...

A possibilidade de Matheus estar vivo estremecia os ossos de Homero. Agitava-lhe os instintos. Era inquietante supor que um plano tão bem arquitetado pudesse ter falhado. Ele era um homem vaidoso. Não admitia que os seus crimes falhassem. Eles eram perfeitos. Gostava disso. Sentia-se orgulhoso da sua inteligência para bolar crimes considerados complexos, insolucionáveis para a polícia. Ele a interrompeu no auge da sua ira:

— Cala essa boca, Sheilla!

— Meu amor, você precisa...

Sheilla não teve tempo de terminar a frase. Sentiu o rosto queimar de repente. Desequilibrou-se e caiu no chão. Ainda conseguiu proteger a barriga durante a queda. A bofetada que Homero lhe havia desferido fora tão forte que a derrubou com a mesma facilidade que um golpe de vento arrastaria um fio de cabelo.

— Mandei você calar a boca, sua vaca! — vociferou como se estivesse possuído por um demônio incontrolável.

Sheilla não conseguia chorar. Estava perplexa. Olhava para ele como para um estranho. Não era o seu marido. Não podia ser. Em anos de casamento, Homero nunca havia sido agressivo, nem mesmo alterado a voz daquele jeito, berrando feito um louco.

No dia seguinte, Homero chegou transtornado ao seu escritório na sede do banco. Jogou sobre a mesa sua valise executiva e a destravou rapidamente, alinhando as quatro sequências numéricas que impediam a abertura por outra pessoa. Por baixo de uma pilha de documentos, estava uma página de jornal já amarelada pelo tempo. A notícia em destaque, porém, continuava legível e era como um borrão negro manchando o currículo quase perfeito que Homero vinha construindo há anos...

TRIBUNA FLUMINENSE

INCÊNDIO NA MANSÃO DOS LEUBART. CORPO DE MENINO NÃO É ENCONTRADO. MISTÉRIO CONTINUA.

A polícia e os bombeiros continuam sem explicação para o desaparecimento do menino Matheus Leubart, filho da empresária e socialite Laura Leubart, morta no incêndio da mansão da família, na Gávea. Até o momento, peritos e a equipe de investigadores não chegaram a uma conclusão. O incêndio se deu por um curto-circuito no sistema elétrico da casa. Muito abalado, o atual marido de Laura, o corretor de valores Homero Mancini, contou que havia saído para comprar bebidas e, ao retornar à mansão, deparou-se com a tragédia consumada. O delegado responsável pelo caso, Dr. Roberval Assumpção, garante que a polícia está empenhada em descobrir o paradeiro da criança. A existência do menor só foi revelada através de relatos posteriores de empregados da família. À polícia, Homero Mancini disse que o enteado dormia no berço, em um dos quartos, e que não havia mais ninguém na casa que pudesse tê-lo resgatado na hora do incêndio. A sociedade do Rio de Janeiro se pergunta onde está Matheus Leubart, co-herdeiro de uma das maiores fortunas do país. Segue o mistério.*

Homero pegou o jornal e começou a amassá-lo com muita força. De punho cerrado, ele esmagava o papel, sentindo-o esfarelar entre os dedos. Fechou os olhos por alguns segundos e se imaginou prazerosamente quebrando o pescoço de Matheus ainda bebê.

Lampejos da discussão que tivera com Sheilla se misturaram na sua mente feito um redemoinho anunciando tempestade, isso atiçava ainda mais a raiva que sentia de si mesmo por não ter certeza que o maldito morrera no incêndio.

— Mas nós já conversamos sobre isso. Só acharam o corpo da Laura. Se não acharam o corpo do menino, ainda há uma esperança de ele estar vivo.
— Cala essa boca, Sheilla!
E a bofetada...

Ele abriu os olhos, tirou o telefone da base e discou.
— Oi, sou eu — disse Homero.
— Fala — era voz de homem na outra linha.
— A Sheilla...
— O que tem ela? — perguntou, sem muito interesse.
— Disse que está grávida.
— Quê? — O interlocutor parecia perturbado pela notícia.
— Fiquei puto quando soube, mas...
— Vocês não podem ter esse filho.
— Eu sei. Tentei explicar a ela. Enfim, nós discutimos e eu acabei dando um tapa na cara dela.
— Você sabe o que deve ser feito, não sabe?

— Eu sei. Mandei que ela tirasse, mas acho que ela não vai me obedecer.

O homem estava subitamente nervoso. Sua voz ficou mais próxima, como se ele falasse com a boca encostada no fone:

— Ela não pode atrapalhar nossos planos! Dê um jeito nessa vadia, faça o que for preciso!

— Vou pensar em alguma coisa. O que você me sugere?

— Acabe com ela.

— Pensei nisso também. Mas vou tentar falar mais uma vez, numa boa. Se não resolver, então elimino.

— Serviço limpo.

— Eu sei.

Houve um silêncio repentino. Foi Homero quem voltou a falar:

— Tem mais uma coisa que não sai da minha cabeça.

— O quê?

— Essa ideia do garoto estar vivo.

— De novo isso?

— Pois é. Temos de pensar na possibilidade. Não encontraram o corpo dele até hoje e já faz dezoito anos. O garoto já deve estar fodendo igual um louco, fazendo filhos... Já pensou se ele aparece pra reclamar a herança daquela piranha da Laura?

O outro respondeu com uma frieza tão natural quanto a de um legista mexendo num cadáver:

— Nós o mataremos. Ele e quem aparecer com ele. Não se preocupe!

— Vou pra casa, falar com a Sheilla.

— Faça isso...

— Farei.

— Escuta...

— Estou ouvindo.

— Fale com ela, mas se você perceber que ela não vai aceitar e vai nos causar problemas, acabe logo com ela.

— Combinado!

Desligaram.

Enquanto dirigia de volta para casa, Homero foi pensando em uma forma de convencer a mulher a fazer um aborto. Tinha consciência de que não seria nada fácil, agora que ela alimentava o sonho de ser mãe. Na pior das hipóteses, teria de assassiná-la. Era o único jeito. Faria isso naquele dia. Só faltava escolher como.

Estacionou o carro, saltou e foi caminhando pelo jardim. Estava tudo tão calmo que ele especulou se não deveria aproveitar e dar um fim à esposa de uma vez. Sheilla não era uma peça fundamental nos seus planos. Talvez cortasse o pescoço dela e depois se livrasse do corpo. Ou a estrangulasse.

"Hum, não", pensou. Queria que fosse algo limpo. Provocar um incêndio, nem pensar: a coincidência com seu passado e o de Laura Leubart poderia levantar suspeitas da polícia.

Envenenamento era uma boa opção, mas correria o risco de a autopsia delatar o crime e ele se tornar o principal suspeito. Acreditava que, assim que estivesse frente a frente com a mulher, o seu instinto assassino lhe mostraria o melhor método para se livrar dela.

Ele cruzou a enorme porta de madeira e adentrou o imenso salão vazio. Eurides àquela hora devia estar na lavanderia, nos fundos da casa. Não teria como ouvir a patroa gritar por socorro, e provavelmente não vira Homero chegar da rua. Nenhum sinal de que algo pudesse impedir o destino de Sheilla. Era a ocasião perfeita: sem testemunhas.

Homero subiu as escadas depressa, avançou pelo corredor no andar de cima, parou à porta da suíte, pôs a mão na maçaneta e esperou alguns segundos, absorvendo a concentração necessária para iniciar um plano diabólico e acabar com a vida da sua mulher. Contudo, ao abrir a porta, não a encontrou. Olhou no banheiro. Ela também não estava. Um súbito pressentimento o levou até o *closet* e confirmou o que temia: as roupas de Sheilla não estavam lá.

"Ela fugiu para proteger a gravidez", elucidou.

Sentiu a presença de alguém atrás dele. Ao virar-se, deu de cara com Eurides. Ela observava-o em silêncio, feito um zumbi cheirando seu sangue, prestes a devorá-lo.

Muito irritado, questionou:
— Onde está a Sheilla?
— É isso que vim lhe falar, senhor. Dona Sheilla foi embora.
Homero parecia inconformado.
— Embora pra onde?
A criada balançou a cabeça.

— Ah, isso eu não sei lhe dizer. Só vi quando juntou tudo na mala e se foi. Avisou que estava deixando a casa e que depois entraria em contato com o senhor.

"A filha da puta deu sorte. Escapou por muito pouco, mas não por muito tempo!"

Homero pensava uma coisa, entretanto a boca dizia outra:

— Que triste isso. Não acredito que a minha mulher me deixou. Estou arrasado! Eu a amo tanto.

— Lamento, doutor Homero! — Eurides deu um longo suspiro de resignação. — Talvez ela ainda volte. Talvez só esteja confusa.

"Claro. E se voltar, vou matá-la".

CAPÍTULO 14

Era a vista mais deslumbrante que ele conhecia. Costumava, nas horas de folga, ir até lá e se sentar no mesmo banco de madeira que ficava na colônia de pescadores, no final do calçadão da Avenida Atlântica. Dali era possível apreciar a imagem do Pão de Açúcar, por trás dos prédios do Leme, e os raios de sol brilhando sobre as ondas. Vez ou outra, alguém vinha argumentar que a paisagem no Arpoador era mais bonita; entretanto, a "do finalzinho" de Copacabana continuava sendo a sua favorita. Linda!

Gostava de pegar o entardecer. Era quando o céu ia escurecendo gradativamente; os pescadores na areia recolhiam seus anzóis e uma brisa fria começava a soprar de leve. Casais de namorados passeavam de mãos dadas, turistas gringos se espalhavam pelos quiosques, algum artista de rua se apresentava fazendo um número ou apenas tocando um violão, e as bicicletas tomavam a ciclovia.

A efervescência de Copacabana deixava-o fascinado. Era como se todas as pessoas do mundo se cruzassem por ali em algum momento.

Estava sentado há horas, olhando quase o tempo todo para o mesmo ponto perdido no horizonte, além das águas do mar. Não se cansava. Não queria ir embora. Às vezes, sentia-se como parte da paisagem: indissolúvel, inseparável. Sempre que tinha de voltar para o albergue, despedia-se mentalmente daquele lugar, quase em oração.

Talvez porque ali tivesse paz interior. Uma paz que ninguém conseguia lhe tirar. Não naqueles instantes de contemplação e encantamento.

A mão de mulher tocou o ombro de Matheus, despertando-o. Ao virar-se, deu com Jéssica ao seu lado. Ela o fitava em silêncio, mas o pensamento gritava: "meu Deus! Como ele pode ser tão bonito, tão sexy?"

O vento agitava os cabelos dele. E o seu rosto bronzeado parecia ainda mais perfeito. O olhar era sempre de quem invadia a alma sem pedir licença. Os lábios sensualmente delineados. O tórax robusto, farto, fazendo a camiseta de pano simples parecer bem menor que o tamanho dele. As pernas fortes e morenas descendo pela bermuda. Tudo provocava em Jéssica um furor incontrolável.

Ela engoliu um pouco de saliva, meio nervosa com os próprios pensamentos, e disse:

— A minha mãe falou que você estaria aqui...

— É, gosto muito desse lugar — respondeu.

Jéssica espiou ao redor. Sentiu um cheiro de peixe que lhe embrulhou o estômago. A sua expressão era de nojo.

Matheus apontou para o espaço vazio ao seu lado.

— Senta aí...

Jéssica deixou escapar:

— Esse banco deve estar imundo, prefiro ficar em pé.

Ele deu de ombros.

Jéssica perguntou de repente, empolgada:

— Sabe quem ligou lá pro albergue?

Matheus não demonstrou muito interesse, mas procurou ser educado.

— Quem?

— O Bartolotto.

— O italiano lá da agência?

— Isso.

— Que é que ele queria?

— Adivinha...

Matheus estava curvado, brincando de riscar a areia do chão com o dedo indicador, totalmente desinteressado, feito um menino que ouvia a mãe chata falar de um assunto sério.

— Não faço a menor ideia — ele retrucou, sem dar importância. — Fala...

O rosto dela se iluminou num largo sorriso.

— Apareceu um trabalho pra você! O seu primeiro trabalho como modelo! Não é fantástico? E o que é melhor: fora do Brasil! — Ela não parava mais de falar, entusiasmada: — É uma campanha publicitária nos Estados Unidos! Você vai fotografar para um catálogo de moda íntima em um dos hotéis mais luxuosos de Nova Iorque. Não é bárbaro?! Imagina:

Nova Iorque! É um sonho! Não dá pra acreditar! Nada mal pra um início de carreira, hein? Você tem muita sorte, cara!

A reação dele seguiu na contramão do entusiasmo dela. Matheus não esboçou nenhum sinal de euforia; apenas balbuciou:

— Legal, bacana...

Jéssica murchou:

— Só isso? *Bacana*?

— É... Por quê?

— Como, por quê? Você tem noção do que é fotografar num hotel de luxo em Nova Iorque? Muito modelo que está há anos no mercado não consegue essa proeza, meu caro.

Matheus se admirou com a excitação dela

— Pelo jeito que você fala, deve ser algo muito importante mesmo...

— Importante? — repetiu Jéssica. — É muito mais do que isso, meu bem! Fotografar na suíte de um hotel cinco estrelas em Nova Iorque é o auge da carreira de qualquer modelo, e você está começando no auge! Muitos estão modelando há anos e nunca saíram do Brasil. No máximo conseguiram fazer umas fotos mixurucas numa praia... tipo essa. Ou num estúdio, com *Chroma Key*.

— Cro... quê?

Jéssica riu.

— *Chroma Key*. É uma tela azul que fica atrás do modelo. Depois que fotografa, o editor joga uma imagem no lugar daquela tela, pra fingir que o cara estava num lugar bacana, entendeu? Mas esquece isso. Você vai pra Nova Iorque, vai fotografar, vai fazer muito sucesso, vai entrar em 1997 com o pé direito, meu querido!

— Nossa!

Finalmente, ele havia experimentado um tímido frio na barriga. Contudo, logo tornou os olhos para as ondas que se derramavam na areia. Assim encontrava toda a calma de que precisava.

— Vamos — apressou-se Jéssica. — Nós temos que acertar os detalhes da viagem.

Matheus protelou, distraído com o movimento das águas do mar.

— Vai você na frente, depois eu vou. Quero ficar aqui mais um pouco.

Jéssica fez uma careta debochada sem que ele percebesse, porém assentiu:

— *Ok*. Te espero em casa, então. Vê se não demora.

Ela atravessou a avenida, indo na direção dos prédios. Matheus continuava sentado no banco de madeira, sem se mexer e sem olhar para os lados, observando tranquilamente a paisagem que tanto admirava. Ele parecia uma escultura.

"A escultura do homem que eu quero", pensava Jéssica ao avistá-lo de longe. Ela deu um suspiro apaixonado e dobrou numa esquina.

— Não dá pra entender...
— O quê, minha filha?

Jéssica conversava com a mãe na cozinha do albergue. Hercília picava alguns temperos, enquanto uma panela esquentava no fogão.

— O Matheus. Não consigo entendê-lo. Em vez de vir comigo, se interessar pela viagem, ficou sentado naquele lugar fedorento.

— Ele gosta, filha. Se sente bem. Eu até que acho um lugar muito agradável. Se eu não fosse tão ocupada com as coisas aqui do albergue, também gostaria de ficar sentada lá.

— Ah, só me faltava essa, né, mãe? Desde quando um lugar que fede a peixe, cheio de gente pobre e feia, é agradável? Agradável é se sentar num bom restaurante do lado de cá da Atlântica, abrir uma boa cartela de vinho e pedir um *hadoque* ao molho de alcaparras pra acompanhar.

Hercília despejou os temperos dentro da panela e se virou para a filha:
— Eu é que não entendo você, Jéssica.
— Não entende o quê, mãe?
— Você tem um jeito de pensar que às vezes me deixa assustada.
— Assustada por quê?
— Você fala como se tudo na vida tivesse a ver com dinheiro.

Jéssica retrucou com naturalidade:
— E não tem?
— Não, minha filha, não tem. Há coisas que o dinheiro não pode comprar. Muita gente está cansada de saber disso, e o que me assusta é que você ainda não saiba.

— Sem essa, mãe, por favor! Que papo suburbano. Que coisa clichê.
— Seu pai e eu nunca fomos ricos, mas nunca nos faltou nada. Nós nunca precisamos de dinheiro pra sermos felizes. Você cresceu, virou mulher, fez uma carreira tão bonita, ganhou muita grana, mas não aprendeu o essencial.

Jessica fez cara de tédio, ao mesmo tempo em que perguntava, sem o menor interesse:
— E o que é essencial, mãe?
— Nada. Deixa pra lá — Hercília desistiu.

Matheus retornou do calçadão quase uma hora mais tarde. Encontrou Jéssica no seu quarto, sentada na cama, de pernas cruzadas e com as mãos caídas sobre os joelhos; no rosto, ela possuía uma expressão tão azeda, que fez Matheus se lembrar da última ocasião em que fugira do orfanato, durante a madrugada, para tomar um porre, e que acordou na manhã seguinte com uma ressaca devastadora.

Ela esperou que ele fechasse a porta...
— Sinceramente? Pensei que você levasse as coisas mais a sério, Matheus!
— Por quê? — Ele se mostrou surpreso.
— Outro, no seu lugar, teria vindo pra casa correndo. Mas você continuou lá, naquele lugar fedorento, olhando sei lá o quê, enquanto uma vida inteira, maravilhosa, espera por você!
— Tá falando do italiano que ligou?
— Dele e da grande oportunidade que está prestes a mudar a sua vida. — Ela parecia agitada, falava rápido. — Será que ainda não caiu a ficha de que você vai fotografar em Nova Iorque e a partir daí nada vai ser como antes? É como se um novo Matheus estivesse pra nascer! É outra vida, cara!

Ele suspirava enquanto dizia:
— Você falando assim só me deixa assustado. Eu não quero ser outra pessoa. Quero continuar sendo eu mesmo.

Matheus fez menção de caminhar até a janela, estava subitamente sufocado, porém Jéssica o impediu, segurando-o firme pelo cotovelo.
— Só que não dá pra continuar sendo o mesmo, não dá! Falo por experiência própria! — Ela encarava-o. — Há coisas na vida da gente que nos obrigam a assumir outra postura.
— Comigo não vai ser assim — retrucou, puxando o braço levemente e indo abrir a janela. Então, pegou uma cadeira e se sentou. Um vento fresco vinha de fora e abrandava a sensação claustrofóbica que o perturbava.

Jéssica chegou perto dele, falando manso:

— Eu posso não concordar, entretanto admiro esse seu jeito. Isso me atrai. Eu nunca conheci alguém assim como você.

— Assim como? — Ele quis saber.

— Assim — ela respondeu simplesmente, e se insinuou, curvando-se no colo de Matheus, roçando a cabeça e seu cabelo macio no sexo dele, protegido pelo tecido vagabundo da bermuda.

Matheus se levantou depressa.

— Jéssica, não força...

— Qual é o problema?

— A gente é amigo.

Ela tentou parecer natural:

— E daí? Amigo também transa.

— Pode até ser. Mas no nosso caso, não.

— Qual é o problema? — ela insistia.

— O problema é que você é filha do seu Martinho e da dona Hercília, e eu tenho o maior respeito por eles! Me acolheram aqui, me deram emprego e me tiraram da rua. Seria muita sacanagem eu ficar transando com a filha deles, sem compromisso nenhum! Já te expliquei isso.

Jéssica deu uma sonora gargalhada e argumentou:

— Que forma antiga de pensar, Matheus! Eu agora senti como se estivesse conversando com um velho de oitenta anos! Não existe mais esse lance de compromisso. Tá fora de moda.

— Pra mim não tá.

— A gente já transou daquela vez...

— Eu sei. Foi fraqueza minha.

Jéssica não lhe dava atenção e novamente foi para cima dele, oferecendo o seu corpo como quem oferece bebida a um alcoólatra. Passou de leve a mão pelos seios e mordiscou os lábios, umedecendo-os com a própria saliva. Era nítido que Matheus fazia um esforço sobre-humano para resistir às investidas dela. Além da beleza, ela possuía uma sensualidade perversa e sabia muito bem como usá-la.

— Matheus, que bobagem...

— Jéssica, não quero ser grosso com você. Não vai rolar nada, eu não quero, desiste! Eu vou sair e vou deixar você aqui sozinha.

Ela se irritou:

— Tá bom, tá bom! Que saco! Não precisa sair, eu saio, ok?!

— É melhor.

Jéssica caminhou até a porta. Antes de sair, virou-se para ele e anunciou, com um cínico sorriso nos lábios:

— Esqueci de te dizer, querido: o Bartolotto me chamou pra acompanhar o seu ensaio fotográfico em Nova Iorque.

Matheus olhou para ela, perplexo. Mas entendeu o recado. Não ficaria livre do assédio.

Ela ainda fez questão de acrescentar:

— Teremos mais tempo juntos. Quem sabe até lá você resolva essa sua questão moral com os meus pais? Desencana! Estamos deixando de viver bons momentos por causa dessa paranoia sua.

Jéssica piscou maliciosamente para ele e saiu do quarto.

Estavam todos reunidos no saguão do Aeroporto Internacional do Galeão. Matheus tinha as mãos geladas e o rosto pálido, não conseguia controlar o extremo nervosismo. Três motivos o deixavam tenso: era a primeira vez que entraria num avião, a primeira viagem internacional da sua vida e o primeiro trabalho como modelo fotográfico; e nos Estados Unidos, país que só conhecia dos filmes!

"Caramba, Estados Unidos! Nova Iorque!"

Matheus olhou para as pessoas sentadas ao seu redor. Era a equipe da *Hunt Models*. Elas não pareciam nada nervosas. Ao contrário, pareciam entediadas. Para elas era só mais uma viagem de trabalho, rotina.

Quase um mês se passou desde aquele dia em que Jéssica lhe dera a notícia da viagem. A agência de Bartolotto providenciara tudo: passaporte, visto, malas e roupas. Matheus custava a acreditar que aquilo estava acontecendo. Após o *check-in*, perdeu-se num turbilhão de pensamentos que silenciou e apagou por breves instantes tudo que existia à sua volta...

De repente, a voz no alto-falante anunciou:

— *Passageiros do voo 4459, com destino a Nova Iorque, por gentileza, apresentarem-se para o embarque. Voo 4459, com destino a Nova Iorque...*

Matheus despertou com o abraço impetuoso de Martinho. Depois, foi a vez de Hercília, que o abraçou muito entusiasmada. Jéssica já havia se despedido deles e caminhava sozinha para o embarque.

— Boa sorte, rapaz! — desejou Martinho a Matheus, apertando a sua mão e lhe dando mais um abraço.

Em seguida, Hercília pegou um pedaço de papel na bolsa e entregou nas mãos dele:

— Toma, filho. Essa aqui é a oração de Nossa Senhora da Guia. Sempre que precisar, reza com fé! Pede pra ela guiar os seus passos e que dê tudo certo!

— Obrigado! — Matheus tentava naquele momento não chorar. — Sou muito grato a tudo que vocês fizeram por mim até hoje. Espero que um dia eu possa retribuir de alguma forma...

— Ah, que é isso, deixa de bobagem! Não tem que retribuir nada! — retrucou Martinho. — A gente fez porque você merece! É esforçado, trabalhador, honesto!

Hercília completou, de um jeito divertido:

— E você não está indo embora de vez não, menino! Tá pensando que já vai ficar livre da gente assim? Vai não! Você é como um filho, trate de voltar, viu? Já basta dois filhos que vivem longe, agora você também? Ninguém merece!

Riram os três...

"Minha família!", pensou Matheus, feliz.

Um tempo depois, o voo 4459 da Varig decolava do Galeão rumo aos Estados Unidos...

Do alto, o Aeroporto Internacional John F. Kennedy, em Nova Iorque, já dava a dimensão da grandeza que a cidade ostentava. Antes da aterrissagem, Matheus rezava a oração de Nossa Senhora da Guia que Hercília lhe dera no Brasil. Ele tentava acalmar o frio na barriga e o leve tremor no corpo.

Ao desembarcar, a equipe da *Hunt Models* seguiu de táxi até o hotel. Matheus e Jéssica tomaram outro táxi, que seguia o carro da equipe. A reserva tinha sido feita no suntuoso *Four Seasons Hotel*, na 57 East 57th Street, entre a Madison Avenue e Park Avenue. O prédio era tão imenso e luxuoso que Matheus associou a sua imagem à de um castelo, como os que vira na televisão.

Jéssica comentou que muitas celebridades também se hospedavam ali e que as despesas eram por conta da *Hunt Models*.

Os recepcionistas foram solícitos e simpáticos com a equipe da agência. Lá dentro tudo era ainda maior aos olhos de Matheus. Jéssica parecia familiarizada com o ambiente. Ela contou que o hotel foi projetado por um arquiteto muito famoso, chamado I. M. Pei, e que o prédio possuía mais de trezentos quartos.

— Uau! — fez Matheus, ao adentrar a suíte que dividiria com Jéssica.

Os quartos do *Four Seasons Hotel* constavam na lista dos mais luxuosos de Nova Iorque, todos equipados com poltronas, camas enormes com colchões duplos e lençóis bordados; os banheiros eram climatizados e revestidos em mármore, com banheiras e chuveiros individuais, além de comodidades como telefone com ramal direto e controle eletrônico da iluminação. As cortinas também eram ajustadas por controle remoto.

Alguns mimos, como pantufas personalizadas com o nome do hotel e sistema de TV a cabo, também eram oferecidos. Matheus reparou que a suíte possuía duas camas e se sentiu aliviado. Era sinal de que Jéssica não planejava investir contra ele mais uma vez.

— Você vai fotografar em uma suíte igual a esta, dois andares acima de nós — revelou Jéssica.

— Pra que tudo isso? — ele perguntou, meio abobalhado.

— Acha muito? — ela desdenhou. — O cliente da *Hunt* é um gigante da indústria têxtil americana. Apostaram muito dinheiro nessa campanha, que terá você, meu caro, como garoto-propaganda nos principais catálogos da marca. Isso aqui, pra eles, não vale um centavo de dólar, pode acreditar.

Uma espaçosa varanda contornava a fachada da suíte. Matheus se debruçou no parapeito e lá de cima admirou a cidade. Um misto de fascinação e medo corria dentro dele.

Jéssica foi observar a paisagem da varanda junto dele:

— Aqui pertinho fica o *Central Park*.

Matheus falou ingenuamente:

— Acho que já vi nos filmes. É um lugar grandão, cheio de árvores, plantas, essas coisas, né? Tipo o Campo de Santana lá no Rio?

Jéssica riu alto e respondeu:

— É, só que bem maior que o Campo de Santana. Acho que mais bonito também.

— Saquei...

— Amanhã a gente vai sair pra passear um pouco, conhecer alguns lugares e tirar umas fotos bem legais. Hoje vamos descansar. Não vamos sair deste quarto pra nada...

Matheus prestava bastante atenção ao que ouvia, e não conseguiu reagir quando Jéssica o surpreendeu com um beijo apaixonado.

O *Central Park* ficava a algumas quadras do *Four Seasons Hotel,* e foi o primeiro lugar onde Jéssica levou Matheus. Haviam tomado um delicioso e requintado *breakfast* na suíte do hotel. Matheus adorou a *maple syrup*, uma espécie de geleia vermelha extraída da seiva bruta de uma árvore, Jéssica explicou.

Eles passearam pelo parque como se fossem um casal de namorados. O dia estava lindo. Um sol tímido tentava, com alguma insistência, transpassar nuvens tão brancas que pareciam feitas de chumaços de algodão. Em certo momento, Jéssica se fingiu distraída e segurou a mão de Matheus. Ele, por sua vez, sempre arredio como um animal treinado para não errar, fingiu se admirar com a *performance* de um artista de rua do outro lado do canteiro e correu para olhar. Jéssica mordeu os lábios, frustrada.

Após a visita ao *Central Park*, foram à Quinta Avenida, entre a 33rd e a 34th Street, e subiram ao centésimo segundo andar do *Empire State Building*. Matheus quase perdeu a fala com a vista deslumbrante do alto do prédio, que ele só tinha visto em filmes como *King Kong*. Antes de voltarem ao hotel, estiveram ainda no Rockefeller Center, entre 48th e a 51st Street, e tiraram fotos pelo *Channel Gardens* e pelas suas belíssimas fontes. Também registraram a passagem diante das estátuas de Atlas e de Prometeu.

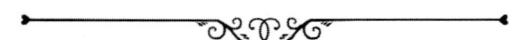

Durante a noite, Matheus despertou sentindo alguém se deitar ao seu lado na cama dele, e pressionar o corpo contra as suas costas. Virou-se e não ficou tão surpreso ao ver Jéssica.

— Ah, não... Você estava muito comportada pra ser verdade... — suspirou, sonolento, esfregando os olhos e bocejando.

— Não resisti. Eu quero você, Matheus.

— A gente já conversou. Por favor, Jéssica, volta pra sua cama.

Ela reagiu, ofendida:

— Nossa, Matheus! Você está me rejeitando como se eu fosse lixo!

— A questão não é essa! Já te expliquei.

Ela se sentou na cama, possessa.

— Quer saber? Eu acho que você deve ser veado, isso sim! Não gosta de mulher e fica com essa conversa de que tem respeito pelos meus pais! Deve ter transado comigo daquela vez só pra eu não desconfiar! Fala logo que é bicha e pronto, acabou!

Ele deu as costas para ela novamente,
— Pensa o que você quiser. Não vou bater boca a essa hora, tô cheio de sono. Se você acha que eu sou veado, beleza, mais um motivo pra você me deixar em paz. Vai dormir que a tua vontade de dar passa.

O sangue de Jéssica ferveu. Antes de voltar para a cama, ela não conseguiu conter o ódio que sentiu e deu um murro nas costas de Matheus, com tanta força que ele chegou a tossir.

— Seu filho da puta!

Na manhã seguinte, Matheus foi tomar o *breakfast* no restaurante do hotel. Ele não esperou o serviço de quarto, preferiu ficar sozinho depois do que acontecera durante a noite. Jéssica foi atrás dele. Ela usava os seus óculos escuros *Police* e falava tão baixo que mal dava para ouvi-la. Parecia muito constrangida e envergonhada.

— Vim te pedir desculpas por ontem...
— Tudo bem — ele respondeu, secamente.
— Não sei o que deu em mim.

Matheus descansou o copo de suco na mesa e fitou Jéssica de uma forma que a deixou tão sem graça quanto se estivesse nua diante dos outros hóspedes. Então sentenciou:

— Pra evitar problema, é melhor a gente dormir em quartos separados. Já falei com o cara da agência, e ele ficou de arrumar. Não preciso de nada luxuoso, durmo até no porão do hotel, desde que eu tenha paz.

Depois, levantou-se e saiu, deixando o suco pela metade e Jéssica sozinha à mesa.

Nos dois dias subsequentes, Matheus e Jéssica mal se falaram. Ele a evitava sempre que podia. Ela ainda tentou se aproximar e reconquistar a simpatia dele, mas não teve êxito.

Matheus focou as suas energias no trabalho, que era uma novidade incrível. Teve de se acostumar a passar várias horas com uma infinidade de pessoas cuidando dele como se fosse um bibelô ou um brinquedo de vitrine. A parte de que ele menos gostava era a maquiagem. Ficar sentado por horas e horas, enquanto uma equipe de homens (ele estranhava) o deixava com o rosto parecendo um boneco de cera, era constrangedor.

Não entendia o porquê daquele processo demorado, já que tinha ouvido diversas vezes dos maquiadores, entre trejeitos e afetações: "ele é lindo, gente, nem precisa de tanta *make*!"

A *Caring Touch Company* era uma das maiores empresas têxteis dos Estados Unidos, e uma das clientes da *Hunt Models*. Assim que Bartolotto soube da nova campanha da empresa para o lançamento de uma linha de banho e de peças íntimas, lembrou-se de Matheus e fez a indicação para a sucursal americana da *Hunt*, que enviou uma resposta positiva no mesmo dia. Vendo o ensaio fotográfico de Matheus, todos da agência concluíram que Bartolotto não havia errado quando sugeriu o *new face* para a campanha.

Primeiro, Matheus fotografou sozinho em uma das magníficas suítes do *Four Seasons Hotel*. Ele era tão formoso e demonstrava tanta naturalidade, que parecia realizar aquele trabalho há anos. Sentia-se tímido apenas quando precisava trocar o roupão de banho ou a cueca, mas nada que uma rápida ida ao banheiro da suíte não resolvesse.

Depois, foi a vez de fotografar acompanhado. A modelo escolhida era tão linda quanto ele, e Jéssica ficou mordida de ciúme. Ele e a inglesa Susan Parker mostraram um ótimo entrosamento e fizeram a maioria das fotos agarrados um ao outro. Formavam um casal esteticamente agradável aos olhos. Sorriam, faziam poses, simulavam charmosos momentos de amor e intimidade... Fascinavam.

Todos que assistiam à sessão de fotos, incluindo a equipe da agência, pareciam hipnotizados com tanto charme e beleza. Em certo instante, Matheus tomou a modelo nos braços e curvou-a como numa cena clássica de cinema, como se fosse beijá-la. Era apenas uma pose para a foto, mas teve um magnetismo tão grande que Susan chegou a fechar os olhos, entregando-se totalmente ao clima de sedução que já impregnava o ambiente.

A sessão fotográfica terminou com o cair da noite. Além da janela do *Four Seasons*, as luzes da cidade que não dorme brilhavam feito um tapete colorido e mágico sobrevoando a escuridão. Enquanto o pessoal da *Hunt Models* recolhia uma parafernália de equipamentos, Matheus descansava sentado numa poltrona.

Ele era tratado como um rei. À sua disposição havia bandejas com frutas, sucos e guloseimas, cortesias do hotel. Não se lembrava de algum dia na sua vida ter sido tão bem tratado. Tinha certa dificuldade para assimilar tudo que estava acontecendo ao seu redor. Nem achava que fosse tão bonito assim para obter com a sua beleza tantas benesses de uma hora para outra.

Sabia que um dia teria de deixar o orfanato de Irmã Eulália, procurar um emprego, refazer a sua vida, deixando para trás a única história que conhecera até então: que era mais um dentre muitos meninos abandonados por suas mães. Porém, tudo se transformou rápido demais em virtude da beleza física que outros viam nele, e que ele mesmo não via. Embora não se achasse feio, não passava de um cara normal. Ou ao menos, assim pensava.

No dia seguinte ao da última sessão de fotos, Matheus foi convidado para sair com a equipe da agência. Era uma turma de brasileiros e todos demonstravam gostar bastante dele. Jéssica ficou no hotel, trancada na sua suíte, amargando uma dor de cabeça e um mau humor incontrolável.

O grupo de Matheus foi ao *Chinatown*, um bairro no Lower East Side de Manhattan. Lá ficava a maior comunidade chinesa no Ocidente. Matheus se admirou com a quantidade de lojas e restaurantes orientais, também com a variedade de produtos falsificados que eram vendidos na Canal Street e na Orchard Street, duas das principais ruas do bairro. Depois, seguiram para a região da *Times Square*. Matheus conheceu a *Broadway*, onde eram produzidos os musicais e as peças de teatro mais famosas do mundo; passeou pela Sétima Avenida, caminhou pela West 42nd Street, tirou fotos do centro de Manhattan.

Um dos rapazes do grupo destacou que ali ficavam a Nasdaq e alguns dos estúdios de canais de TV mais importantes do planeta. Era também naquela região que acontecia a virada de ano mais famosa dos Estados Unidos. Aliás, algumas pessoas afirmavam que o *réveillon* daquele ano seria inesquecível. A festa para receber 1997 marcaria época. Matheus lamentou, em pensamento, que não estaria lá para o evento. Adoraria assistir à cascata da queima de fogos descendo entre os prédios e seus letreiros luminosos.

Embora tivesse crescido em um orfanato católico, quando lhe perguntavam, ele costumava afirmar que não tinha religião. Acreditava em Deus, mas não seguia em seu coração a doutrina com a qual crescera. Ainda assim, ficou maravilhado ao visitar a *Saint Patrick's Cathedral*, a maior catedral católica dos Estados Unidos. A igreja, construída em estilo neogótico, entre 1858 e 1878, ficava na Quinta Avenida, próxima às ruas 50 e 51, do lado oposto ao Rockefeller Center, onde estivera com Jéssica.

Não hesitou em se pôr de joelhos, agradecendo por todo o bem que a vida lhe trazia naquele momento. Lembrou-se da única reza que aprendera no orfanato e que sabia de cor.
Rezou em silêncio:

Pai nosso que estais no céu,
Santificado seja o vosso nome.
Venha a nós o vosso reino e seja feita a vossa vontade,
Assim na Terra como no céu.
O pão nosso de cada dia nos dai hoje, e perdoai as nossas ofensas,
Assim como nós perdoamos a quem nos tem ofendido.
Não nos deixeis cair em tentação, mas livrai-nos de todo o mal.
Amém.

E fez o sinal da cruz sobre si mesmo, repetindo:
— Amém.
Ele não imaginava o quanto ainda precisaria da proteção divina...

CAPÍTULO 15

A semana de Homero não tinha começado nada bem. Ele havia recebido o telefonema do advogado de Sheilla. Soube que a mulher planejava pedir o divórcio e isso o deixou em tenso estado de nervos. Tudo de que ele menos precisava naquele momento era mais um problema. Já tinha muito com o que se preocupar, embora o outro assunto estivesse nas mãos de um profissional; e ele ansiava pela resposta que teria em breve.

Com muita insistência, Homero conseguiu convencer Sheilla a encontrá-lo no escritório no final da tarde. Ela relutou. Argumentou que estava decidida, que seria o melhor para ambos, uma vez que o marido não aceitava sua gravidez. No entanto, Homero sabia jogar com as palavras, sempre teve um excelente discurso. Justamente o "bom discurso" o ajudara a chegar ao topo e se tornar um dos homens mais poderosos do país.

Lembrava-se com orgulho de ter tirado do seu caminho Laura Leubart, uma das mulheres mais astutas que já conhecera. Sheilla, com as suas frivolidades, não lhe seria um empecilho.

Ela chegou quinze minutos atrasada, e Homero já estava impaciente. Ele relembrava, contrariado, como as coisas haviam contribuído nos últimos dias para que estivesse sempre nervoso, com a sensação de que alguém o sondava, na intenção de atrapalhar os seus planos.

— Desculpe o atraso, querido. Vim de longe.

Homero fez cara feia e retrucou:

— Não há necessidade de passarmos por isso, Sheilla. Não sei o que deu em você.

— Eu não vim discutir os meus motivos, Homero. Quero me separar e dar andamento ao divórcio — explicou, sem titubear.

— Divórcio?! — ele reagiu forte. — Você ficou louca? Por que isso?

— Você deixou bem clara a sua posição quanto à minha gravidez. Estamos em lados opostos. Eu não posso conviver com um homem que rejeita o próprio filho!

— Nós não tivemos tempo para conversar mais a respeito disso.

— Conversar pra quê? Pra você tentar me convencer a fazer um aborto?

— Sheilla, você não está sendo razoável. Volte para casa e nós conversaremos mais sobre esse assunto.

Ela colocou-o contra a parede:

— Se eu voltar pra casa, você vai aceitar o nosso filho?

Homero não respondeu. Estava pensativo.

"Como é possível que essa vaca esteja fazendo isso comigo? Vontade de matá-la aqui, agora. Bem devagar. Piranha!"

Sheilla concluía:

— Pelo seu silêncio, já sei a resposta. É melhor continuarmos longe. — Ela passou a mão pela barriga, referindo-se a ela e ao bebê. — Não há mais o que ser dito. — Caminhou até a porta. — Eu desconfiava que esse encontro seria perda de tempo, mas não quis parecer intolerante me recusando a vir. Se há intolerância aqui, ela é só da sua parte, querido. Eu tenho certeza de que você ainda vai se arrepender e espero que não seja tarde. — Abriu a porta.

Homero ergueu a mão.

— Espera, Sheilla!

Ela se deteve e se virou para ele mais uma vez.

Homero respirou fundo antes de dizer:

— Tudo bem, eu aceito. Volte para casa.

Sheilla, porém, respondeu friamente:

— Não.

— Por quê? — Homero piscou, aturdido. — Já disse que aceito a gravidez. Vamos ter esse filho.

Então Sheilla, para surpresa dele, mostrou que algo havia mudado. As coisas não seriam tão fáceis.

— Vamos fazer o seguinte... Eu continuo longe até o nosso filho nascer, depois volto pra casa.

Ele deu um murro na mesa e esbravejou:

179

— Isso não tem cabimento! Você está me fazendo de idiota! Se eu já te disse que aceito essa porra de criança — deixou escapar —, por que continua agindo assim? Volte para casa!

Sheilla estava atônita. Boquiaberta. Sem dizer nada, saiu porta afora. Homero contornou a extensa mesa do escritório e correu atrás da mulher pelo corredor.

— Nós não terminamos a conversa, Sheilla!

— Pra mim já terminou! — ela respondia, sem olhar para trás.

Ele a alcançou e a segurou com força. O braço magro dela parecia poder se quebrar a qualquer momento.

— Eu digo quando terminar!

— Me solta! Você está me machucando!

Homero parecia fora de si. Falava entre os dentes, espumando saliva pelos cantos da boca feito um animal feroz:

— Posso machucar ainda mais! Paga pra ver!

— Você bebeu, Homero?!

— Acha que pode me fazer de otário? Como pensa que cheguei até aqui?

— Aqui onde? Do que você está falando? Me solta!

— Você vai voltar comigo pra casa!

Ela sentia o hálito quente dele no seu rosto e percebeu que ele não estava embriagado. Homero estava lúcido, e Sheilla não entendia como pôde viver tanto tempo com ele sem descobrir aquela personalidade doentia.

— Me solta, Homero! Eu vou gritar!

Homero a imobilizou com uma gravata dada com o seu braço direito. Sheilla não teve forças para se soltar, o máximo que conseguiu fazer foi arranhá-lo, o que o levou a apertar o pescoço dela cada vez mais forte. Aos poucos, ela começou a perder a consciência, até desmaiar...

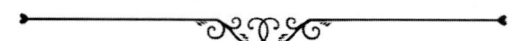

Homero verificou o Rolex no pulso; 18h25.

Interfonou para a portaria do edifício.

Um homem negro, alto, corpulento e mal-humorado, trajando uniforme de segurança do banco, atendeu no aparelho que ficava próximo à entrada do prédio:

— Portaria.

— Homero, falando.

— Pois não, doutor Homero.

— Queria saber se a minha esposa passou por aí. Nós tivemos uma pequena discussão, ela saiu meio nervosa, fiquei preocupado...

— Não, senhor — respondeu o segurança, correndo os olhos pelo ambiente. — Por aqui ela não passou.

— Se a vir passar, me avise imediatamente, por favor — pediu Homero. — Estou muito preocupado.

— Sim, senhor! — assentiu o encarregado.

Homero pôs devagar o fone de volta à base. Com muita calma, parou no enorme sofá de couro que havia em seu escritório e recolheu Sheilla, ainda inconsciente, nos braços. Atravessou o corredor que havia entre a sala do seu escritório e a porta corta-fogo, que dava para as escadas de emergência, precavendo-se para não encontrar nenhum funcionário pelo caminho.

Àquela hora todos que trabalhavam no último andar, onde ficava a presidência do banco, já tinham saído. O expediente costumava ir até as dezessete horas. Homero cuidara que Sheilla estivesse no prédio depois desse horário. Era possível que algum funcionário saísse mais tarde, no entanto, naquele dia isso não aconteceu.

Homero subiu dois lances curtos de escada até o terraço do prédio, local em que também funcionava o heliponto. Dirigiu-se tranquilamente até o parapeito. Ventava bastante. O céu do Rio de Janeiro já estava às escuras, e tudo que se via ao redor eram as luzes dos outros prédios, como um grande mosaico incandescente.

— Ah, Sheilla... Se você não tivesse me criado problemas... — ele lamentava. — Mas você preferiu assim, minha querida. Não me deixou alternativa. — Baixou a cabeça para mais perto da dela, caída para trás, e sussurrou como se ela pudesse ouvi-lo: — Boa viagem, *ma chérie*...

Homero se inclinou no parapeito e, com toda a frieza que o protegia de sentir como os outros sentiam, desceu os braços que seguravam a mulher em seu colo, deixando o corpo de Sheilla deslizar feito uma folha de papel fino embalada pelo vento. Levou poucos segundos para que ela caísse os mais de vinte andares e se chocasse contra a calçada. Para Homero, era o fim de mais um obstáculo à sua trajetória criminosa.

─────※─────

Todos os jornais do Rio de Janeiro noticiaram a morte da *socialite* Sheilla Mancini, mulher do banqueiro bilionário Homero Mancini. A polícia técnica vistoriou o terraço do prédio do *Pex BL Investment*, enquanto o cadáver de Sheilla, após ter sido analisado pela perícia no local, seguia para o IML. O entorno do edifício, na Avenida Rio Branco, foi isolado no trecho entre a Avenida Presidente Vargas e a Rua do Rosário. Ninguém passava. Desde a noite anterior, quando o corpo foi encontrado na calçada após um estrondo, uma infinidade de repórteres e jornalistas tentava a todo o custo furar o bloqueio policial e fazer um registro exclusivo da tragédia.

— O senhor está dizendo que a sua esposa saiu deste escritório, subiu as escadas de emergência e se jogou do terraço? — interrogava o inspetor de polícia.

— Sim — Homero confirmou. — Em momento nenhum me passou pela cabeça que a Sheilla pudesse cometer uma loucura como essa — disse, pondo as mãos no alto da cabeça, em desespero. Ele parecia abatido.

— A sua mulher nunca demonstrou tendência ao suicídio?

Homero franziu o cenho e pensou um pouco. Em seguida respondeu:

— Diretamente, não. Ela dizia ultimamente que estava cansada de tudo, que a vida não tinha sentido... Mas ela nunca disse "vou me matar".

O inspetor deu de ombros.

— Muitas pessoas que cometem suicídio nunca falam diretamente que vão se matar. Quase sempre usam outras palavras para tanto.

Homero fez uma expressão de espanto.

— Sério?! Não sabia! Nunca lidei com essa situação, na minha família, com amigos... Nunca.

O policial lamentou, pesaroso:

— Sinto muito, doutor Homero.

A morte de Sheilla ficara caracterizada como suicídio. No velório, enquanto amigos e parentes distantes se questionavam, incrédulos, os motivos daquela fatalidade, um homem se aproximou de Homero discretamente. Homero olhou para ele e logo o identificou, contudo, esperou que o outro puxasse conversa.

— Desculpe, doutor — lamentou. — Essa tragédia com a sua senhora... meus sentimentos.

Homero rangia os dentes e a sua voz saía como um sopro árido e baixo:

— Você não veio até aqui só para me dar os pêsames, veio?

— Não, senhor, mas dada a circunstância...

— Quero saber o que me interessa. A minha esposa ou, a minha senhora, como vocês provincianos costumam falar, está a alguns minutos de ser enterrada. — Ele ajeitou a lapela do paletó Armani preto. — É carta fora do baralho. Paguei a você um bom dinheiro para que me trouxesse a informação que preciso.

— Estou com o material no carro. O senhor vai querer conferir aqui mesmo?

Homero respondeu de forma irônica:

— Claro. Eu vou pegar o seu material, espalhar em cima do caixão da minha mulher e conferir tudinho diante dessa gente hipócrita e sentimentaloide que veio aqui chorar a defunta.

A vontade do homem era dar um soco na cara de Homero. Estava acostumado a lidar com pessoas de caráter duvidoso, era praxe na sua profissão, mas a arrogância e o deboche de Homero lhe despertavam um instinto primitivo, e queria quebrar aquele nariz com um único murro certeiro.

Sabia, porém, que se o fizesse não estaria vivo nas horas seguintes. E também queria receber o restante do dinheiro combinado. Tinha planos de trocar de carro; estava de olho num Fiat Marea, zero quilômetro, lançado naquele ano. Se sobrasse alguma grana, investiria na obra da casa de praia, na Região dos Lagos.

Homero continuou, tomando cuidado para quem ninguém os ouvisse:

— Faz o seguinte, assim que terminar essa porra toda aqui, te encontro no meu escritório. Me espera lá.

O homem assentiu, sem dizer mais nada, e foi em passos rápidos para o estacionamento do cemitério. O carro dele era um Chevrolet Kadett 1991 já com cinco anos de uso, mas quem olhava dizia que o automóvel era bem mais antigo e que o dono deveria ser alguém muito desleixado. Entrou no veículo e, antes de girar a chave na ignição, passou os dedos suavemente sobre o envelope escuro no banco do carona.

"Falta pouco. Depois mando ele à merda".

Na parte reservada aos familiares, onde acontecia o velório, uma reza breve foi entoada por um sacerdote. Logo depois, os funcionários do cemitério iniciaram o transporte do caixão até a sepultura. Naquele instante, Homero se lembrava...

Horas antes...

O cadáver estava sobre a mesa de alumínio prensado, em uma das salas do IML.

Homero tinha sido chamado para tomar as providências de liberação do corpo. Aparentando profunda tristeza, pediu para ficar sozinho por alguns minutos.

— Preciso disso. Quero um último momento a sós com a minha querida esposa — embargou a voz —, a minha fiel e dedicada companheira de tantos anos...

Prontamente os funcionários saíram da sala. Sem ninguém por perto, ele já não aparentava tristeza. Ao contrário, ria-se por dentro, quase sem mexer os lábios, de forma fria, jocosa e cínica. Agachou-se e introduziu o seu dedo médio com muita delicadeza e naturalidade na vagina daquele corpo gelado e sem vida. Depois recolheu o dedo e o levou à boca, a fim de sentir que gosto teria o sexo com a morte.

Estalou a língua: era um gosto bom.

•───────⁂───────•

No final da tarde, Homero chegou ao seu escritório, na sede do *Pex BL Investment*. O homem que estivera com ele mais cedo, no velório, já o aguardava impaciente. Homero deu ordens expressas aos seus subordinados para que ninguém os incomodasse; em seguida, os dois passaram à sala da presidência do banco. Assim que entraram, a secretária pôde ouvir o barulho da porta sendo trancada à chave.

"O assunto deve ser muito sério", ela pensou. Não era comum o chefe se trancar no escritório com visitantes.

Lá dentro, Homero parou diante da enorme vidraça fumê, que ficava atrás da sua mesa e servia de moldura para os outros arranha-céus da Avenida Rio Branco, no centro do Rio de Janeiro. Era uma bela vista panorâmica, sem dúvida. Ele não pôde deixar de imaginar o quão extraordinário teria sido assistir ao corpo de Sheilla caindo livremente do terraço e passando por ali.

O som do envelope pesado batendo contra a mesa interrompeu os pensamentos macabros de Homero. Uma fotografia escapou de dentro do pacote e quase foi ao chão.

— Taí o que o doutor me pediu — disse o homem, que ganhava a vida como detetive particular e estava havia meses a serviço do banqueiro.

Homero segurou a fotografia diante dos olhos por um minuto, sem nada dizer. O rosto de um belo rapaz estava em destaque no zoom da imagem.

— Tem certeza de que é ele? — perguntou.

O detetive garantiu, sem hesitar:

— Absoluta!

— Onde o encontrou? — Quis saber Homero.

— Ele mora num albergue na Djalma Ulrich, em Copacabana. É um casarão velho, de esquina, quase na Barata Ribeiro. Pelo que andei me informando na vizinhança, ele trabalha lá em troca de moradia e comida. Disseram que é ex-morador de rua e foi acolhido pelos proprietários.

— Gente que tem grana?

— Nada. O homem é aposentado, e a mulher sempre foi dona de casa. Eles têm um casal de filhos, mas nenhum dos dois mora lá. O rapaz estuda em uma universidade no interior, e a moça é uma modelo famosa na Europa. O casarão até que é bonitinho, mas dá pra ver que é uma construção antiga e que eles deram uma boa reforma.

— Preciso ver...

— O endereço taí. Não é difícil encontrar. Lá perto, todo mundo sabe onde fica o casarão na Djalma Ulrich, o albergue é bem conhecido. Mas se o senhor quiser ver o rapaz, vai ter que esperar...

Homero ficou repentinamente irritado.

— Por que esperar?!

O detetive explicou com toda calma:

— É que o rapaz foi fazer um trabalho de modelo em Nova Iorque. Aliás, quem arrumou foi a filha dos donos do albergue, a tal que é modelo na Europa. Parece que ele tirou a sorte grande e quer seguir no ramo...

— É veado?

— Se é, ninguém sabe. Mas o dono do bar que fica ali perto é um boca solta e me contou que as madames e as garotinhas da rua dão todas em cima dele e que ele já comeu a maioria. Inclusive mulher casada. O cara é boa-pinta.

Sob o tampo da mesa de Homero, em uma das laterais, havia várias gavetas. Uma delas, codificada. Ele digitou a senha, um bipe soou, e a gaveta se abriu. Retirou dela um envelope pardo e volumoso. Entregou-o ao detetive.

— Confere — disse-lhe.

O homem apalpou o volume e sorriu. Depois olhou rapidamente dentro do envelope e viu alguns maços de dinheiro. Era o restante da parte que lhe cabia pelos serviços prestados.

— Tenho certeza de que está tudo certinho, doutor. Confio no senhor — respondeu da forma mais bajuladora que conseguiu. Era maravilhoso trabalhar para empresários ricos que pagavam fábulas por algumas informações.

Homero foi até a porta e a destrancou. Sem a menor cerimônia, indicou a saída para o sorridente detetive

— Bom trabalho. Passar bem!

Quando ia saindo, o detetive se virou para ele e desejou:

— Boa sorte com o Matheus. Matheus Leubart. — E saiu.

Homero fechou a porta e teve um acesso de fúria. Quebrou vários objetos que estavam em cima da mesa, chutou poltronas, derrubou cadeiras, esmurrou a parede. Não aceitava que Matheus estivesse vivo. Ele deveria ter morrido naquele maldito incêndio! Porém, a criança sobrevivera, transformara-se em um homem e agora estava mais próximo do que ele jamais pudera imaginar. Mas não por muito tempo!

Homero percebeu que a gaveta tinha ficado aberta; o brilho da sua pistola prateada, que estava guardada ali, reluzia na sua íris. As palavras do detetive voltaram à memória.

"O casarão até que é bonitinho, só que dá pra ver que é uma construção antiga."

Então Homero teve uma ideia melhor.

Capítulo 16

Chovia forte sobre a Casa de Caridade e Orfanato Santa Beatriz de Vicência. Irmã Aurora estava ajoelhada diante da cama, com o diário da falecida Irmã Eulália em mãos. As gotas de chuva estalavam no vidro da janela, brigando ferozmente contra o silêncio da clausura. Vez ou outra, um vento gélido sibilava lá fora uma canção curta e triste. Dentro, Irmã Aurora pensava. Pensava muito. Fazia horas que estava de joelhos e mesmo assim continuava em dúvida. Pedia a Deus um sinal que confirmasse o melhor a ser feito: quebrar uma promessa ou se calar para sempre? Qualquer que fosse a sua decisão, vidas seriam afetadas. Parecia-lhe uma escolha impossível.

A luz no minúsculo quarto da Ordem piscava a cada novo trovão. Raios tingiam o céu com um tracejado púrpura. Seria Deus castigando o mundo com um novo dilúvio? Irmã Aurora abanou a cabeça, afugentando o pensamento tolo, que não passava de um pretexto para adiar o que pensava sobre o outro assunto. Muito mais grave. Muito mais urgente. Muito mais angustiante, ao menos para ela. Não se lembrava de nenhuma ocasião no curso da sua vida em que tivesse sentido algo parecido.

Quando a iluminação se firmou, ela apagou a luz do teto e acendeu o abajur sobre o modesto criado-mudo. Sentou-se na cama e se pôs a folhear o diário. Havia perdido a conta de quantas vezes já tinha lido a mesma página amarelada, que quase se desfazia nos dedos, de tão velha. Era ali que Irmã Eulália, com a sua linda e tão característica caligrafia, confessava o seu maior segredo:

Quinta-feira, 05 de junho de 1980

Anteontem eu já havia servido a ceia da noite, os portões já tinham se fechado e as irmãs se recolhido aos seus aposentos, quando ouvi chamarem na frente desta casa. Pensei se tratar de ilusão da minha mente cansada pelos afazeres e problemas do dia. Mas, infelizmente, não era. Já estavam os dois. Teria sido uma cena como tantas outras a que já me acostumei presenciar, se não fosse pelo fato de...

Irmã Aurora parou de ler. Era terrível demais acreditar que aquilo realmente houvesse acontecido naquela fatídica noite de junho de 1980. Estava em 1996, havia se passado dezesseis anos, porém o acontecimento narrado por Irmã Eulália persistia feito mancha alastrada sobre a fé e os dogmas da Igreja. E não era apenas isso: um inocente deixara de conhecer a própria história e de reclamar parte de uma herança bilionária a que tinha direito, vivendo com toda a dificuldade de um suposto órfão.

Num bairro distante do orfanato, a chuva caía fina e tímida. Ouvia-se longe um burburinho de vozes e talheres em uma das casas vizinhas. Àquela hora, muitas famílias se reuniam para jantar e assistir ao jornal das nove. Quase todas seguiam o mesmo ritual tipicamente suburbano.

Na varanda, ele acendeu um cigarro, deu uma tragada e soprou a fumaça com calma. O pensamento em linha reta levava-o sempre ao mesmo ponto, à mesma cena do passado. A visão se perdeu nas figuras indefinidas que a fumaça desenhava no ar.

De repente, a porta atrás dele se abriu e a mulher veio de dentro da sala.

— Vai ficar aí, nessa friagem?
— Quero ficar um pouco sozinho...

Ela fitou o cigarro entre os dedos dele e amarrou a cara, reclamando:

— De novo com essa porcaria? Tá querendo morrer mais rápido, só pode.
— Me ajuda a relaxar... — justificou.
— Fiz aquele frango com quiabo que você gosta. Esquentei o arroz, feijão, tá tudo lá na mesa. Vem jantar, antes que esfrie.
— Não estou com fome.

— Só me faltava essa agora! — Num acesso de raiva, a mulher tomou o cigarro das mãos dele, jogou-o no chão da varanda e pisou com toda a força. — Tá pensando naquela maldita história, não é?! Fala que não!

— Estou sim, e daí? — assumiu.

— E daí que isso pode desgraçar a nossa vida e você ainda não se deu conta!

— Sabia que o menino morreu no incêndio e até hoje não acharam o corpo?

— Se morreu foi porque Deus quis! Antes ele do que nós!

Ele se levantou de um pulo, derrubando a cadeira, e agarrou o braço dela com tanta gana que por um momento ela sentiu como se os ossos estivessem trincando por baixo da carne. Ele gritava, quase fora de si:

— Às vezes você me dá nojo, mulher! Nojo! É egoísta! Só pensa no seu próprio umbigo e danem-se os outros! Não sei como Deus permitiu que uma criatura tão mesquinha como você fosse mãe!

— Me solta! — Ela repeliu-o com um tapa que parecia ter o peso de uma tonelada. Ele cambaleou para o outro lado da varanda.

— Víbora! Vai morrer agonizando no próprio veneno, na própria podridão da sua alma! — ele vociferou, recobrando a postura firme diante da figura intimidatória da mulher.

Ela argumentava no mesmo tom:

— Eu só estou defendendo o que é da nossa filha! Ou melhor, da minha filha, porque você não pensa um minuto no futuro dela! Se o que você fez chegar ao conhecimento da corporação, será preso e a sua aposentadoria será cassada! E nós somos pobres, não se esqueça disso! Dependemos da merreca que você ganha! A outra lá já é falecida e, mesmo que não fosse, pra ela não ia pegar nada! Ela era rica, e rico nesse país não vai pra cadeia, não perde nada, nunca! A corda sempre arrebenta do lado mais fraco, e esse lado é o nosso!

— Pro inferno! — Espanou as mãos uma na outra. — Pra mim chega de carregar essa culpa! Vou fazer o que é certo!

Para desespero da mulher, ele estava disposto a fazer o que ela mais temia.

•———⁕❧❦☙⁕———•

Homero passou duas madrugadas em claro, deitado na cama, olhando para o endereço escrito no papel que segurava na mão em riste, feito um punhal que a qualquer momento pudesse se voltar contra ele e se cravar no seu peito.

Rua Djalma Ulrich, 1.040

Não era homem de esperar ser atacado. Ele era o predador. Gostava de ser. Tinha a vaidade de caçar suas vítimas. Sentia prazer nisso. Queria surpreender sempre. Capturar o adversário, dar cabo dele, quase num intervalo entre um suspiro e outro, quando o infeliz estivesse tranquilo feito passarinho pousando em galho de árvore. De repente... tiro certeiro! O passarinho caía morto. Se possível, o galho caía junto. Homero era desses: nunca um estrago seria tão bom quanto dois estragos. A cena pronta, o crime bem planejado e executado. De preferência, o sangue da vítima espalhado sobre um chão branco. Isso provocava nele um êxtase que poderia durar horas, até dias. Curtir a dor da vítima. Quanto maior o sofrimento, maior o prazer: a lógica exata.

Homero gostava particularmente de explosões. Lembrava-se de quando era adolescente e assistia a filmes de guerra. Sua íris cintilava no instante em que uma luminosidade incandescente preenchia a tela, acompanhada do som dos gritos de pavor das personagens. Ainda que por autocensura alguns filmes não mostrassem, na imaginação dele era possível ver com nitidez as pessoas morrendo queimadas, a pele sendo repuxada pelas labaredas.

Na manhã após a terceira madrugada insone, Homero já tinha tudo calculado. Mas antes era preciso sondar o terreno. E com esse intuito pediu ajuda ao seu motorista. Dessa vez, não admitia erro. Matheus tinha de morrer.

O luxuoso sedan Chrysler dobrou a esquina da Avenida Atlântica e avançou pela Rua Djalma Ulrich, cruzando a Avenida Nossa Senhora de Copacabana. As calçadas estreitas estavam cheias de gente indo e vindo em todas as direções, o comércio fervia, apesar do mau tempo naquela semana.

De dentro do carro, Homero observava as pessoas. Sentia um enorme desprezo por todas elas. A ele isso parecia absolutamente normal. Quando começou a se aproximar do número que estava procurando, seus olhos ficaram mais espertos e ligeiros. Ao avistar o albergue, já quase chegando à Rua Barata Ribeiro, mandou o chofer estacionar.

— É aqui. — Rapidamente tirou os óculos escuros, baixou o vidro da janela do veículo e encarou o imóvel por alguns instantes. — Aqui o maldito se esconde.

O motorista deu um assobio e comentou:
— Casa grande. Deve valer uma nota preta.
— Você entendeu o que nós combinamos?
— Sim, senhor.

Homero fitou o Cartier que estava usando e instruiu:
— Dê uns vinte minutos e faça!
— Pode deixar, doutor — assentiu o empregado.

Não levou cinco minutos para que Homero saísse do carro e estivesse dentro do albergue, diante do casal proprietário.

— Como eu disse, é um belíssimo imóvel. E raro. Não se encontram mais casas num bairro como este — explicava, tentando ser o mais simpático possível.

Hercília se ajeitou na poltrona e perguntou, meio desconfiada:
— Mas o que o senhor quer exatamente? Eu ainda não entendi.

Martinho saiu em socorro da mulher:
— Ele quer comprar a nossa casa, querida.

A reação dela não foi das melhores:
— Comprar o albergue? Mas nós não estamos vendendo! O senhor viu algum anúncio no jornal ou coisa assim? Se viu, pode ter certeza que foi engano. Ou quem sabe o senhor errou de endereço!

— A senhora não está entendendo. Eu não quero comprar o albergue para assumir o negócio de vocês — argumentou Homero, gentilmente. — Eu estou interessado em comprar o imóvel. Eu vou pagar o dobro do valor de mercado. Com o dinheiro, vocês poderão montar uma pousada ou até mesmo um hotel de alto padrão em outra praia, talvez até mais rentável que Copacabana. Este bairro já experimentou o *glamour*, mas hoje é decadente, vive de temporadas.

Hercília se levantou de forma abrupta:
— O senhor é que não entendeu. Nós não estamos vendendo nada!

Martinho ainda quis saber:

— Desculpe perguntar, mas qual o interesse do senhor justamente nesta casa?

O motorista de Homero estava em um telefone público, na Avenida Nossa Senhora de Copacabana.
— Polícia Militar do Rio de Janeiro, boa tarde.
— Eu gostaria de fazer uma denúncia. Está havendo comércio de drogas no albergue Caminho do Mar, em Copacabana. Nesse momento, um rapaz acabou de trazer da Ladeira dos Tabajaras uma quantidade e entregou lá, pra revenda.
— Qual o endereço do local, senhor?
— Rua Djalma Ulrich, próximo à Rua Barata Ribeiro. Se vocês vierem agora, dá tempo de dar o flagrante.

No albergue, Homero respondia a Martinho:
— Meu interesse é comercial. Como eu disse, o meu banco pretende abrir mais uma filial aqui no bairro. Esta casa é perfeita para a organização do meu novo empreendimento.
— Pois o senhor vai ter que procurar outra casa, porque nós não temos o menor interesse em vender a nossa — salientou Hercília, cruzando os braços de maneira impaciente.

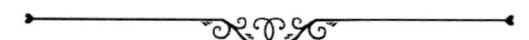

Uma viatura da polícia vinha com o giroscópio ligado e em disparada pela Avenida Nossa Senhora de Copacabana, chamando a atenção dos transeuntes, que especulavam se havia algum assalto em andamento. Algumas pessoas paradas em uma banca de jornal viram o carro da polícia dobrar na Rua Djalma Ulrich, até então considerada uma das ruas mais tranquilas do bairro.

Homero tirou um cartão do bolso interno do paletó Ermenegildo Zegna e o estendeu com muita gentileza ao casal.
— De qualquer forma, por favor, fiquem com o meu cartão. Se mudarem de ideia, basta telefonar e agendar uma hora com a minha secretária. Volto aqui e deixo um cheque no dobro do valor de mercado.

Martinho pegou o cartão e respondeu educadamente:

— Muito obrigado, doutor Homero. Agora não temos interesse, mas nunca se sabe o dia de amanhã, não é mesmo?

Homero sorriu. De repente, ouviu-se a sirene da viatura policial, que parava em frente ao albergue. Da sala, os três avistaram o clarão vermelho e azul refletido no vidro da janela. A sirene gritava.

A equipe da *Hunt Models* estava reunida no aeroporto John F. Kennedy. No saguão de embarque, enquanto esperava o voo que o levaria de volta ao Brasil, Matheus conferia orgulhoso algumas fotos. Eram imagens cedidas pela agência a título de *making off* do bem-sucedido ensaio fotográfico no *Four Seasons Hotel*. Tinha sido uma das melhores experiências da sua vida, se é que houve outras minimamente tão boas. Ele soube que a partir de então tudo mudaria de maneira irreversível. Isto provocava nele uma mistura de insegurança e prazer. Achava que pela primeira vez estava realmente feliz.

Jéssica fez nova tentativa de reaproximação. Sentou-se ao lado dele. Matheus ignorou-a, fixando-se ainda mais nas fotografias. Ela disse qualquer coisa que o desinteresse dele não lhe permitiu captar. Irritada, Jéssica puxou para si as fotos que ele segurava.

— Ei, estou falando com você!

Matheus foi obrigado a fitá-la. Pediu, tentando manter a calma:

— Devolve as minhas fotos, por favor.

— Não vou devolver nada!

— Essas fotos são minhas, você não tem o direito...

Ela interrompeu-o, já com a voz alterada:

— Direito de quê? De tomar de você? Eu tenho, sim! Fui eu quem arrumou pra você estar aqui nesse momento! Não te passa pela cabeça que você tinha que ter um pouco mais de consideração por mim?

— Ter consideração por você é aturar as suas maluquices?

— Eu não sou maluca!

— Quer saber? A minha consideração por você é a mesma que você tem por mim.

— Ah, mas não é mesmo!

— Bem, pensa o que você quiser. Agora me devolve as minhas fotos...

— Olha o que eu faço com elas...

E Jéssica começou a rasgar as fotografias diante dos olhos dele. Picotou-as em vários pedaços, enquanto Matheus a observava, sem esboçar nenhuma reação. Depois, ela jogou os recortes no chão e os pisou com o salto alto do seu scarpin vermelho Salvatore Ferragamo.

— Agora pode catar, se quiser. Passa na língua e tenta colar os pedacinhos. — Levantou-se e sorriu para ele de um jeito debochado.

— Se você fosse homem, eu te quebrava aqui mesmo — disse Matheus. — Mas como você é mulher, seria covardia. O que eu sinto por você é pena. E nojo! — frisou. — Você não parece filha de um casal tão bacana como o seu Martinho e a dona Hercília. Vai morrer sozinha e mal-amada. Não vai encontrar quem te queira nem por caridade. Você é insuportável, chata e sem graça. Patricinha de merda!

As palavras de Matheus impactaram Jéssica a tal ponto que ela não conteve as lágrimas. Quando se deu conta, estava chorando em silêncio, sem conseguir retrucar. Nunca se sentira tão rejeitada. Tão desprezada. Era quase a morte. Algo inédito para uma jovem acostumada com a bajulação e o desejo de vários homens, ainda que nenhum deles a assumisse de fato. Ela saiu correndo dali, em prantos...

Matheus baixou a cabeça e respirou fundo.

Jéssica entrou em disparada no banheiro e se trancou em uma das cabines. Sentou-se sobre a tampa do vaso sanitário e começou a cravar as suas unhas enormes nos seus antebraços. Ela se arranhava, ofegava e rangia os dentes feito um animal encurralado. Feridas foram se abrindo, e ela parecia suportar as dores como quem tomava um remédio amargo, mas necessário. Sem que percebesse, uma gota de sangue pingou sobre o vermelho do scarpin, misturando-se.

Elisa, uma das assessoras da *Hunt Models*, viu a cena de longe. Imediatamente foi atrás da modelo.

— Jéssica, você tá aí? — Elisa batia na porta da cabine. — Você tá passando mal? Abre e fala comigo, por favor! — Não houve resposta, mas ela insistiu: — Jéssica! Abre, por favor! O que tá acontecendo?

Surgiu um sussurro abafado pelo choro:

— Eu não quero falar com ninguém! Me deixa em paz, eu quero morrer!

— Deixa eu te ajudar. Abre a porta, fala comigo! — implorava Elisa. — O nosso voo sai daqui a pouco! A gente tem que fazer o *check-in*!

— Dane-se! — respondeu, gritando.
— Pelo amor de Deus, só quero te ajudar...
— Eu o odeio! Odeio!
— Quem?
— Ele... Ele...
— Quero saber o que aconteceu...

Como por milagre, Jéssica saiu da cabine e abraçou Elisa, chorando, histérica.

— Calma, meu bem. O que houve com você? Me conta.

Jéssica não conseguia falar. Apenas soluçava.

Elisa sentiu as costas da sua blusa umedecerem e recuou dois passos, trazendo os braços de Jéssica para o seu campo de visão. Tomou um grande susto ao notar as feridas em carne viva...

— Que foi que você fez?!

— O senhor espera um minuto? — O constrangimento de Martinho era visível.

— Claro — assentiu Homero, sempre com um sorriso amistoso.

Hercília já tinha saído. O marido foi logo em seguida.

Dois policiais militares esperavam em frente ao pequeno portão. Assim que os proprietários se aproximaram, um policial foi até a viatura e desligou o giroscópio e a sirene.

— Boa tarde — o outro saudou. — Vocês são os responsáveis pelo estabelecimento?

— Sim, somos nós — respondeu Hercília.

— Algum problema? — Martinho inquiriu.

O policial então revelou:

— Nós tivemos uma denúncia anônima de tráfico de drogas aqui nesse endereço.

O casal se entreolhou assustado. Hercília se mostrou indignada:

— Mas que absurdo! Isso aqui é uma casa de família! A gente nunca mexeu com essas porcarias, não! Quem foi inventar uma calúnia dessa? O senhor só pode estar doido...

O policial ergueu a mão e foi duro com ela:

— Minha senhora, nós estamos aqui fazendo o nosso papel! Se teve denúncia, é nosso dever averiguar! E a senhora meça as suas palavras, porque eu posso lhe dar voz de prisão por desacato à autoridade!

— Eu, presa? Eu sou uma mulher honesta! É ridículo isso! — protestou Hercília, nervosa. — O senhor tem que prender bandido. Aqui não tem bandido, não, senhor!

Àquela altura, um círculo de curiosos havia se formado em torno deles. Era um fato inédito na vizinhança. Todos conheciam a idoneidade do casal e jamais viram, em anos de funcionamento, algo suspeito no albergue. Ao contrário, o antigo casarão na Rua Djalma Ulrich era referência em matéria das melhores hospedarias do Rio de Janeiro, tendo recebido, noutros tempos, artistas, intelectuais e até políticos em início de carreira. Dali despontaram grandes nomes da sociedade, quando ainda ninguém os conhecia.

Martinho interveio, apaziguador:

— Calma, minha querida. Eles estão apenas cumprindo as atribuições deles. Deve ser um mal-entendido...

— Mal-entendido ou não — retrucou o policial —, temos que averiguar. Tem muito traficante com cara de gente decente, acima de qualquer suspeita. Já prendemos uma vovozinha em Ipanema que fazia entrega de baseado em domicílio...

O motorista de Homero assistia de dentro do carro, a certa distância. Não conseguia enxergar o casal nem os policiais por causa da aglomeração em volta. Especulava o que o patrão fazia dentro do albergue naquele instante.

Homero percorria cada cômodo à procura de mais alguma informação sobre Matheus. Nem mesmo ele sabia o que procurava especificamente. Em cada quarto que abria e encontrava hóspedes "desavisados", a frase era sempre a mesma: "desculpe, estou procurando o banheiro."

Não encontrou nada no andar superior e desceu outra vez para a sala principal. A vozearia da confusão provocada pela polícia transpunha o ambiente com a mesma rapidez com que ele pensava onde mais procurar. Reparou com atenção em uma das laterais da sala e percebeu que havia um corredor pelo qual não tinha passado. Foi até lá, caminhou alguns metros e descobriu o quarto de Matheus.

Do lado de fora, o impasse continuava sob olhares atentos. Mais curiosos se aproximaram. Quase todos os porteiros dos prédios vizinhos largaram seus afazeres para espiar o tumulto. O comércio adjacente também parou por conta do alarde. Nas outras ruas de Copacabana já se haviam espalhado diversos boatos a respeito do que estava acontecendo no casarão da Djalma Ulrich.

Martinho dizia para o policial:

— Nós somos pessoas dignas!

O outro PM sugeriu:

— Vamos fazer o seguinte? A gente entra, averigua se está tudo em ordem e, se estiver tudo limpo, a gente vai embora...

Hercília resistiu:

— Não. Aqui no meu albergue ninguém entra! Só com ordem do juiz! Nós somos pobres, mas não somos ignorantes! Conhecemos os nossos direitos!

— Mulher, talvez seja melhor deixar que eles entrem — ponderou Martinho. — Nós não temos nada a esconder. Não tem aquele ditado que diz: quem não deve, não teme? — Ele encarou firmemente os dois policiais. — Vocês podem entrar, por favor. Vão ver que isso é uma grande injustiça. Estão cometendo um erro!

Homero vasculhava o quarto de Matheus feito um cão perdigueiro faminto. Abriu o guarda-roupa, revirou gavetas, investigou até os bolsos das calças, bermudas e camisas que achou durante a sua busca alucinada. Foi em uma pequena caixa de papelão, em cima de um armário velho esquecido num canto do quarto, que encontrou vestígios de uma vida inteira do menino que ele julgava estar morto.

Mergulhou a mão dentro da caixa e remexeu fotografias, jornais antigos, páginas recortadas de revistas pornográficas e, o mais interessante, um rosário. Homero se perguntou se o infeliz era religioso. A julgar pelas fotos, não parecia.

Em uma delas, Matheus estava sentado num gramado com outros garotos da sua idade, fumando às escondidas o que parecia um cigarro de maconha. Noutra, ele em uma partida de futebol; era o mesmo gramado, porém o ângulo da foto era diferente. Ao fundo da imagem, Homero conseguiu visualizar a fachada de um prédio. Na parte alta do edifício estava escrito, com tinta de parede: "Aqui reina a bondade de Deus: Lar de Santa Beatriz de Vicência". Intuitivamente, ele guardou a fotografia no bolso do paletó. Fez as contas de cabeça e concluiu que Matheus teria uns dezoito anos.

"Vivo! Por dezoito anos! E o tempo todo o desgraçado estava tão perto."

Ao abrir a porta para sair do quarto de Matheus, ouviu um falatório, que vazava pelo corredor. Os policiais e os donos do albergue não estavam mais lá fora. Pensou rápido e seguiu.

Quando se deparou com os outros na sala, Homero usou a mesma estratégia: "desculpem, eu procurava o banheiro".

Um dos policiais reconheceu-o de imediato:

— Peraê! O senhor é o doutor Homero Mancini!

Homero lhe estendeu a mão, externando uma simpatia contagiosa:

— Eu mesmo! Prazer, amigo!

Cumprimentaram-se.

Depois o PM aduziu:

— Acho que tudo não passou de um mal-entendido. O doutor não frequentaria uma casa suspeita.

O outro policial arrematou:

— Deve ter sido trote de algum desocupado.

— Com certeza — corroborou Homero, mais que depressa. — Um trote de muito mau gosto. Eu vim tratar de negócios com esse casal e posso lhes garantir que são pessoas idôneas, assim como eu.

Martinho e Hercília trocavam olhares de incredulidade. A situação era tão inusitada, que a eles pareceria menos estranho se uma árvore brotasse no meio da sala.

Capítulo 17

A noviça entrava eufórica pela porta do escritório, segurando uma folha de jornal:
— Irmã Aurora, parece que Deus resolveu ajudá-la em seu propósito. Encontramos algo.

Aurora estava com os cotovelos apoiados sobre a pesada mesa de madeira desbotada, com os dedos entrelaçados e a face levemente encostada nas mãos suspensas ao ar. Os olhos fechados como quem rezasse em silêncio. Assim que a noviça irrompeu na sala, ela despertou.

A jovem religiosa então estendeu a folha de jornal em cima da mesa, sem perder o entusiasmo:
— Acho que é ele!

Aurora pousou a sua visão atenta sobre a imagem exposta diante dela. Depois de um breve tempo, sussurrou:
— É ele, sim...

Desde que Irmã Eulália falecera, os apelos para que Irmã Aurora assumisse seu lugar na administração do orfanato foram intensos. Apesar de no princípio recusar a nova função, alegando inexperiência administrativa, não demorou para que ocupasse o lugar da falecida Madre Superiora. A decisão foi tomada pelo Arcebispo e, embora todo o procedimento clerical tivesse demorado pouco mais de um mês, Aurora sentia como se tivesse levado apenas algumas horas para acontecer.

Tão logo tomou posse, a nova Diretora passou a ter à sua disposição noviças e freiras subordinadas para auxiliá-la nas suas diversas atribuições. E se valendo disso, ela montou uma verdadeira equipe para pesquisar, diariamente, em jornais e revistas, notícias que ajudassem a localizar o paradeiro de Matheus.

Estava convicta da sua decisão, mesmo que lhe acarretasse graves consequências posteriores. Poderia inclusive ser expulsa da Ordem, mas nem essa possibilidade foi capaz de demovê-la de sua ideia.

— Agora que descobrimos, o que pretende fazer? — perguntou a noviça, sem disfarçar a sua afiada curiosidade.

Aurora apontou para o texto no jornal:

— Quero que uma de vocês descubra o telefone dessa agência de modelos que está escrita aqui, *Hunt Models*. Eu preciso falar com esse tal Fran... Francesco Borto...

— Francesco Bartolotto. — A noviça se recordava bem do nome que lera na reportagem.

— Isso.

— Acha que ele pode ajudar?

— Eu tenho certeza, irmã. É ele quem vai me dizer onde está o Matheus.

Aurora, mais uma vez, teria êxito...

O clima no albergue era de festa. Matheus e Jéssica haviam chegado de Nova Iorque na noite anterior, exaustos. Logo, eles cuidaram de desfazer as bagagens, cada qual no seu quarto, e em seguida dormiram. No outro dia, Martinho preparou um delicioso churrasco nos fundos do casarão, onde também havia um belo jardim e um amplo pátio pavimentado com cascalho vermelho.

Hercília passou, levando a panela de arroz até uma bancada, enquanto Martinho separava pedaços de carne em uma bandeja de aço inox. Os hóspedes foram convidados, e um deles enchia algumas tulipas com cerveja gelada. Na cozinha, o aparelho de som permanecia ligado e transbordava a melodia suave de Sala de Recepção, de Cartola.

Martinho se aproximou de Matheus e estendeu a bandeja.

— Pega aí, rapaz, acabei de tirar; tá malpassada e bem temperadinha, como você gosta.

Matheus beliscou com um garfo alguns pedaços de carne e os colocou num pequeno prato de vidro.

— Eu tava morrendo de saudade dessa comida. Não aguentava mais aquela frescuragem toda que serviam no hotel. Aquilo é pra doente, não enche barriga de ninguém e não tem gosto de nada! É bonito só pra tirar foto! — declarou, arrancando gargalhadas de quem estava ao redor.

— Aproveita! Aqui a comida é do jeito que o povo gosta! — interveio Hercília, trazendo um vasilhame com molho vinagrete.

Matheus riu alto.

— Eu sei, por isso mesmo estava com saudade!

— E correu tudo bem lá com você? — quis saber Martinho, pegando um copo de cerveja.

— Correu, né... Quer dizer, mais ou menos. Teve uns probleminhas, mas não foi com o pessoal da agência...

Hercília imediatamente pôs a mão na testa.

— Meu Deus, não me diga que o problema foi com a Jéssica? — E, antes que ele pudesse responder, Hercília espiou em volta. — Por falar nisso, cadê essa menina, que não está aqui com a gente?

A campainha tocou.

— Um de vocês pode atender, por favor? — pediu Hercília. — Vou lá dentro caçar a Jéssica. Não gosto quando ela some.

Martinho fez menção de ir até a porta principal do albergue, porém Matheus se ofereceu para fazê-lo:

— Deixa que eu vou, seu Martinho.

— Obrigado, meu filho. Vou dar uma olhada na carne, senão queima.

Ao abrir a porta, Matheus se deparou com a freira de rosto piedoso, usando um hábito escuro com uma cruz metálica que pendia na altura dos seios.

— Matheus...? — Ela parecia admirada como quem visse um milagre.

— A senhora? — Reagiu com espanto.

— Lembra-se de mim?

Ele respondeu, depressa:

— Claro! Irmã Aurora!

O sorriso da freira quebrou o clima tenso.

— Isso mesmo!

— A sua bênção!

— Deus te abençoe, meu filho.

Matheus parecia subitamente sem jeito, falava baixo e devagar:

— Desculpa, irmã, não quero ser indelicado, mas seria muita grosseria da minha parte perguntar como a senhora me encontrou e por que veio me procurar?

Ela agravou o semblante.

— Nós precisamos ter uma conversa. Eu tenho algo a lhe contar. Algo muito sério, que pode trazer consequências para nós dois. Se você me deixar entrar, eu posso explicar tudo com calma.

Matheus recuou para o lado e deu passagem.

— Entre, irmã, por favor…

Jéssica estava sentada na cama junto com a mãe.

— Minha filha, você vai ficar o dia todo trancada aqui nesse quarto?

— Vou. Prefiro assim.

— Por quê?

— Não quero olhar pra cara do Matheus.

— Mas o que ele te fez?

— Nada, deixa pra lá.

— Na certa, brigaram na viagem, porque alguma você aprontou, te conheço, e não foi coisa boa — especulou Hercília. — Ele é um bom moço.

Jéssica encarou a mãe e era nítida a raiva que sentia naquele momento. Queria sangrar a reputação de Matheus. "Bom moço filho da puta, que me rejeita; ele vai ver do que sou capaz".

Em questão de segundos, bolou mil planos e, dentre tantos, escolheu um para disparar feito uma flecha manuseada por um exímio arqueiro.

— Ele não é quem vocês imaginam. Ele enganou a todos nós — alegou Jéssica. — Só Deus e eu sabemos o que passei. — Lágrimas começaram a brotar dos seus olhos, sem que ela as procurasse conter. — Foi algo terrível! Eu jamais vou esquecer… — E desabou em prantos.

— O que foi, minha filha? — indagou Hercília, nervosa.

Jéssica soluçava e por fim acusou, sem nenhum embaraço ou encargo na consciência:

— Mãe… eu fui violentada pelo Matheus.

Na mesma hora, Hercília sentiu um choque, como se tivesse levado uma bofetada. De repente, tudo ficou fora de foco, e ela balbuciou, perplexa:

— Quê?…

— Ele me violentou no quarto do hotel, enquanto eu dormia. — Ela chorava e soluçava de modo frenético, as palavras saíam entrecortadas, porém firmes: — Eu não tive... não tive como me defender... Ele me segurou, me pegou à força... de madrugada... Disse que se eu tentasse gritar, me esganaria... Eu tive muito medo, mãe... muito medo...

— Não é possível! Isso é demais pra minha cabeça! É absurdo! A senhora tem certeza do que acabou de me dizer?!

No andar de baixo, Matheus e Irmã Aurora se confrontavam. Em poucas palavras, ela mudou a vida inteira dele. Era como se uma bomba atômica tivesse caído ali naquele instante. Sempre quis saber a verdade sobre os seus pais biológicos; queria descobrir a sua história, a sua origem; nunca aceitou ser apenas mais um menino infeliz sem passado e sem perspectiva de futuro, abandonado num orfanato religioso. Agora, havia uma história! A história dele, mas era difícil acreditar. Era impossível. Se não fosse pela idoneidade de Irmã Aurora, ele teria suposto se tratar de uma piada.

— Certeza absoluta, filho! Eu jamais seria leviana fazendo uma revelação dessa sem ter certeza!

Ele tentava concatenar os fatos. A sua voz saía pausada e cautelosa.

— Então, espera. Deixa ver se eu entendi. Eu sou filho de uma banqueira bilionária, já falecida... O último marido dela, também banqueiro, também bilionário, doutor Homero Mancini, assumiu toda a herança, incluindo a fortuna do banco, por não saber da minha existência, por achar que eu estava morto... É isso?

— Sim.

— E quando a minha mãe morreu no incêndio da tal famosa mansão na Gávea, eu fui salvo por alguém... que me entregou no orfanato?

— Exato.

— Esse alguém não foi o marido dela, porque ele não estava em casa na hora do incêndio, confere?

Daquela vez não houve resposta. Irmã Aurora teve uma súbita vertigem e logo foi amparada por Matheus. Ele a deitou cuidadosamente no sofá e usou uma almofada para abaná-la. Aurora estava pálida e sem forças. As mãos, caídas sobre o hábito; das têmporas escorria um fio de suor.

— Irmã, vou chamar um médico! A senhora não me parece nada bem!

Ela reuniu alguma força que ainda lhe restava e agarrou o braço dele.

— Não!

— Mas, irmã...

— Eu estou bem. Foi só um mal-estar.

— Melhor chamar um médico...

— Já disse que estou bem! — A voz dela saiu áspera, mas, percebendo, ela tratou imediatamente de se recompor. — Me perdoe se fui indelicada com você, é que não há mesmo com o que se preocupar. Deve ter sido o calor, está muito quente aqui dentro. Foi uma queda de pressão, nada mais. — Ela se levantou e foi cambaleando até a porta, como um assaltante ferido que foge da polícia. — Eu agora preciso ir. As crianças me esperam. Foi bom revê-lo, filho.

— Irmã...

— Sim, Matheus?

— A senhora não me disse como me encontrou aqui...

— Eu vi a sua foto no jornal. Vi que está trabalhando como modelo. Na matéria constava o nome da agência, procurei o telefone, liguei para lá, e eles me informaram o seu endereço. Aliás, quero te desejar muito sucesso. — Ela deu as costas novamente e pôs a mão na maçaneta.

O rapaz chamou-a outra vez.

— Irmã!

Ela permaneceu de costas para ele:

— Sim?

— Não tem mais nada que a senhora queira me contar?

Fez-se novo silêncio. Alguns segundos. Por fim, ela respondeu:

— Não. Não tem mais nada.

Aurora abriu a porta e saiu. Não esperou que Matheus a conduzisse ou, quem sabe, a ajudasse a tomar um táxi na rua. Ela continuava com aspecto abatido, porém não deu a ele a chance de retribuir o cuidado de anos no orfanato.

Para Matheus havia algo mal explicado. A atitude repentina da freira aumentou a sua desconfiança. Ele já tinha as primeiras peças do quebra-cabeça que pretendia montar. Precisava de mais. E já sabia onde procurar.

— Temos que contar pro seu pai! É muito grave isso — disse Hercília à Jéssica.

A filha desesperou-se:

— Não, pelo amor de Deus, mãe, não conta!

— Como assim não conta? Por quê? Se o Matheus fez isso com você, ele tem que pagar! — retrucou Hercília, apesar de seu discurso soar estranho a ela mesma. — Nós vamos, sim, contar pro seu pai, depois vamos à polícia...

Jéssica, no entanto, foi irredutível:

— Eu não vou à polícia nem a lugar algum! É uma decisão minha, a senhora tem que respeitar! O crime nem foi cometido aqui no Brasil!

— Jéssica, eu não posso te obrigar a ir até a polícia comigo, mas vou contar pro seu pai, sim, e o Matheus vai ser expulso dessa casa!

— Eu digo ao meu pai que é mentira! Eu nego tudo!

Hercília observava-a duramente:

— Se ele fez uma barbaridade dessa, por que você ainda está protegendo esse...?

Jéssica respondeu, entre lágrimas e um sorriso melindrado, sem conter a emoção descomunal que saía nas suas palavras:

— Porque eu amo o Matheus! Ele é o homem da minha vida! Eu sou capaz de tudo pra ficar com ele, mãe! Será que a senhora não entende?

Hercília parecia não acreditar:

— Seria capaz até de aceitar uma violência contra você?! Um homem que comete um ato desses não é um bom sujeito pra minha filha... pra ninguém!

— Pouco me importa! Eu o quero pra mim!

Hercília parou alguns segundos e analisou o comportamento de Jéssica; em seguida, argumentou:

— Filha, você não está legal. Talvez seja a hora de você retomar o seu tratamento... retomar a terapia... voltar com a medicação.

Desde a infância, Jéssica sofria de Transtorno de Personalidade Limítrofe Borderline. No princípio, seus pais não quiseram aceitar. Nossa filha? Com uma doença psiquiátrica? Mas conversaram com o médico sobre os sintomas e começaram a perceber, e a admitir, que Jéssica era, sim, agressiva, emocionalmente instável, extremamente possessiva.

Hercília já tinha visto o "encanto" de Jéssica se transformar em tormento. As relações que a filha desenvolvia quando se apaixonava beiravam o perigo, para todos à sua volta. Ela não conhecia limites para satisfazer a sua enorme carência afetiva. Hercília sabia muito bem disso e essa era a sua maior preocupação. Vivera momentos terríveis por conta da doença quando Jéssica era adolescente.

Certa vez, Jéssica quebrou quase a casa inteira, num acesso de fúria e nervosismo, porque um rapaz havia lhe "dado um fora" no colégio. E muitos episódios como esse aconteceram entre os primeiros sinais na infância e o diagnóstico na adolescência. Até então, Martinho e Hercília não sabiam como lidar com tanta impulsividade, nem o que poderiam fazer para evitá-la. Descobriram apoio num psiquiatra e psicoterapeuta do bairro, recomendado por amigos. Jéssica passou a ir ao consultório com regularidade e a tomar os medicamentos prescritos.

Entretanto, ela abandonara o tratamento assim que começou a viajar e a ganhar dinheiro como modelo. Hercília temeu voltar a viver aqueles momentos; não os suportaria.

— Minha filha, volta a fazer o seu tratamento — insistiu, angustiada.

— Não tenho mais tempo pra isso, mãe! E estou no meu juízo perfeito! — resistiu Jéssica, de forma clara.

Entrou no pátio do quartel e sentiu o coração bater mais forte. Ali estavam as suas melhores lembranças. E as piores também. Um turbilhão de rostos que ajudara a salvar durante o tempo em que fez parte da corporação espocava diante de seus olhos, em pequenos *flashes* guardados na memória. Tinha muito do que se orgulhar. Os anos de estudo que o fizeram ser aprovado no concurso para ingressar no Corpo de Bombeiros do Estado do Rio de Janeiro, ainda quando jovem, valeram muito do seu esforço. Era gratificante, sem dúvida. Amava tanto a profissão, que jamais se imaginou exercendo outra. O uniforme era o traje do herói; era assim que o chamavam quando realizava um salvamento bem-sucedido, em que dezenas de vidas em perigo escapavam da morte. Emocionou-se em silêncio. As lágrimas escorriam serenamente pelas laterais dos seus olhos.

Atravessou o pátio principal e seguiu por um corredor estreito, no fim do qual havia uma escada vermelha em espiral. Subiu devagar, apoiando-se no corrimão de ferro, tomando fôlego e coragem. Já no segundo pavimento, fitou a porta que ficava de frente para outro corredor. Seguiu por ele, em passos lentos. Estava a alguns metros do lugar onde selaria o seu destino incerto. Dali não haveria como voltar atrás.

"Tenho que fazer isso, preciso recuperar a paz na minha consciência", pensava, procurando convencer a si mesmo, ainda que isso destruísse todas as boas lembranças de um passado honroso.

Bateu à porta.

Uma voz rouca soou lá de dentro, ordenando-lhe que entrasse.

Ele adentrou. A sala era enorme. Admirou-se e concluiu que o tempo de aposentadoria teria reduzido na memória o tamanho dos espaços. As paredes eram repletas de quadros, fotos, pôsteres e medalhas. O ar-condicionado permanecia o mesmo: um grande trambolho marrom e barulhento.

Deparou-se com uma linda jovem. Atrás dela, sentado a uma mesa de madeira velha e escalavrada, um homem. As condecorações presas ao uniforme na altura do peito dele não deixavam dúvidas de que se tratava de um oficial.

— Teixeira! — O militar se alegrou tão logo viu o colega cruzar a porta. — Que surpresa, meu bom! De visita?

Teixeira contorceu os lábios, nervoso.

— Infelizmente, não, comandante. Vim tratar de um assunto muito sério. — Ele correu os olhos na moça, que continuava no recinto, e acrescentou, de forma polida: — Sério e confidencial.

O comandante pigarreou e disse:

— Ah, sim, claro, entendi. Mas deixa eu te apresentar. — Ele acenou para a jovem. — Essa é a famosa jornalista Mariana Serqueira, do Tribuna Fluminense. Veio fazer uma matéria sobre os bombeiros expulsos da corporação por envolvimento com o crime.

Mariana estendeu a mão:

— Muito prazer.

Ele apertou a mão dela.

— Emanuel Teixeira. Prazer. Leio sempre as suas matérias investigativas — revelou. — São muito boas, fazem jus à sua fama. Só não imaginava que fosse tão jovem.

Mariana sorriu.

— Ah, obrigada, imagina! Nem me considero tão boa assim.

"Boa, não. Gostosa. Gostosa pra caralho", pensou o comandante lá de trás da sua mesa velha, sentindo um princípio de ereção.

De fato, Mariana Serqueira era o que se podia chamar de mulher bonita. Ou mulherão, como diziam alguns colegas nos bastidores da imprensa carioca, nos seus recentes vinte e quatro anos. Na verdade, a sua beleza chegou a constituir um obstáculo para que ela conquistasse o respeito e a credibilidade fundamentais a uma jornalista que quisesse fazer uma bela carreira. Não eram raras as piadinhas e os comentários maliciosos sempre que precisava de algo na redação.

Quando pedia uma câmera fotográfica emprestada, por exemplo, vez ou outra ouvia: quer só a câmera? Ou: só empresto se você jantar comigo essa noite.

Com a determinação de uma guerreira em campo de batalha, conseguiu se estabelecer na profissão em pouquíssimo tempo. Finalmente, seu corpo delineado com curvas perfeitas deixou de ser a sua principal característica e cedeu lugar a uma reputação profissional honrosa e invejável. As suas matérias, quase sempre investigativas, estavam no *rol* das mais lidas do país. Era comum gerarem grandes escândalos, o que ela preferia classificar como meros furos de reportagem. Esses "furos" iam desde políticos corruptos a famílias tradicionais envolvidas em atitudes criminosas. Um ano antes, ajudara a Polícia Federal a desmontar um esquema milionário comandado por duas importantes empresas estatais. Foi mais do que o suficiente para que a figura de estagiária inexperiente ficasse no passado.

Mariana tinha uma particularidade que a ajudou muito na sua bem-sucedida carreira: o faro jornalístico para uma boa matéria de capa. Não se lembrava de alguma vez ter se enganado. E, naquele momento, seu olfato captou algo. A conversa entre aqueles dois homens seria mais um furo que orgulhosamente ostentaria no currículo.

Mariana fez menção de sair.

— Bem, eu vou deixar os senhores à vontade. Apenas preciso da sua permissão pra tirar umas fotos do quartel, pra estampar a matéria.

O comandante abriu um sorriso iluminado.

— Claro, meu doce! Pode tirar foto do que quiser.

Mariana sugeriu:

— Eu queria deixar a minha bolsa aqui e levar só a câmera. Depois eu volto pra buscar, pode ser?

— Claro! Claro!

— Obrigada, comandante. O senhor é muito simpático. — Um elogio estratégico.

— Assim você me deixa encabulado...

Mariana foi até uma cadeira próxima a eles e colocou a bolsa sobre o assento. Enquanto tirava a câmera, discretamente ligou um gravador e deixou a bolsa aberta.

— Já peguei a minha companheira — disse, referindo-se à câmera.

Depois saiu da sala.

O comandante então encarou Emanuel Teixeira:
— Diga lá, meu bom, o que aconteceu de tão sério?

Horas mais tarde, na sala do seu apartamento simples, no oitavo andar de um prédio antigo em Botafogo, Mariana ouvia a gravação...
— *Diga lá, meu bom, o que aconteceu de tão sério?*
— *Não sei se você vai lembrar, mas naquele acidente na serra de Petrópolis, há dezoito anos, em que pensávamos que todos morreram...*
— *Sei, lembro. Eu era de outro grupamento, mas fiquei sabendo. Não foi o acidente com os empregados daquela ricaça, a... como é mesmo o nome dela? A...*
— *Laura Leubart...*
— *Isso. Laura Leubart. Viúva daquele banqueiro que morreu no acidente de helicóptero, indo pra Angra, e que nunca encontraram o corpo...*
— *Pois é. Exatamente. Havia uma criança no carro.*
— *Criança? Mas isso nunca foi falado...*
Mariana pôde ouvir Emanuel Teixeira interrompendo o comandante aos gritos:
— *Porque eu ocultei! Eu ocultei que uma criança estava no carro e que tinha sobrevivido. Eu não comuniquei o fato aos meus superiores!*
— *Que história é essa? Como você soube de criança? Não comunicou por quê? Por que você fez isso?*
— *Eu resgatei a criança e logo depois a entreguei pra Laura Leubart...*
O comandante parecia aturdido.
— *Você... o quê?!*
— *Ela me pediu que entregasse o menino a ela... Que não comunicasse a sobrevivência dele. Ela disse que o criaria como filho dela e...*
Naquele ponto, Mariana ouviu o ranger da cadeira do comandante sendo arrastada para trás, enquanto ele provavelmente se punha de pé.
— *Você é louco?! Como pode ter feito uma besteira dessas?! O que deu na sua cabeça?!*
— *Eu pensei no bem-estar da criança...*
— *Porra, Teixeira, você não é juiz, caralho! Você não tinha autoridade pra decidir o que era melhor pra criança!*
— *Eu sei! Eu sei disso! Foi uma falha e, se quer saber, eu sou atormentado por isso até hoje! Até porque isso pode vir à tona a qualquer momento...*

— Por que vir à tona? Como assim?

— Porque talvez o menino não tenha morrido naquele incêndio da mansão dos Leubart. O corpo nunca foi encontrado. Todas as noites eu tenho pesadelos com esse menino, todas as noites!

Alguém tinha entrado na sala de repente, e eles interromperam o diálogo. Era um soldado avisando sobre a ausência de um colega. Depois, o barulho da porta se fechando. Só então continuaram. E pareciam mais calmos.

— Você vai fazer o seguinte, Teixeira: não vai contar isso pra mais ninguém. Vamos abafar esse caso aqui mesmo. Isso morre aqui, parceiro, pra não dar encrenca!

Mariana sentiu sinceridade quando escutou o outro retrucar:

— Se eu tiver que responder por isso, vou responder. Vou assumir...

Mas o comandante soava decidido.

— Ninguém vai assumir nada porque essa conversa nossa morre aqui, entendeu? Aliás, pra todos os efeitos, essa conversa nunca existiu, você nunca me contou sobre isso, eu nunca soube de nada. Melhor pra nós.

Para eles, sim. Porém, para Mariana, não.

"A história não morre aqui", foi o que pensou ao enfiar o gravador de volta na bolsa. Ela ainda reuniria mais provas até formar um grande furo jornalístico.

E assim Mariana fez durante um tempo...

A sede do Tribuna Fluminense ficava num prédio acinzentado e dividido por esquadrias de alumínio em doze pavimentos, que pareciam enormes varandas debruçadas sobre o início da Avenida Brasil, vizinho ao Cais do Porto e próximo ao Cemitério do Caju. Embora a construção se destacasse por seu estilo taciturno, era o símbolo do que havia de melhor no jornalismo do Rio de Janeiro. O que saía daquelas redações tinha o poder de, em poucas horas, repercutir em todo o país.

Aurélio Cartaxo era editor-chefe do jornal. Um homem baixo, calvo, com um nariz curto e levemente adunco. A silhueta por trás de um terno quase sempre amarfanhado revelava a barriga saliente, que o deixava com um aspecto menos formal do que deveria ter, levando-se em conta a importância do cargo que ocupava.

Aurélio era conhecido também pelo jeito enérgico de falar com a sua equipe, sobretudo quando sua intuição lhe dizia que uma reportagem não deveria ser publicada. Costumava ser irredutível nestas questões.

Mariana estava ansiosa para contar tudo que descobriu durante o tempo de pesquisa minuciosa a respeito da história de Matheus, contudo ela conhecia como ninguém o temperamento de Aurélio. Já tivera opiniões contrárias às do chefe e nunca foi fácil convencê-lo. Como naquele dia.

— Não, não e não — repetia Aurélio, incansavelmente.

Mariana fazia muxoxo e teimava:

— Mas por que não?

Ele empurrou a porta de forma abrupta e entrou na sala dele. Ela entrou junto. A porta bateu com força atrás deles.

— Porque algo me diz que isso vai dar merda das grossas! — justificou.

— Tá bom, mas posso saber por quê?

— Mari, você acha que a gente vai mexer nesse vespeiro e vai ficar por isso mesmo?

— Mas a Laura está morta!

— Ela, sim! Só que o doutor Homero, não! — destacou. — E ele é um dos homens mais ricos do mundo! Abre a listagem da Forbes e vê! Ele pode trazer graves problemas pro nosso jornal!

— Mas por que isso seria ruim pra ele ou pras empresas dele?

Aurélio soltou uma gargalhada nervosa.

— Você tá de brincadeira comigo, né? Não é possível que você não se tocou ainda de que vai ser um escândalo na hora que todo mundo souber que o herdeiro desaparecido, na verdade, foi registrado como filho por meio de um ato criminoso! A Laura Leubart, falecida esposa do doutor Homero, roubou o garoto durante o acidente, isso é grave!

— Roubou, não! — protestou Mariana. — O tal Emanuel não foi obrigado a nada! Ele mesmo disse que entregou o menino pra ela porque achou que seria melhor!

— E daí? O nome do doutor Homero, a família dele, as empresas dele, tudo seria manchado por essa história! Pra imagem de um bilionário poderoso seria péssimo um escândalo em família! Mari, esquece, tá? Apaga essa gravação e parte pra outra. Você tem plena capacidade pra isso! Agora me deixa trabalhar...

Mariana ainda tinha muitos argumentos, mas preferiu calar-se. Quando deixou a sala do chefe, foi direto para a sua mesa de trabalho. Abriu o editor de textos e começou a digitar rápido. Os dedos estalavam no teclado com precisão e os olhos estavam fixos no monitor onde surgia cada palavra.

Aurélio fora incisivo: a matéria não seria publicada. Contudo, ele não poderia impedi-la de ser escrita. Mais uma vez, Mariana seguiu o seu instinto, e seria a primeira vez que não acataria uma decisão superior.

— Desculpa, Mari, mas a pauta já foi fechada na reunião hoje cedo — explicava, meio sem graça, a colega da edição.
— Eu sei — retrucou Mariana —, só que é ordem do Aurélio, sabe como é. Acabei de passar na sala dele, e ele quis acrescentar essa matéria de última hora.
— Tá. Vou confirmar com ele e...
— Se eu fosse você, não faria isso!
A colega contraiu as sobrancelhas.
— Por quê?
Mariana confidenciou baixinho:
— Tá com o humor do cão!
— Xiiii... É mesmo, é?
— Por isso ele me pediu pra resolver direto com você, porque ele tá num estresse danado. Parece que andou brigando com a mulher, briga feia, acho até que vão se separar. Falou que hoje não tá pra ninguém, nem pro Papa!
A colega estremeceu e mudou de ideia.
— Dê-me aqui, então... Deixa pra lá, não vou encher o saco dele...
Mariana lhe entregou um disquete com o texto da matéria.
— Com certeza vai ser acrescentado?
A outra garantiu, prontamente:
— Claro! Amanhã estará em todas as bancas.

"HISTÓRIA SECRETA DA FAMÍLIA LEUBART: O LADO OBSCURO DA ELITE CARIOCA".

Foi essa a manchete na capa do Caderno Especial do Tribuna Fluminense, voltado a reportagens investigativas... e polêmicas. A matéria era assinada por Mariana Serqueira.

Aurélio Cartaxo quase teve um infarto. Mandou chamar Mariana imediatamente na sua sala.

— O que significa isso? — Ele atirou o jornal com toda a força em cima da mesa, assim que Mariana passou pela porta.

— Olha, Aurélio, você me desculpa, mas eu não podia faltar com o meu dever como jornalista...

— Seu dever? Eu te proibi de publicar essa história! Você me desobedeceu!

— Eu sei, mas você ainda vai perceber que foi melhor! O direito à informação tem que estar acima dos nossos receios pessoais.

— Não me venha dar lições! — Ele estava a ponto de explodir.

— Desculpa... Só estou dizendo...

— Você descumpriu a minha ordem! Eu sou o editor-chefe deste jornal! Existe uma hierarquia e você deveria tê-la respeitado!

— Você está muito nervoso, Aurélio, depois nós conversamos, ok?

Ele tinha manchas vermelhas no rosto, provocadas pela raiva.

Mariana fez menção de sair. Porém, Aurélio foi duro com ela.

— Eu não terminei! Fique onde está!

— Nós não precisamos discutir isso agora...

— Não te chamei aqui pra discutir. O que tá feito, tá feito. Não há como voltar atrás de uma irresponsabilidade como essa. — Depois de uma pausa, ele temperou o tom da voz. — Só que toda ação gera uma reação. Toda escolha leva a uma consequência. E você fez a sua escolha, agora arcará com as consequências.

— Do que você está falando?

— Mariana — a voz de Aurélio era um misto de comiseração, dor e raiva —, eu tiro o meu chapéu pro seu trabalho. Você é uma excelente jornalista, é inegável, mostrou isso desde que era uma estagiária recém-formada. Eu nunca teria desejado perder uma profissional como você... — Respirou fundo, e continuou: — Mas infelizmente terei de te demitir. A partir deste momento você não faz mais parte da nossa equipe. Você está demitida!

Mariana piscou, atônita.

— O quê?! Você só pode estar...

Ele a interrompeu bruscamente:

— Passe no RH pra que seja efetivado o seu desligamento do jornal. Não se preocupe, todos os seus diretos serão assegurados.

— Aurélio, por favor, você não pode fazer isso comigo! Você está cometendo um erro!

— Posso! Você sabe que eu posso, Mariana! E estou fazendo! Você ignorou uma ordem minha, que sou seu chefe, e isso não pode... não vai ficar sem punição! É meu dever puni-la de forma exemplar! E fique satisfeita por eu não apresentar justa causa!

Mariana argumentava o máximo que podia, em total desespero:

— Me puna de outro jeito. Me afaste, me coloque em algum serviço burocrático fora da redação, bloqueie meu acesso ao sistema, qualquer coisa, mas demissão é uma injustiça!

— A sua insubordinação me fez perder a confiança em você.

— O seu orgulho de chefe é maior que o seu dever como jornalista?

— Não vou discutir ética com você agora. Se você não aprendeu isso na faculdade, não serei eu quem vai ensinar. Passe no RH — repetiu Aurélio, de modo frio, sem sequer fitá-la nos olhos pela última vez.

Mariana deu as costas e, antes de sair, tornou para ele:

— Você está cometendo um grande erro. O tempo vai te provar isso.

E ela saiu, para nunca mais voltar.

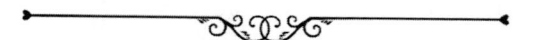

A notícia do herdeiro do conglomerado empresarial dos Leubart se tornou o assunto mais comentado em todo o país. A história parecia um conto novelesco e não demorou a surgirem teorias, suposições, especulações e boatos. Alguns diziam que Laura Leubart abandonara o "filho bastardo" muito antes de ela morrer no incêndio na sua mansão na Gávea. Outros acrescentavam que o tal herdeiro não passava de um impostor, que certamente fazia parte do Corpo de Bombeiros do Rio de Janeiro e que pretendia "dar um golpe" em Homero Mancini, o viúvo bilionário presidente do *Pex BL Investment*, que se originou do Banco Leubart S/A.

O mercado financeiro também reagiu à notícia. Em poucas horas, as ações do Pex BL começaram a sofrer extremas oscilações na Bolsa de Valores, e os preços dos papéis variavam de acordo com a onda de boataria. Foram registradas quedas consideráveis na aquisição de ações da companhia e um aumento preocupante no volume de vendas. Empresários temerosos se desfizeram das suas ações antes do fim do dia, prevendo um possível colapso nas finanças da empresa. O poder de comando da instituição era incerto com a notícia do novo herdeiro.

O interessante na história era o império que estava em jogo. Desde a fundação do Banco Leubart até a sua transformação no *Pex BL Investment*, o patrimônio do gigante financeiro aumentou de forma espantosa. Homero Mancini era o que se podia classificar como um verdadeiro *businessman*. Era astuto. Sagaz. Entendia como ninguém de finanças e de tendências do mercado de ações. Era bom em números. Tantas habilidades empresariais faziam dele um executivo bastante admirado no ramo.

Até aquele momento constavam no patrimônio da companhia edifícios inteiros, mansões, frotas de veículos, aviões e jatos próprios; participação acionária em cadeias de rádio e TV, títulos da dívida pública. Além de uma dezena de outras empresas menores que funcionavam como tentáculos em diversos setores, como agências de publicidade, instituições bancárias de médio porte e lojas de departamentos espalhadas no Brasil e no mundo. Uma fortuna quase incalculável, que não raramente aparecia na lista da Forbes.

Homero estava em viagem à Bacia de Campos, no litoral norte do estado, prestes a inaugurar a sua plataforma de prospecção e exploração de petróleo: uma nova atividade para o próspero e invejável conglomerado do qual era presidente.

Depois de romper a fita verde de cetim amarrada a duas colunas da plataforma, concluindo simbolicamente a inauguração, Homero caminhou para o seu helicóptero, sob aplausos acalorados.

Um dos seus assessores se aproximou, antes que ele se acomodasse para a decolagem.

— Doutor...

Homero fitou-o enquanto se sentava e pegava uma taça de champanhe no frigobar do helicóptero.

— O que houve?

O assessor exibiu o jornal que trazia em mãos.

— O senhor precisa ver isto...

Homero pegou o jornal e leu o enunciado da primeira página. Imediatamente seus olhos se estreitaram. A sua expressão era de alguém que tivesse acabado de tomar um remédio amargo. E talvez não fosse remédio... fosse veneno.

— O que significa isso? Que palhaçada é essa de herdeiro?

O assessor parecia constrangido. Mesmo assim, comentou:

— Bem, pelo que li, se for verdade o que diz a matéria, o filho da sua falecida esposa, que todos pensavam que havia morrido no incêndio, está vivo.

Homero não percebeu que estava gritando.

— Como assim, vivo?

O assessor deu de ombros.

— É o que diz aí, doutor.

"Maldito! Mil vezes maldito! Eu mato esse desgraçado, juro por Deus que eu mato! Ele não vai atrapalhar tudo que já foi feito... atrapalhar os planos! Vou cuidar de mandá-lo de uma vez por todas pro inferno!"

No quarto de um casebre simples no interior da Paraíba, a velha cochilava. Sempre pedia a Deus para sonhar com o marido, morto havia uma década, vítima de um infarto do miocárdio. Chica era sua afilhada, uma jovem magricela, de aspecto cansado, olhos fundos, cabelos desgrenhados e empoeirados. Tinha seus vinte e poucos anos, mas a fisionomia aparentava bem mais que isso.

A televisão ficava na sala e era mal sintonizada, cheia de pavorosos chuviscos e fantasmas; o sinal que chegava à minúscula antena era precário. Possuir uma TV naquelas redondezas era um luxo para poucos privilegiados. A cidade ficava no sertão, vizinha ao município de Quixaba, e distava pouco menos de trezentos quilômetros da capital, João Pessoa.

Chica costumava — ou tentava — assistir ao noticiário todos os dias. Era assim que ela e a velha ficavam sabendo do que se passava no mundo. Um mundo que não parecia o delas. O tempo e o lugar em que viviam, naquelas circunstâncias, em meio a tanta ausência e miséria, parecia não existir.

Todo dia era sempre tudo igual: Chica se sentava em frente à TV, apoiava um prato sobre as suas pernas raquíticas e ia descascando legumes, que depois usaria para preparar a comida da madrinha. A saúde da velha era muito frágil, e quase sempre o que se tinha para comer era uma sopa com legumes amassados. Da janela se via o pó da terra que a aragem levantava quando vinha sacudir as quixabeiras. E o deserto.

Vez ou outra, passavam algumas crianças maltrapilhas correndo, brincando com estilingues de vara de bambu e elástico de tecido, ou com carrinhos feitos com restos de madeira. O gado anêmico também compunha a paisagem desoladora de um lugar onde vida e morte certamente pareciam a mesma coisa. Um povo sofrido, calejado, que aprendeu a viver sem grandes expectativas. Talvez a maior ambição daquelas pessoas fosse ter água suficiente para não reclamarem do castigo da seca. Mas até isso significava um sonho distante.

 O som da TV vazava para os outros cômodos. Quando ouviu o repórter comentar uma notícia, a velha abriu os olhos imediatamente na cama e se levantou depressa, usando a pouca força que ainda lhe restava naquele final de vida. Arrastou-se até a sala.

 — Chica! Ô, Chica!
 — A senhora levantou, madrinha?
 — Ôxi, sá'minina, ainda tô viva! Não tá me vendo? Claro que levantei!
 — A senhora quer alguma coisa?
 — Quero! Aumenta um "cadim" o volume da televisão! — A velha acenou nervosamente para os ouvidos. — Eu quero escutar isso que esse "hômi" tá falando no jornal.

 Chica pôs o prato de lado, com os legumes descascados pela metade, aproximou-se da TV e deu alguns cliques num botão. O som tomou conta daquele ambiente de paredes de barro amarelo e tijolo.

 O repórter comentava a história de Laura Leubart. Revelava a farsa que a banqueira havia montado para ficar com o filho recém-nascido dos seus empregados, mortos em um acidente de carro na década de setenta. E especulou que, se o menino não morreu no incêndio na mansão dos Leubart, visto que o seu corpo nunca fora encontrado, era bem provável que àquela altura estivesse com dezoito anos de idade.

 A velha sorria e chorava ao mesmo tempo.
 Chica olhava para a madrinha, sem entender.
 — A senhora conhece esse povo, madrinha?
 — Conheço... Conheço, sim... — A voz da anciã era quase um suspiro.
 — Mas como? — questionou-lhe.
 As mãos enrugadas foram firmes ao peito.
 — Eu sabia... Aqui dentro eu sempre soube... Eu sempre soube que ele tava vivo, meu Deus do céu... Sempre soube... Deus não ia me levar enquanto não confirmasse aquilo que o meu coração me dizia... Agora eu posso ir em paz...

 Chica viu o corpo da madrinha começar a ficar rígido e o seu rosto subitamente empalidecer.

 — Eu vou pedir socorro! A senhora não tá bem...

— Não precisa — ela balbuciou. — Agora eu sei que o meu neto sempre esteve vivo. O meu Diogo, filho da minha Amara. A justiça há de ser feita, ainda que eu não esteja mais aqui... Deus bendito!

Então Elza se benzeu pela última vez, soltou um breve gemido e caiu dura no chão. Ela deixaria de sonhar com Tarcísio: iria encontrá-lo pessoalmente do lado de lá, como costumava dizer.

Amara também estaria à sua espera.

"Ele me violentou no quarto do hotel, enquanto eu dormia..." Aquela acusação reverberava insistentemente na cabeça de Hercília desde o dia em que Jéssica lhe contou. Estava sendo difícil conviver com Matheus e não confrontá-lo. Não conseguia acreditar que ele fosse capaz. Considerava-o como um filho. Jamais se esquecera da noite em que o encontrou.

— Como é o seu nome?
— Matheus.
— Você é morador de rua?
— É, acho que agora sou.
— Você é muito novinho, menino. Quantos anos você tem?
— Fiz dezoito ontem. Eu morava num orfanato, lá no subúrbio, mas me mandaram embora porque já sou *de maior*.

Hercília ficara com o coração apertado e cheio de ternura pelo jovem desconhecido.

"Pode pegar um prato ali dentro. Os talheres estão na gaveta."

Deu a ele bem mais que um prato de comida. Deu-lhe um novo lar. Deu-lhe dignidade e afeto. Agora tudo se desmontava diante dela feito um castelo de areia atingido por uma violenta onda de ressaca.

Ignorou o pedido de Jéssica e foi falar com Martinho. Contaria tudo a ele. Juntos, decidiriam o que fazer.

Encontrou o marido na sala.

— Querido, eu tenho uma coisa muito séria pra lhe contar. É sobre o...

Martinho não a deixou terminar.

— Eu já estou sabendo!
— Já? — ela admirou-se.
— Sim. Inclusive eu tentei convencê-lo a esperar um pouco, mas sabe como ele é: saiu e nem olhou para trás. A essa hora já deve ter chegado no Centro e...

Foi a vez de Hercília interrompê-lo bruscamente:
— Do que você tá falando, homem?!
Martinho pegou o jornal e mostrou-lhe.
— Disto!
Hercília examinou a notícia na primeira página e arregalou os olhos.
— Mas o que isso tem a ver com o Matheus?
— Parece que é dele que estão falando! E ele acabou de sair daqui feito um furacão. Disse que ia à sede do Pex BL, na Avenida Rio Branco, e que não saía de lá sem falar com o tal Homero Mancini. — Martinho deu um longo assobio e ponderou: — Quem diria, não é mesmo? O moleque apareceu aqui feito um mendigo atrás de comida, e hoje a gente descobre que ele é herdeiro de uma fortuna! Bilionário!

Capítulo 18

Ele derramou um pouco do pó branco sobre o alto do polegar. Estava agitado. Sentia como se a qualquer momento alguém fosse entrar no seu escritório disparando tiros de metralhadora, deflagrando uma guerra. Aproximou o rosto da mão e, de uma só vez, aspirou com as narinas toda a cocaína que estava sobre a ponta do dedo. Sentiu uma onda de êxtase invadi-lo completamente. Depois, respirou fundo. Uma incrível sensação de bem-estar e força pareciam emanar de dentro de Homero.

O telefone tocou.

Ele esperou alguns instantes e atendeu:

— Pronto...

A voz da secretária estava hesitante, era quase palpável o seu constrangimento ao anunciar:

— Doutor Homero, tem um rapaz que insiste em falar com o senhor. Ele não está agendado... Eu já expliquei que o senhor não atende ninguém a menos que seja do seu interesse e que esteja marcado com antecedência...

— Qual o nome dele? — Homero perguntou, embora já soubesse de quem se tratava.

— Matheus, senhor. O nome dele é Matheus.

Homero descansou calmamente o telefone ao lado da base e abriu uma das gavetas da sua mesa. Olhou dentro dela. Lá estava, bem ao seu alcance, a pistola prateada, a sua Taurus 762. Tinha munição suficiente para derrubar um exército.

— Senhor...? — A secretária continuava na linha.

Homero voltou ao telefone e deu a ordem:

— Pode mandá-lo entrar.

A secretária desligou e fitou Matheus, de pé em frente à sua mesa.

— O doutor Homero vai recebê-lo.

Ela se levantou e abriu a porta para que o visitante adentrasse o escritório de Homero. Matheus acenou com a cabeça, agradecendo, e, cauteloso, cruzou de um ambiente para o outro.

Matheus nunca esteve em um escritório tão luxuoso e interessante quanto o de Homero. Antes que os seus olhos fossem buscar o homem atrás da extensa mesa de vidro e aço, ele observou ao redor. Notou as paredes repletas de obras de arte.

Havia um pequeno *living* em um canto da sala, montado com poltronas espaçosas e confortáveis, em couro preto, com uma mesinha envernizada ao centro. O assoalho era todo em mármore escuro. A poltrona, de onde Homero levantou-se, parecia o trono de um soberano; atrás dela, a vidraça gigante e transparente emoldurava os outros prédios da Avenida Rio Branco. Uma escultura chamava a atenção em particular: uma coruja dourada, com os olhos cravejados de brilhantes. Era evidente que valia uma fortuna.

"Alguns milhões", pensou Matheus. Porém, a sala tinha uma atmosfera taciturna, sombria, embora tudo parecesse perfeito e sofisticado.

Os dois finalmente estavam frente a frente.

Homero quebrou o silêncio:

— Então é você o herdeiro? Filho da minha amantíssima e saudosa Laura?

Matheus não conseguiu identificar se ele foi irônico, apenas respondeu educadamente:

— Filho adotivo. Do que fiquei sabendo pelo jornal, ela me pegou para criar quando os meus pais morreram num acidente.

Homero contornou devagar a sua enorme mesa e se aproximou um pouco mais dele.

— Se me permite fazer uma pequena correção... Minha esposa não pegou você pra criar. Ela te roubou do local do acidente, com a ajuda de um bombeiro corrupto. Um ato criminoso, você deve saber disso. Ela poderia ter sido presa.

Matheus baixou a cabeça.

— É, eu sei...

— Pois muito bem — considerou Homero —, agora você me aparece aqui depois de todos esses anos, certo? Querendo tomar posse de uma herança que até pouco tempo atrás você nem imaginava existir... Estou certo?

Matheus se apressou em esclarecer:

— Não, senhor! Eu não quero nada!

— Hum... — Homero não fazia nenhum esforço para acreditar nele.

— Eu passei muitos anos num orfanato católico, sem saber de onde eu vim e por que meus pais me colocaram lá... Isso sempre me atormentou. Eu sempre quis saber a minha origem.

Homero explodiu numa gargalhada asquerosa, impregnada de sarcasmo.

— Ora, meu rapaz, está na cara o que você veio buscar aqui. Eu também já tive a sua idade, conheço os desejos de um coração jovem. Bastou vislumbrar a possibilidade de ficar rico para que corresse atrás do que sempre quis. E não me venha com essa conversa de "pobre garoto órfão abandonado em busca da identidade". O que você quer é o que todos querem. Todos. Inclusive os moleques que ainda moram no buraco de onde você veio.

A voz de Homero começava a soar agressiva.

— É claro que você imaginou as casas que poderia comprar, as mansões, os carrões, as festas, as mulheres aos seus pés! Aposto que você nunca comeu uma boceta de verdade, não é? Um fedelho como você deve bater punheta no banheiro olhando mulher em revista.

Matheus estava perplexo.

Homero seguiu com o discurso:

— Mas as coisas não serão fáceis assim, meu rapaz. Ninguém vai tomar o que é meu. Meu! O que eu conquistei até hoje. Ninguém, entendeu? Está pra nascer quem atravesse o meu caminho!

— O senhor é louco?! — reagiu Matheus. — Eu não quero nada. Eu vivi esse tempo todo sem grana, por que seria diferente agora? Quanta besteira! Um homem da sua importância falando essas merdas? Se toca, tio! Nem todo mundo tem a cabeça podre como a sua!

Homero agarrou-o bruscamente pela gola da camisa.

— Olha como você fala comigo, moleque!

— Melhor o senhor me soltar...

— Tá pensando que eu tenho medo de você, pirralho?!

— Se o senhor não me soltar, eu...

— Seu bosta!
— Me larga...
— Filho da puta!
— O senhor não tem o direito...
— Bastardo!
— Chega!

Matheus lhe deu um empurrão tão forte que Homero bambeou e caiu de costas por cima da mesa de vidro, varando objetos no chão. Sentiu como se houvesse recebido uma paulada no meio das costelas. Mas rapidamente se reergueu.

As veias do pescoço de Matheus pareciam saltar de dentro da pele, e ele gritava, cheio de raiva:

— Não encosta em mim, senão eu te quebro na porrada! — Então, percebeu quanta revolta ainda existia dentro dele.

Homero foi buscar na gaveta a Taurus 762.

— Eu vou acabar de uma vez por todas com você! — Mirou em Matheus. — E dessa vez não vou falhar! Vai ser uma bala bem no meio da tua testa!

"E dessa vez não vou falhar? Então, ele já tentou acabar comigo antes... e falhou", deduziu Matheus em frações de segundos, prestes a ser baleado e morto por Homero ali mesmo.

— Eu já deveria ter dado cabo de você há muito tempo, seu infeliz! Mas nunca é tarde! Você é louco, tentou me agredir. Pra me defender, atirei em você. Perfeito! A polícia nunca vai me prender, e você vai ocupar o seu lugar em uma cova rasa, feito o indigente que você é, seu babaca!

— Covarde! Macho e corajoso com uma arma na mão! Quero ver você vir no braço! Eu te arrebento! Você é que é um babaca, um coroa babaca e frouxo! Dá muito valor a essa empresa, à grana que "conquistou", mas tu vai se ferrar sozinho! Gente igual a você se ferra sozinha, sem ninguém fazer nada!

— Cala essa boca, miserável!

— Foi bom eu ter vindo aqui! Agora eu sei que tenho um inimigo e que você morre de medo que eu te tire dessa poltrona, seu escroto!

— Você morreu, otário... — foram as últimas palavras de Homero antes de ele apertar o gatilho.

Inexplicavelmente, a bala não obedeceu ao seu trajeto normal e foi se alojar na parede, longe de Matheus. Era como se o rapaz estivesse protegido por uma blindagem invisível. Homero arregalou os olhos. Não podia acreditar. Nunca errara um alvo. Como foi possível que o tiro mudasse de direção?

A equipe de seguranças do prédio invadiu o escritório da presidência do banco. Logo se formou uma pequena confusão. Homero estava paralisado, sem entender o que acontecera. A sua mão, congelada no ar, perdeu forças e, sem que ele percebesse, a arma foi ao chão. Homero continuava com o braço estendido e duro feito um galho de árvore, como se ainda empunhasse a pistola.

A equipe médica do edifício também foi acionada. Matheus tentava driblar aquele mar de gente e seguir até o elevador. Enfermeiros, paramédicos e seguranças particulares cercaram Homero de todo o cuidado, procurando algum ferimento nele.

Matheus alcançou o elevador e desceu.

Homero se refez da inércia que o prendia e ordenou, aos berros:

— Fora daqui, seus inúteis! Não houve nada, não estão vendo? Todo mundo de volta ao trabalho, cambada! Saiam! Saiam todos! Se não voltarem aos seus postos imediatamente, vou demitir um por um! Mexam-se! Circulando, circulando... Saiam...

Naquele momento, uma coisa havia ficado clara para Homero: não era tão fácil assim acabar com Matheus.

Mariana Serqueira tinha um cantinho preferido dentro do seu minúsculo apartamento. Era a velha escrivaninha de madeira, que fora da sua avó materna; ficava encostada numa parede perto da janela, de onde se via a Rua Voluntários da Pátria, agitada e barulhenta, com carros e pedestres sempre em ritmo acelerado.

Era ali, naquele fragmento de espaço, que a intrépida jornalista reunia as suas anotações, fotografias e gravações, que constituíam matéria-prima para as suas diversas reportagens, todas envolvendo muita polêmica e alcançando repercussão nacional. A bomba da vez, como ela costumava classificar, era a insidiosa história da família Leubart e seus desdobramentos novelescos.

Mariana examinava atentamente algumas anotações que fizera. Ficou chocada com detalhes sórdidos da vida de Homero Mancini que ela até então desconhecia. Como um homem com uma extensa ficha de acusações poderia estar solto e ter se tornado um dos empresários mais ricos do mundo? Pensava a respeito disso quando ouviu alguém tocar a campainha. Não esperava por ninguém. Espiou no olho mágico da porta e quase não acreditou. Será?

Destrancou a porta, girou a maçaneta e abriu.

Assim que fitou a linda moça à sua frente, Matheus perdeu a fala. Ficou paralisado, olhando-a com ares de encanto. Mariana também olhava para ele com admiração. Havia feito uma pesquisa e sabia que Matheus estava iniciando na carreira de modelo. Ela sabia que se tratava de um rapaz bonito, só não o imaginara tão bonito.

"Minha nossa! Ela é linda!", considerou Matheus, envergonhado, com medo de que ela pudesse ler os seus pensamentos.

"Uau! Que gato! Mariana, tente ser profissional! Juízo, menina!", ela aconselhava a si mesma, tomando cuidado para não dizer em voz alta.

Encantaram-se um pelo outro como quem encontrou algo que buscava havia tempos. Era nítido, mas ambos preferiram disfarçar.

— Boa tarde, eu sou... — ele começava a se apresentar, quebrando o clima.

— Eu sei quem você é — ela o interrompeu, sorrindo de maneira amistosa.

— Ah, sim...

— Entra.

Matheus atravessou o vestíbulo e foi se posicionar no meio da sala.

— Desculpa aparecer assim, é que eu fiquei sabendo que foi você quem fez a matéria sobre o meu caso. Queria conversar com você.

— Não, tudo bem, sem problemas. Mas só a título de curiosidade: como você descobriu o meu endereço?

Matheus riu timidamente e revelou:

— Passei no jornal onde você trabalha e consegui com uma funcionária. No sigilo, claro.

— Ah, que interessante. Só que eu não trabalho mais lá, fui demitida. Aliás, foi exatamente porque publiquei a sua história, sem autorização do meu chefe.

Matheus deu de ombros.

— Pois é, agora é que lembrei, a funcionária disse que você não trabalhava mais lá.

— Que prestativa! — O comentário de Mariana soou irônico. — Ela gostou de você, não é mesmo?

— Acho que sim — concordou, ingênuo.

Mariana cruzou os braços e encarou-o com a seriedade que a profissão lhe exigia.

— Mas o que você quer conversar comigo?

Matheus também ficou sério.

— Primeiro, eu queria saber, por que você quis publicar uma história tão pessoal? O que você ganha invadindo a vida das pessoas desse jeito?

Mariana piscou, aturdida.

— O quê?

— Era uma história que só interessava à família, e você espalhou pra todo mundo!

— Peraê! Deixa eu ver se entendi.. Você veio aqui me questionar sobre o meu trabalho. É isso mesmo?

— É, vim! — respondeu, com firmeza.

Mariana deu uma risada nervosa.

— Mas quem é você, rapaz, pra vir me cobrar explicações?! Eu não tenho que justificar nada pra você! Eu sou uma jornalista! Meu compromisso é com a informação!

— Informação da vida dos outros?

— Sim! Se for uma informação que interesse à sociedade, sim!

— Olha, eu não entendo nada desse lance de jornalismo, porém eu sempre achei que as notícias tinham que trazer algo útil pra vida das pessoas, e não apenas fofocas!

— Você está chamando o meu trabalho de fofoca?

— Sim!

— Você é um moleque muito abusado mesmo, viu?

— Não sou moleque! Sou homem!

Mariana riu de novo.

— Pra mim você não passa de um fedelho, isso, sim!

— Já tenho dezoito anos!

— E daí? Eu tenho vinte e quatro!

Os dois se encaravam como num duelo: olhos nos olhos, expectativa com o decorrer dos momentos que viriam e corações acelerados. De repente, Matheus a agarrou pela cintura e lhe deu um beijo tão intenso quanto o desejo que sentia. A língua dele foi parar no céu da boca de Mariana. E a dela, na dele. Ela não tentou resistir. O corpo robusto de Matheus parecia se moldar perfeitamente às curvas do corpo de Mariana. Encaixaram-se um no outro e viveram aquele beijo.

No dia seguinte, Matheus retornou ao apartamento dela. Deu-lhe um beijo apaixonado antes mesmo que ela fechasse a porta. Mariana ficou meio sem graça, embora quisesse mais beijos como aquele.

— Vamos com calma, tá? — ela pediu, disfarçando o frenesi que percorria o seu íntimo feito corrente elétrica.

— Você me chamou.

— Eu sei, mas não foi pra isso.

— Foi pra que, então?

Mariana pegou sobre a escrivaninha alguns documentos, onde estavam apensadas, com um clipe de metal, fotografias de jornais em diversos idiomas.

— Olha! — Entregou tudo nas mãos dele.

— Que é isso?

— Não está reconhecendo?

Matheus firmou a visão em uma das fotos, em preto e branco. O rosto era familiar, porém, com algumas diferenças que confundiam. Talvez o cabelo? Examinou com mais atenção. O nariz... a boca... Claro! Era ele! Só que mais novo!

— Homero Mancini! — elucidou, por fim, Matheus.

Mariana assentiu.

Ele questionou, sem entender:

— Por que você está me mostrando isso?

— O poderoso Homero Mancini, seu padrasto, possui uma extensa ficha de acusações contra ele.

— Sério? Como você descobriu?

— Trabalho de casa. — Mariana fez uma careta esperta. — O fato é que tem muitas coisas por trás da sua história. O passado do doutor Homero é uma delas.

Matheus enrugou o cenho ao indagar:

— E por que ele não está preso? Esse homem é um bandido.

— Calma! — advertiu Mariana. — Foram acusações, mas nada ficou provado. Pela lei, nós não podemos afirmar que ele é realmente um criminoso, embora tudo indique que sim.

— Ele tentou me matar! — revelou Matheus.

Mariana sentiu algo parecido com um soco bem no meio do estômago.

— O quê? Como assim?

— Eu estive ontem no escritório dele, antes de vir pra cá. Nós tivemos uma discussão, ele puxou uma arma de dentro da gaveta e atirou em mim. Por sorte o tiro pegou na parede. Ele ia estourar a minha cabeça!

— E você o denunciou à polícia? Isso é tentativa de homicídio!

— E adiantaria? Ele diria à polícia que eu invadi o escritório dele, tentei dar porrada nele e ele só se defendeu... Ia arrumar testemunha e o escambau! Você acha que a polícia acreditaria em quem?

A jornalista parecia estarrecida.

— Esse homem, então, é mais perigoso do que pensei.

— Por quê? O que mais você descobriu?

Mariana começou a falar devagar, ao mesmo tempo em que raciocinava, como quem ligasse uma ponta à outra:

— É bem provável que a Laura estivesse de posse de um relatório idêntico a esse na noite em que ela morreu no incêndio. Um funcionário do banco, que não quis se identificar, me ligou há um tempo e disse que ela encomendou para ele um dossiê sobre o Homero. Ela pegou esse tal dossiê, foi pra casa e na semana seguinte morreu no incêndio. Não é muita coincidência? Aliás, incêndio onde você também poderia ter morrido. Ou seja, com a sua morte e a da Laura, Homero Mancini seria o único herdeiro do império Leubart. Meus Deus! Tudo faz sentido...

A jornalista quase pôde ver a cena diante dos seus olhos naquele instante:

— *Você compreende a gravidade de tudo que está aí?*

— *Compreendo, sim. Por favor, não comente nada com o doutor Igor, eu não quero envolvê-lo nisso. Prefiro manter em sigilo esse assunto.*

— Claro. Sinto muito, minha amiga, mas acho que você caiu numa cilada.

— *Isto é mais do que eu precisava para acertar as contas com aquele crápula. Quando eu terminar, ele vai se arrepender de ter cruzado o meu caminho. Vai se arrepender, eu juro.*

— E daí? Isso quer dizer o quê?

A pergunta de Matheus a trouxe de volta à realidade.

— Isso quer dizer que, se ela encomendou um dossiê, ela já desconfiava que o Homero fosse um bandido.

— Ainda não entendi aonde você quer chegar.

Mariana suspeitava.

— E se o incêndio na mansão da Gávea foi, na verdade, um crime? E se o Homero Mancini provocou o incêndio e matou Laura Leubart? Afinal, o dossiê era um risco pra ele. Ele jamais teria conseguido a presidência do banco e herdado todos os bens dos Leubart se o conteúdo vazasse. Homero tinha todo o interesse na morte da Laura e na sua também!

— Será que isso já não é viagem da sua cabeça, não? — ponderou Matheus. — Sei lá, tô achando essa história mirabolante demais.

Mariana abanou a cabeça.

— Não, mesmo. Já fiquei sabendo de coisas muito piores nesse pouco tempo de profissão.

— Tá, supondo que você esteja certa, qual seria o próximo passo dele?

A voz dela saiu pesada:

— Exatamente o que ele tentou fazer ontem: matar você!

Um homem inquiria Homero ao telefone:

— Como estão as coisas?

— De mal a pior! O filho da puta vai nos causar problemas. Melhor acabar com ele de vez. Não vou falhar. Já estou planejando tudo e...

Ele foi interrompido bruscamente pelo outro:

— Não! Matá-lo faria de você o principal suspeito! Vamos pensar em outra forma de tirá-lo do nosso caminho, sem criar mais problemas!

— E o bombeiro?

— Que é que tem?

— Foi por causa dele que tudo começou. É bem provável que confirme toda a história caso o maldito coloque uma ação judicial pra reconhecer os direitos sobre a herança.

— Você tem razão...

— O que faremos com ele?

— Espere um pouco e mate o bombeiro.

Matheus e Mariana passaram a se encontrar todos os dias.

No início, a história dele era apenas um pretexto que os ligava. Depois, decidiram que não havia por que negar o que sentiam. Era algo muito forte e incrivelmente bom.

Mariana levou Matheus para conhecer vários lugares no Rio de Janeiro. Visitaram o Centro Cultural Banco do Brasil, o Centro Cultural dos Correios, o Pão de Açúcar, o Corcovado... Era quase inacreditável que Matheus já conhecesse Nova Iorque, mas não conhecesse a Cidade Maravilhosa.

Mariana via nos olhos dele a empolgação durante os passeios, e isso lhe provocava um profundo bem-estar. Descobriu que ficava feliz toda vez que o agradava. E era maravilhoso estar na companhia dele.

Um dia, foram ao Museu de Arte Moderna. Depois, caminharam pelo Aterro do Flamengo. Mariana queria mostrar a Matheus, ali perto, a vista deslumbrante que se tem da Baía de Guanabara, da Marina da Glória e de Niterói, ao longe. Sentaram-se no paredão que beirava a baía, ainda nas imediações do museu. Matheus puxou Mariana para junto do seu corpo e se grudou nela, entrelaçando pernas e braços, um de frente para o outro, misturando as respirações e firmando olhos nos olhos. Estavam apaixonados.

De repente, Matheus quis saber:

— O que você está achando da gente?

Mariana sorriu.

"Como ela é linda quando sorri", ele pensou.

— Da gente? Em que sentido?

— Ué... Da gente! Da gente se curtir assim!

Mariana acarinhou o rosto dele.

— Ah, estou achando legal.

Ele parecia não satisfeito com a resposta.

— Legal? Só isso?

— Está sendo bom, não está?

— Sim, claro que está!

— Então, isso basta.

— Eu não quero ficar com mais ninguém. Só quero você. Quero casar com você.

— Ei, calma! — fez Mariana. — Não é assim. A gente mal se conhece e você já está falando em casamento?

— Eu tenho certeza do que estou sentindo por você, Mari.

— Eu sei, gatinho. Mas as coisas não funcionam assim. A gente tem que ir com calma, você também é muito novo...

Matheus se levantou abruptamente e foi se encostar numa árvore mais adiante, aborrecido.

— Lá vem você outra vez com esse papinho de idade. Eu já tenho dezoito, e você, vinte e quatro; são seis anos de diferença, e você fala como se eu fosse um moleque!

— Não é isso, Matheus! Eu sei que temos pouca diferença de idade, o problema nem é esse. A gente está começando agora, entende? Tem muita coisa pra viver ainda.

— Tá pensando em conhecer outros caras?

— Não é isso. Não viaja, por favor!

— Então é o quê?

Mariana também se levantou e foi abraçá-lo.

— Você me faz feliz. Gosto de você. Estou apaixonada. O que sinto por você é muito sincero. Vamos viver isso sem pressa.

Matheus suspirou longamente e disse:

— Tudo bem! Mas quero você pra mim. Só pra mim.

Mariana riu.

— Tá bom, meu homem! Serei só sua e de mais ninguém, ok? Agora relaxa...

Ela deu uma mordidinha nos lábios dele, o que logo se transformou num beijo demorado, cheio de paixão e desejo.

Escondida a certa distância, ela os amaldiçoava.

"Desgraçados! Ele é meu! Se não for meu, não será de mais ninguém! Eles não sabem do que sou capaz! Vocês não ficarão juntos, não mesmo!"

Jéssica arrastou as mãos no rosto, enxugando com raiva as lágrimas que derramara havia poucos instantes, e pôs de volta os óculos escuros.

Atravessou a avenida, indo buscar um táxi...

Emanuel Teixeira acomodou a última bolsa no porta-malas do carro e depois travou o compartimento, para que não abrisse durante a viagem. Bethânia veio de dentro de casa e abraçou o pai, enquanto ele espiava, com o olhar perdido, o carro abarrotado de bagagens.

— Pai!

Emanuel despertou da letargia.

— Oi, meu anjo...

— Que cara é essa? Tá triste?

— Não, minha filha. Não é tristeza. Mas eu prefiro não falar disso agora. — Ele procurou mais alguma bolsa nas mãos dela. — Não está esquecendo nada?

Bethânia contraiu os lábios.

— Não, pai. Você disse que não vamos ficar muito tempo fora...
— Não vamos. — Nem ele mesmo acreditava quando dizia isso. — Cadê a sua mãe?
— Tá se despedindo da dona Val.

Emanuel admirava a filha. Bethânia era uma linda jovem, na flor da idade, aos vinte e um anos. Era magra, loira, de cabelo liso na altura da cintura, um nariz afilado e um par de olhos verdes e estreitos, que pareciam transmitir a brandura do mundo inteiro. Era o orgulho do pai. Se havia alguma coisa que o casamento fracassado com Zenilda lhe trouxera de bom, com certeza era a doce Bethânia.

Foi pensando nela que Emanuel cedera ao apelo de Laura Leubart, naquela ocasião que jamais sairia da sua memória. Ele ainda era capaz de sentir o cheiro dos corpos carbonizados, sendo retirados das ferragens. Também conseguia, ainda hoje, ouvir com nitidez o seu diálogo com Laura, enquanto trazia o recém-nascido nos braços, salvo por um milagre.

— *Dona, não há tempo a perder!*
— *Me dê essa criança. Eu a levo para o hospital.*
— *Mas quem a senhora...*
— *Eram meus empregados! Eu vou cuidar dessa criança. Vou levá-lo para o hospital e depois para a minha casa... Vou cuidar como se fosse meu filho, e ninguém precisa saber disso...*
— *Não, isso não tá certo. Eu não posso...*
— *Claro que pode! Pense no bem-estar dessa criança... Pense no trauma que ela há de carregar se não vier comigo... Os pais morreram. Que eu saiba eles não tinham família por aqui, sabe lá Deus onde esse menino pode ir parar. Num abrigo de órfãos, talvez. Não é justo. Eu tenho condições de criá-lo.*
— *Mas há trâmites legais pra isso. A senhora pode conseguir a guarda e a adoção na justiça. Eu não posso negligenciar o resgate de um recém-nascido!*
— *Você está me criando problemas. Pior, está tirando a oportunidade de esse menino realmente não sofrer os efeitos dessa tragédia horrenda. Me diga: você tem filhos?*
— *Tenho. Uma menina de três anos.*
— *Deus-o-livre-e-guarde, mas se tivessem sido você e a sua esposa, mortos naquelas ferragens, e a sua filha viva, aqui... Seria melhor que ela*

passasse por um orfanato ou abrigo? Seria sensato deixá-la à mercê das mãos frias de um juiz?

— Aqui sou um servidor do Estado. Tenho o dever de seguir as normas.
— E o seu coração fica em casa quando você sai para trabalhar?

Não. O coração dele estava bem ali. Sempre esteve. Bethânia herdara a bondade do pai. A fé de que sempre se pode contribuir para o bem das coisas. Essa vontade de fazer o bem levara Emanuel a prestar concurso para o Corpo de Bombeiros do Estado do Rio de Janeiro. Pensava em salvar vidas. Não tencionava ser reconhecido como herói, queria apenas ser alguém que, em algum momento, ajudou o próximo. Bem verdade que a ajuda quase sempre estaria na corda bamba que dividia os espaços entre a vida e a morte. Bethânia também seguia essa premissa e estudava para prestar vestibular para medicina. Queria ser médica. Salvaria vidas, assim como o pai.

Zenilda se lamentava com a vizinha justamente a filha ter de adiar os estudos por conta da viagem que a família estava prestes a fazer.

— Mas vocês não vão voltar? — indagou Valmira.

O rosto de Zenilda entristeceu-se.

— Vamos. Mas sabe Deus quando.
— Por que vocês não ficam por aqui mesmo?
— E tem como, Val? Depois do escândalo que saiu no jornal com o nome do meu marido, toda hora vai ter alguém batendo na nossa porta! Sabe quantos telefonemas eu atendi só ontem? Doze! Doze telefonemas!
— Minha nossa!
— Pois é. Isso porque o escândalo envolve gente rica. Se envolvesse pobre igual a nós, ninguém estava nem aí pra nada! Povo hipócrita!

A vizinha deu de ombros.

— Então não tem jeito!. Melhor vocês se afastarem por um tempo mesmo.
— Quem sabe lá em Barra Mansa a gente não encontra um pouco de sossego?
— E no quartel do seu marido? Como ficaram as coisas?
— Péssimas, né? — A voz de Zenilda se tornou densa, cheia de ódio. — Tudo culpa daquela maldita jornalista, a tal Mariana Serqueira. Se ela não tivesse espalhado essa história, tudo ficaria por baixo dos panos, ninguém sairia prejudicado! Mas aquela vaca gravou a conversa toda! Desgraçada!
— Será que ela foi demitida?

— Que tenha ido pro inferno!

Bethânia se aproximou.

— Mãe, meu pai tá chamando. Disse que não quer pegar estrada à noite.

— Vão com Deus! — abençoou Valmira. — Deem notícia quando chegarem lá.

Zenilda abraçou a mulher, era sua vizinha havia vinte e cinco anos.

— Pode deixar, Val. Assim que chegarmos em Barra Mansa, dou um jeito de te avisar.

O Fiat Elba preto seguia pela Rodovia Presidente Dutra. Já era fim de tarde e o sol desaparecia gradualmente no horizonte, que se deitava sobre a pista cinzenta. Bethânia cochilava no banco de trás, enquanto Zenilda observava, apática, a paisagem que compunha a margem da estrada. Emanuel se mantinha atento ao volante. O silêncio dentro do carro era perturbador e provocava nele uma incrível vontade de gritar.

No alto da serra, Emanuel decidiu fazer uma breve parada para esticar as pernas e ir ao banheiro. Bethânia estava com fome e aproveitou para comprar um pacote de biscoitos e uma lata de Coca-Cola. Zenilda preferiu continuar dura e mal-humorada no banco do carona. Nenhum deles percebeu quando um carro grande, de vidros escuros e sem placa, passou por eles. Eram seguidos desde a saída do Rio de Janeiro. Eles pararam, mas o carro misterioso continuou...

Quando Emanuel retornou ao volante, antes de dar a partida, virou-se para Zenilda e Bethânia. As duas não puderam deixar de perceber que os olhos dele estavam avermelhados e úmidos. Provavelmente, havia chorado no banheiro.

Ele então lhes declarou, como quem lesse as últimas palavras de um condenado:

— Queria dizer que eu amo muito vocês. Posso ter errado, mas nenhum erro jamais vai me tirar o que eu tenho e sempre tive de mais precioso: o amor pela minha família. Eu não sei se é verdade que temos várias vidas para viver, mas, se for verdade, eu quero encontrar vocês duas, as duas mulheres que mais amei, em todas as próximas vidas. Assim, vai valer a pena viver para sempre.

Foi a primeira vez em que Zenilda esboçou alguma reação. Engoliu em seco, porém o seu rosto denunciava a emoção que ela tentava represar no lugar mais íntimo da sua alma. Seus lábios tremeram, contudo não se permitiu chorar.

Bethânia se esticou para a frente e deu um beijo no rosto do pai. Como ela amava aquele pai! E como ela gostaria de viver várias vidas ao lado dele! Ela podia se dizer uma jovem feliz. Era apaziguadora e tinha uma compaixão que absolvia todos os problemas familiares.

Emanuel girou a chave na ignição e conduziu o Fiat Elba de volta à estrada. Cem metros adiante, começou a pegar mais velocidade. Bethânia tornou a escorregar no banco traseiro e a cochilar.

"Durma bem, minha menina", pensou o pai amoroso, a fitá-la pelo retrovisor. Zenilda cruzou os braços, remexeu-se no banco do carona e também tentou cochilar; mas, ao contrário da filha, estava nervosa demais para isso.

Emanuel ia tranquilo pela estrada. De repente, num piscar de olhos, ressurgiu o carro escuro que os seguira. Daquela vez, na mesma faixa por onde o automóvel de Emanuel avançava, só que na contramão. Ele se assustou e disparou a buzina na tentativa de que o motorista desviasse. Porém, o carro misterioso parecia acelerar ainda mais. Os dois iam se chocar de frente. Emanuel buzinou até o último instante, mas quando viu que o carro não mudaria de rota e que os dois bateriam, executou uma manobra brusca e saiu da estrada, capotando.

Só deu tempo de dizer em desespero:

— Segurem firme!

Zenilda juntou as mãos em súbita oração e exclamou:

— Ai, meu Deus!

Bethânia apenas abriu os olhos, sem entender o que se passava. Segundos depois, o Fiat Elba parecia uma folha de papel amassada contra o asfalto.

O outro automóvel freou a alguns metros do local do acidente. O motorista abriu o vidro e sua gargalhada foi abafada pelo som de (*I Can't Get No) Satisfaction*, que tocava no último volume. Ao contrário do que dizia o refrão da música, Homero estava satisfeito. Muito satisfeito! Pelo menos por enquanto. Pela gravidade do acidente, todos haviam morrido.

O bombeiro Emanuel era outro problema resolvido com êxito. Homero podia se orgulhar.

No terceiro dia subsequente à tragédia com a família do bombeiro militar Emanuel Teixeira, Mariana recebeu Matheus com uma xícara de café e uma papelada: anotações, registros... Ela parecia mais agitada que de costume. Às vezes, Matheus tinha a impressão de que a namorada estava sempre ligada a um enorme condensador de energia, prestes a explodir por sobrecarga. Era uma dessas ocasiões.

Namorada. Matheus achava graça disso. Sim, encetaram um namoro quase eventual...

Mariana falava rápido, sem pausas, sem vírgulas, o pensamento em turbilhão. A todo o momento se perdia em palavras, mas tinha absoluta certeza de onde queria chegar com a vasta documentação que reunira durante as muitas madrugadas insones. Um trabalho de minúcias. Matheus se esforçava para acompanhar o que ela lhe dizia.

Em dado momento, ele proferiu, sem medo de errar:

— O que você está me dizendo é que o doutor Homero é um assassino!

— Pode ser...

— Pode ser, uma ova! — sentenciou Matheus. — É isso, sim. Você fez um esquema, ligou uma morte suspeita na outra, e acha que todas têm o dedo dele.

Mariana alarmou-se.

— E não é pra achar? A morte do bombeiro foi mais um indício de que as pessoas envolvidas na sua história estão morrendo!

— Sim, mas o bombeiro morreu por um acidente de carro, não foi assassinado. A própria polícia rodoviária constatou que o carro dele estava em alta velocidade e que provavelmente tentou desviar de alguma coisa na pista.

— Matheus, eu estive no enterro da família anteontem!

— Você o quê?! — Ele não pôde acreditar.

Mariana justificou-se, seriamente:

— Eu precisava fazer algumas averiguações!

— Você não é da polícia, Mari! Se liga!

— Sabe o que todo mundo lá me falou? Que o Emanuel dirigia muito bem! Que nunca foi imprudente, nunca nem recebeu uma multa de trânsito! O cara era militar, poxa!

— E daí? Em algum momento da vida alguém dá um vacilo! Isso não quer dizer nada! Ele pode ter tentado desviar de um animal na pista, sei lá. Ou o carro deu problema mecânico.

Mariana fitou-o bem dentro dos olhos.

— E se não foi nada disso? E se ele realmente foi assassinado, como eu acho que foi? Só não tenho provas. Matheus, há muita grana envolvida, e a minha intuição me diz que Homero Mancini não está sozinho nisso, que há alguém junto com ele, orquestrando isso tudo. Você pode ter entrado no caminho dele, ou deles, por mero acaso. Laura Leubart era a vítima e você entrou de bucha.

Matheus se afundou numa poltrona velha, que ficava encostada na parede.

— Vamos considerar que essa sua teoria esteja certa. Pelo que li nas suas anotações, duas mortes não parecem ter sido provocadas por ele.

— Duas, não! Uma! — emendou Mariana. — A morte da Irmã Eulália, apenas. A da Sheilla Mancini foi no mínimo suspeita. Eu falei com a família, e todos me garantiram que o Homero queria obrigá-la a fazer um aborto, e que ela estava irredutível. Saiu até de casa. Queria o filho, mesmo sem a concordância do marido. A morte dela veio bem a calhar pra ele...

Matheus teve vontade de rir. Entre gargalhadas, perguntou:

— Você quer dizer que o doutor Homero jogou a própria mulher do terraço do prédio pra simular o suicídio?

Mariana respondeu sem titubear:

— Por que não? Acho que seria possível.

— Você ficou louca!

— Matheus, você mesmo me disse que ele chegou a atirar em você e que por pouco não te matou à queima-roupa dentro do escritório dele!

— O cara ficou nervoso!

— Por que você quer negar o que está diante dos nossos olhos?

Matheus considerou a hipótese e, a custo, admitiu:

— Acho que não quero acreditar que a minha vida esteja ligada direta ou indiretamente a um *serial killer*.

Mariana segurou o rosto dele com as duas mãos, de forma carinhosa. A sua voz estava impregnada de ternura e preocupação.

— Não quero que nada de mal te aconteça.

— Eu sei...

— Eu estou com você nessa, ok? Já estou envolvida nisso até o pescoço. E, se eu estiver certa, não vou sossegar até colocar esse monstro engravatado na cadeia.

— E o seu emprego, Mari? Você não pode parar a sua vida por conta disso. Se aquele babaca não tivesse te demitido... Como você tá se virando?

Ela deu de ombros.

— Ah, eu estou fazendo uns *freelas*. Tá dando pra aguentar até eu conseguir uma colocação em outro jornal. Já mandei um monte de currículo por aí. Vão me chamar, eu tenho fé. — Ela tentou mudar o foco da conversa: — E você? Como estão os trabalhos como modelo?

— Hoje vou fazer umas fotos lá na agência. Eu ganhei uma grana boa com as fotos que fiz nos Estados Unidos, estou pensando em alugar um apartamento pra mim. Sou muito grato à dona Hercília e ao seu Martinho, mas acho que já chegou a hora de eu ter o meu canto.

— Por causa da tal Jéssica?

— Também. Mas não só por isso. Eu acho que chegou a hora, entende?

— Claro que entendo.

— A Jéssica está bem calma ultimamente, dá até pra desconfiar. — Fez uma careta. — Mas eu quero ter um lugar que seja meu. Sempre quis, desde os tempos do orfanato.

Mariana sorriu. Ele parecia uma criança desamparada quando citava o orfanato. Uma criança de quem tinha vontade de cuidar. Contudo, sabia que era bem mais do que isso: desejava-o como homem. O homem que sempre quis ter.

"Ele é perfeito pra mim, a gente tem sintonia", ela analisava por trás do silêncio.

Era admirável como as suspeitas sobre a vida criminosa de Homero os uniam ainda mais. O que sentiam um pelo outro vinha por dentro, feito avalanche, desassossegando seus corações e fazendo recrudescer de forma vertiginosa a vontade de estarem juntos.

A ascensão profissional de Matheus também causava espanto. Uma campanha publicitária de moda íntima foi o grande *boom* na carreira dele. A impressão que se tinha era de que a cada cinco *outdoors* espalhados pela cidade, dois estampavam Matheus usando apenas a cueca da marca. A beleza dele chamava a atenção, e não era exagero dizer que provocava alvoroço em alguns locais onde o anúncio era exibido.

Soube-se que uma propaganda em frente a um colégio no bairro do Engenho Novo chegara a tumultuar a entrada e a saída das meninas durante as aulas, porque muitas paravam no portão para fitar o enorme painel. A campanha foi tão bem-sucedida, que uma fábrica na Argentina o contratou para fazer a publicidade das suas peças. Matheus pôde então conhecer Buenos Aires.

Jéssica já estava sabendo que o homem a quem amava com tamanha devoção, envolvera-se com uma jornalista. Por várias vezes o seguiu até o apartamento onde ele e a amante se encontravam, em Botafogo, e testemunhou as longas horas que Matheus passava no local.

Jéssica estava obcecada. Passava noites em claro. Não se alimentava com regularidade. Aos poucos, a beleza da modelo internacional cedeu lugar à imagem de uma jovem cansada e maltratada. A magreza excessiva também era motivo de preocupação. Martinho e Hercília não escondiam a angústia em ver a filha naquele estado. Ela definhava, enquanto passava madrugadas inteiras tentando bolar um plano para dar fim ao namoro de Matheus com a jornalista.

Os sintomas do transtorno borderline, que a assombraram em outros tempos, voltaram com força total. Com pequenos golpes de tesoura nos braços, tentava extravasar a aflição que a alma gritava e que, na maior parte das vezes, era silenciosa pelos lábios. Cancelou todos os contratos que tinha e decidira ficar no Brasil até o dia da sua morte, caso fracassasse na luta pelo seu amor não correspondido.

No dia em que Matheus anunciou que se mudaria para um apartamento alugado a duas quadras do albergue, Jéssica enlouqueceu. Uma discussão violenta começou no quarto dele e se estendeu para a sala principal do casarão, diante de vários hóspedes. O escândalo pôde ser ouvido da rua.

— Você não vai sair daqui pra se juntar com aquela piranha! — ela berrava. — Eu te proíbo! Vocês não vão ficar juntos! Não vão!

Matheus tentava pôr fim à situação:

— Para com isso, Jéssica! Olha o que você tá arrumando, não precisa disso!

Hercília queria acalmá-la a todo custo, no entanto Jéssica não enxergava mais nada além de Matheus, da pequena bagagem que ele segurava em uma das mãos e da mochila nas costas.

— A minha filha está um pouco agitada, me desculpem, vai ficar tudo bem — explicava Martinho aos hóspedes, forjando um sorriso incompatível com o tom de voz agoniado, sôfrego.

Jéssica levou poucos segundos para correr até a cozinha e voltar com uma faca em riste na direção de Matheus.

— Ela quer você? Então que seja morto! — E se atirou contra ele para golpeá-lo no meio do tórax. Foi contida pela mãe a tempo. A faca escorregou e foi parar debaixo de uma poltrona.

Matheus balbuciou qualquer coisa e saiu porta afora, aturdido, esbarrando num pequeno grupo que já se formava na calçada.

Jéssica chorava e se debatia como quem enfrentasse uma multidão, embora a cercassem apenas os pais e alguns poucos hóspedes, solidários ao drama da jovem, que parecia não saber lidar com as próprias emoções.

No final daquela tarde, Jéssica entrou desabaladamente no escritório de Francesco Bartolotto, na *Hunt Models*. Ela parecia na iminência de apagar um incêndio de grandes proporções.

— Bartolotto! Preciso falar com você! Tem que ser agora, não dá pra esperar!

O italiano ouviu-a por mais de quinze minutos. Ela não parava de falar um só instante. Gesticulava com as mãos, nervosa, e às vezes ameaçava chorar de maneira histérica. Quando Bartolotto conseguiu a palavra, perguntou, meio incrédulo:

— Você quer que eu cancele todos os contratos do Matheus com a nossa agência?

— Sim! — ela respondeu, depressa.

— Isso é impossível, minha querida. Ele assinou vários contratos com a gente. Alguns estão aqui. — Bartolotto indicou um maço de papéis sobre a mesa dele.

— Mas fui eu quem trouxe esse cafajeste pra cá!

— *Mia cara ragazza*, eu não posso deixar os nossos clientes na mão! O Matheus hoje é o modelo mais requisitado da agência. Você está me dizendo que vocês dois brigaram e você quer se vingar dele. Eu adoro você, Jéssica, mas não posso admitir que problemas pessoais entre agenciados venham parar no campo profissional, me desculpe.

Jéssica se levantou como quem fosse embora. O italiano tentou ser cordial, oferecendo-lhe chá. Ela o encarou, andou em sua direção, lançou as mãos sobre os papéis que ele lhe apontara havia alguns instantes e tentou rasgá-los de uma só vez. Bartolotto conteve-a como pôde e acionou os seguranças da agência. Em menos de cinco minutos, três brutamontes invadiram a sala. Jéssica quase precisou ser amarrada.

Depois do incidente na *Hunt Models*, Jéssica foi procurar Homero. Havia chegado à conclusão de que somente ele seria capaz de ajudá-la a destruir a vida de Matheus. A julgar pela experiência de um e de outro, Homero sairia em vantagem. Era um dos homens mais ricos e influentes do mundo. Matheus não teria a menor chance.

A secretária anunciou no interfone:

— Desculpe, doutor Homero, tem uma moça que insiste em falar com o senhor. O nome dela é Jéssica Amorim. Disse que é modelo da *Hunt Models*.

"Que diabo essa garota quer comigo? Não me lembro de ter comido ela", foi o que pensou de imediato.

À secretária respondeu:

— Modelo? Pode mandar entrar.

Jéssica adentrou o escritório de Homero e pôde perceber seus olhos espertos e ligeiros estudando-a de cima a baixo.

— Em que lhe posso ser útil, minha jovem?

Não demorou para que entendesse o que Jéssica tencionava com o seu "apoio". E não podia negar que era tudo de que precisava. Enquanto ela falava, a mente sórdida do banqueiro trabalhava em segredo. Ele descobriu um jeito de se livrar de Matheus sem ter de matá-lo. Tinha consciência de que se eliminasse o "enteado", a polícia o teria como principal suspeito. E não queria problemas com a polícia. O plano já estava ameaçado demais para arriscar...

— Então? O senhor pode me ajudar?

Homero mostrou seu melhor sorriso:

— Claro! A única coisa que preciso é que você o atraia para o seu quarto no albergue durante a noite. Eu estarei lá esperando. Vamos pôr esse infeliz na cadeia!

Jéssica vibrava

— Isso! Perfeito! — Em seguida, interrogou: — Mas como faremos?

Ele lhe explicou por alto:

— Vamos simular um flagrante de estupro. É como eu disse, você só tem que atrair o Matheus para o seu quarto. Eu serei testemunha. Tenho certeza de que você mesma vai saber o que fazer. Eu só darei um empurrãozinho para que ele já saia de lá algemado.

— Ótimo. Eu me rasgo toda, se preciso — ela garantiu, sem pudores.

— Hoje de madrugada? — sugeriu Homero, e especulou se não estaria mais ansioso que ela. Mas estava disposto.

— Pode ser depois da meia-noite. Nessa hora, os hóspedes já estão todos nos quartos, meus pais também já foram dormir, então o caminho fica livre, ninguém vai ver nada. Só vão ouvir os meus gritos. — Ela riu. — Quando o senhor chegar e se esconder, eu já terei mandado um aviso pra ele. Vou pedir ajuda, dizer que os meus pais estão passando mal e que preciso dele no albergue. Deixarei o portão da frente e a porta da sala sem trancas. Tanto ele quanto o senhor entrarão sem problema.

— Combinado! Hoje, depois de meia-noite. Eu chego, fico escondido por lá e na hora H, damos o alarme e chamamos a polícia.

— Vai ser muito bom ver aquele cretino se ferrar — declarou Jéssica. — Duvido que aquela piranha tenha coragem de ir atrás dele na cadeia.

Homero se manteve em silêncio. Os pensamentos dele continuavam soltos no ar...

"Pena que você já vai estar morta quando a polícia chegar, sua vadia".

Capítulo 19

O delegado de polícia estava nervoso. Vez ou outra secava delicadamente com o dedo indicador o suor que lhe escorria de cada uma das têmporas. Não era todo dia que tinha sentado defronte à sua mesa um bilionário poderoso. Fora avisado de que mais da metade da imprensa carioca se amontoava em frente à delegacia de Copacabana. Um alvoroço se espalhava desde a calçada até o meio da avenida.

A movimentação começara desde as primeiras horas da madrugada, quando uma viatura foi atender a um chamado no tradicional albergue Caminho do Mar, na Rua Djalma Ulrich. Lá haviam encontrado o corpo da modelo Jéssica Amorim ainda quente, porém sem vida, com marcas de estrangulamento.

Com uma xícara de café, o delegado veio novamente da sala ao lado. Já havia entrado e saído uma dezena de vezes. Sorveu um gole do café, que parecia descer pela goela feito uma bola de golfe; ajeitou a gravata no colarinho e se curvou sobre a mesa, fitando o criminoso, preso em flagrante. Fez a mesma pergunta de horas antes:

— Doutor Homero, o que motivou o senhor a matar Jéssica Amorim?

Homero olhava para ele como um padre que olha para um fiel cheio de dúvidas e aflições e não se compadece. No caso de Homero, o agravante era que ele se divertia, enquanto no policial, a angústia por obter respostas aumentava.

— Eu não tenho nada a dizer.

— Talvez o senhor só queira falar na presença dos seus advogados, mas nós já estamos aqui há horas e nenhum deles apareceu para representá-lo.

— Porque eu não chamei ninguém.
— Pretende se defender de um flagrante de homicídio sem um advogado?
— Não vou precisar.

O delegado se reclinou em sua cadeira e observou o homem à sua frente por alguns minutos. Em quase trinta anos de polícia, nunca estivera diante de alguém como ele. A tranquilidade de Homero era desafiadora e incrivelmente incômoda.

— Está bem — anuiu o delegado. — Eu entrei em contato com o promotor, falei diretamente com ele. O Ministério Público solicitou a transferência do senhor pro complexo penitenciário em Bangu e o juiz deu a autorização necessária — comunicou. — Assim, acaba esse tumulto aí em frente à delegacia. Talvez o ambiente do presídio seja um bom motivo pra contratar um advogado e colaborar com a polícia.

Foi a vez de Homero se debruçar sobre a mesa, sorrindo feito um jogador de pôquer prestes a quebrar a banca.

— Essa história não acaba aqui.

O delegado engoliu em seco. Procurou manter a calma e o profissionalismo. Se a intenção de Homero era desestabilizá-lo, não lhe daria chance para isso. Faltava pouco para Gilvan Sampaio se aposentar como delegado de polícia. O pouco cabelo grisalho que ainda lhe restava ao redor da cabeça, e os olhos repuxados por alguns pares de rugas lhe davam o tom de sabedoria necessário para afugentar o nervosismo inicial.

Gilvan se levantou devagar da sua cadeira e fez sinal para dois oficiais que aguardavam do lado de fora. Eles imediatamente abriram a porta.

— Podem levar o doutor pra Bangu. Ele prefere o silêncio. Vou interrogar o rapaz que estava chegando ao albergue na hora em que a viatura encostou. É uma testemunha importante.

Homero também se levantou e foi cercado pelos dois oficiais. Um deles lhe colocou as algemas. Antes de saírem, Homero se virou para o delegado.

— Doutor Sampaio, por favor, diga ao rapaz que será a sua testemunha que nós ainda vamos acertar as nossas contas. Não importa quanto tempo ainda leve.

Homero cruzou com Matheus enquanto era levado pelos policiais. Eles se olharam por um longo tempo. Homero encarou-o sorrindo; depois, mesmo com as mãos algemadas, levantou-as na altura do peito, unidas uma à outra e, com os dedos indicadores, simulou um gesto de tiro contra Matheus.

Quando os policiais saíram do prédio da delegacia, escoltando Homero até o camburão, os repórteres avançaram como cães ferozes. Uma infinidade de jornalistas de vários segmentos da imprensa formava uma parede humana quase intransponível. O trânsito no entorno da delegacia era caótico. Homero foi colocado na parte traseira da viatura, enquanto os *flashes* das câmeras fotográficas espocavam em cima dele, registrando o seu rosto frio, impassível. Curiosos também acompanhavam toda a ação, feito a plateia de um grande espetáculo. O camburão abriu espaço entre o mar de pessoas, até ganhar a avenida e sumir entre os outros carros. Mesmo distante, ainda se ouvia a sirene ecoar pelas ruas de Copacabana.

DEPOIMENTO DE MATHEUS – 09h15

— Quando a viatura encostou, você estava prestes a entrar no albergue, procede?
— Sim, senhor...
— O que foi fazer lá?
— A Jéssica tinha mandado um recado pra mim, me pedindo ajuda; disse que os pais dela estavam passando mal. Nós tivemos uma briga feia mais cedo, ela me atacou com uma faca, mas eu não negaria socorro ao seu Martinho e à dona Hercília. Quando cheguei no portão, tomei o maior susto. Vi a patrulha subindo a calçada. Os policiais já vieram descendo do carro e me abordando... Depois, entraram comigo no albergue...
— Subiram ao quarto da Jéssica...?
— Isso. Quando a gente entrou, ela já estava caída no chão, de robe, sem nada por baixo, o rosto roxo e o pescoço meio escuro...
— E o doutor Homero Mancini?
— Tentou fugir pela janela da suíte, mas os policiais o pegaram antes... Viram o que ele tinha acabado de fazer...
— Estranho, não acha? A dinâmica do fato...
— Era uma armadilha, delegado.
— Armadilha?
— Isso mesmo. Eu era o alvo.
— Como assim? Explica melhor, rapaz.

— O doutor Homero queria que parecesse que eu matei a Jéssica. Ele queria que eu chegasse sozinho e que depois chegasse a polícia e me encontrasse lá.

— Por que você acha isso?

— Porque é o que teria acontecido se o dono da loja de material de construção não tivesse chamado a polícia antes, quando viu o doutor Homero entrar de forma suspeita no albergue. Não parece óbvio que a polícia me prenderia pensando que eu tinha acabado de cometer o crime?

— Não é bem assim, rapaz — refutou o delegado, embora ponderasse a hipótese de Matheus. — E por que o doutor Homero teria interesse em colocar você na cadeia?

Matheus deu de ombros.

— Por causa de alguns bilhões de dólares...

— Como?

— Eu sou o herdeiro do *Pex BL Investment*, e ele não me queria por lá. Se me matasse, ele seria o principal suspeito. Acho que preferiu me colocar na cadeia, só que não deu certo.

— Você é bem esperto, jovem. Ou criativo — avaliou o delegado.

— Sou esperto não. A minha namorada é que é. Ela é uma grande jornalista investigativa. Aprendi muito com ela. — Matheus instintivamente mirou o olhar apaixonado para o lado de fora da sala e viu Mariana à sua espera, recostada num canto da parede. Ela acenou de longe para ele.

O delegado finalizou:

— Por enquanto, é só. Você está dispensado.

Antes de sair, Matheus contraiu o rosto com profunda tristeza.

— E a Jéssica? — perguntou.

— Ainda está no IML. Eu vou tomar o depoimento dos pais dela, em seguida, libero o corpo para providenciarem o sepultamento.

— Sabe, doutor, a gente brigou muito mesmo, até em Nova Iorque — ele tentava conter o choro, porém a voz estava completamente embargada —, mas eu não queria que isso tivesse acontecido com ela.

E saiu.

DEPOIMENTO DE SAULO GONZAGA – 10h30

— Seu Saulo, o senhor é o proprietário da loja em frente ao albergue Caminho do Mar, na Rua Djalma Ulrich, procede?

— Sim.

— Foi o senhor quem ligou pro 190 informando de uma movimentação suspeita no casarão, correto?

— Correto.

— Lembra a que horas foi isso?

— Era quase meia-noite. Não sei dizer ao certo.

— O que o senhor viu exatamente?

— Um homem, todo vestido de preto, usando uma espécie de capuz, entrando no albergue. De início eu pensei que ele estava arrombando o portão, mas depois eu percebi que o portão já estava aberto.

— Ele estava a pé?

— Quando eu o vi chegar, estava, sim. Eu não vi de que lado ele veio, se da Barata Ribeiro ou da Nossa Senhora de Copacabana.

— O que o senhor fazia na sua loja naquele momento?

— Eu tinha recebido uma quantidade grande de mercadoria na parte da tarde e fiquei lá pra arrumar tudo depois do horário, com a loja fechada.

— O senhor não identificou que se tratava do doutor Homero Mancini?

— Não dava pra reconhecer. Eu vi esse movimento na hora que eu já estava indo embora. Já tinha arrumado tudo e saído da loja. Quando eu percebi um homem estranho se aproximando do portão do albergue, me escondi atrás de um poste e fiquei espiando. Depois que ele entrou, fui ao orelhão, ali próximo, e chamei a polícia. Eu pensei que era assalto. Sabe como é, ali todo mundo se conhece, e a gente avisa um ao outro, ou chama a polícia quando precisa.

— O senhor continuou no local depois que a PM chegou?

— Continuei, sim. Eu acompanhei tudo de longe, até quando chegou o rabecão pra levar o corpo. Coitada! Eu vi aquela menina criança, muito antes de virar modelo famosa. Ela e o irmão brincavam muito ali na Djalma. O seu Martinho e a dona Hercília sempre foram gente da melhor qualidade, não mereciam passar por isso. Por que um homem rico como esse doutor Homero Mancini fez uma barbaridade dessas com a moça?

— Desde que foi preso em flagrante, ele não disse nada que elucidasse a motivação do crime. Mas nós vamos investigar. Inclusive, há suspeitas de que ele tenha cometido outros assassinatos. Encontramos indícios em crimes que, até então, não haviam deixado pistas. Agora sabemos que todos têm proximidade com o doutor Homero. Talvez ele tenha matado até a própria mulher e forjado o suicídio dela.

— Então, é um bandido perigoso!

— Tudo indica que sim. Bem, por enquanto ele vai ser mantido preso. O senhor está dispensado.

◆ ━━━━━━━━━━ ◆

A viatura da polícia seguia pela pista central da Avenida Brasil, ocupada pelo motorista e mais três homens armados com fuzis. No camburão, Homero ia abaixado, de cócoras, espremido entre as grades de ferro. Sentia-se como um bicho gigantesco dentro de uma gaiola minúscula, mas sabia que era apenas por alguns instantes. Ele sorriu ao ouvir o ranger dos motores ali perto.

Seis carros cercaram a viatura, bloqueando a passagem, e fizeram-na parar no meio da avenida. Os três policiais saltaram imediatamente, disparando contra os interceptores, que revidaram com tiros de escopetas, metralhadoras e pistolas. Eram muitos e pareciam vir de todas as direções, como ratos fugindo de um bueiro. Todos com armas de grosso calibre. Os demais automóveis, que seguiam pela via, ficaram no meio do fogo cruzado. Alguns motoristas tentavam dar marcha à ré, outros saltavam e saíam correndo, abandonando seus veículos no meio da pista.

Enquanto os três policiais eram metralhados, um brutamontes arrombava o compartimento traseiro da viatura. Homero desceu tranquilamente. O mesmo grandalhão conseguiu lhe tirar as algemas, sem o menor esforço. Homero ainda pôde, no meio do tiroteio frenético, num toque sarcástico de elegância, ajeitar o cabelo e a roupa, que fora amassada no desconforto da gaiola.

Como num passe de mágica, um helicóptero desceu das nuvens, baixando em plena Avenida Brasil. Uma escada feita de cordas, e em forma de rede, foi lançada para Homero, que subiu como quem estivesse num parque de diversões. Ele embarcou no helicóptero sem nenhuma dificuldade. Ainda sorriu mais uma vez para os corpos fuzilados no chão, envoltos num mar de sangue.

A aeronave ganhava altitude, ao mesmo tempo em que os marginais entravam nos seus carros e se dispersavam rapidamente, cantando pneu e realizando manobras arriscadas. A ação para libertar Homero durou menos que o esperado. Em menos de dez minutos, tudo estava resolvido.

"Bem do jeito que planejamos. Deixe o maldito órfão achar que ganhou a parada. É hora de tirar meu time de campo, sumir por uns tempos... Depois eu volto, acabo com ele e termino de vez o que começamos..."

A cidade, vista do alto, era inofensiva, mas os pensamentos de Homero não.

DEPOIMENTO DE MARTINHO E HERCÍLIA – 10h48

— Nós só ouvimos quando a polícia já estava no corredor, entrando no quarto da Jéssica. A gente acordou com o barulho — contou Hercília ao delegado.
— Aí nós levantamos depressa e fomos ver o que estava acontecendo — completou Martinho.
— Antes disso, vocês não ouviram nada? Nenhum barulho?
— Não — eles disseram prontamente.
— O portão principal e a porta da sala costumavam ficar abertos durante a madrugada?
Foi Martinho quem respondeu:
— Só quando esquecíamos de trancar, o que era difícil acontecer. Eu mesmo verificava várias vezes se não tinha deixado aberto. Já aconteceu de o portão dormir aberto, sim, mas é raro.
— Ele é muito cuidadoso, delegado — destacou Hercília, referindo-se ao marido. — Nós sempre nos preocupamos com a nossa segurança e com a segurança dos nossos hóspedes. Muitos trazem dólares nas bagagens, pertences caros, não dá pra descuidar...
— Mas, e ontem? O portão estava trancado?
Martinho coçou a cabeça, confuso.
— Pois é... Eu tenho certeza que eu tranquei o portão e a porta da sala antes de subir pro nosso quarto, como eu sempre faço.
Gilvan Sampaio aduziu:
— Se o senhor trancou a entrada do casarão antes de ir deitar, alguém foi lá e abriu depois, já que não há sinal de arrombamento.
Imediatamente, o delegado se recordou do que lhe disse Matheus em depoimento, pouco mais de uma hora antes: "A Jéssica tinha mandado um recado pra mim, me pedindo ajuda, disse que os pais dela estavam passando mal... Era uma armadilha, delegado... Eu era o alvo..."
Em voz alta, Gilvan concluiu:
— A Jéssica premeditou um flagrante, mas algo não deu certo. Não era pra ela morrer. O flagrante era outro, dirigido a outra pessoa.
Martinho parecia chocado.
— Premeditou? Como assim?

249

— Ela queria armar um flagrante pra alguém, é isso? — indagou Hercília, ainda na esperança de que tivesse entendido errado.

Contudo, Gilvan Sampaio confirmou:

— Exatamente. Isso mesmo.

Foi a vez de Martinho reagir com indignação, dando um golpe de punho fechado sobre a mesa:

— A minha filha não seria capaz disso, doutor!

Hercília desabou em prantos. Entre rompantes de soluços, quis saber:

— Mas a armação era pra quem?

— Bem, pelo que pudemos apurar até agora — disse o delegado —, tudo indica que era pro Matheus, empregado da casa de vocês.

— E por que ela faria isso?! — perguntou Martinho, ainda sob forte indignação.

A mulher então revelou ao marido:

— Por causa de um amor não correspondido. Ela amava o Matheus.

— Além do Matheus, a Jéssica tinha algum envolvimento mais íntimo com alguém? Com o doutor Homero? — inquiriu Gilvan.

Hercília tornou para ele.

— Que a gente saiba, não. A Jéssica não costumava comentar de namoro, até porque ela nunca namorou sério com nenhum brasileiro. Ela morava há muitos anos na Europa, os relacionamentos eram todos por lá. O Matheus foi o primeiro que ela gostou aqui no Brasil. Ela nunca falou do doutor Homero. Ele esteve lá no albergue uma vez, interessado em comprar o casarão, mas a Jéssica tinha saído naquele dia. Ela ficou sabendo pela gente, depois. Ela não o conhecia.

O telefone do delegado tocou.

— Sampaio falando. — Ele ouviu por um instante. Martinho e Hercília notaram quando a expressão dele mudou gravemente. — Mas como?! Isso não podia acontecer! Falha na escolta, o caramba! Quantos marginais eram? Que... Quantos...? Vou acionar a Secretaria de Segurança. A gente tem de ir atrás dele até no inferno! — Desligou.

Martinho o encarava.

— Algum problema, doutor?

— Homero Mancini fugiu — disse, erguendo-se apressado da cadeira e pondo uma pistola no coldre preso à cintura. — Nós precisamos encontrá-lo antes que ele saia do país!

— Eu não acredito que esse bandido matou a nossa filha e agora fugiu! — Hercília pôs as mãos na cabeça, sentindo uma vertigem. — Isso só pode ser um pesadelo, meu Deus...

— Vocês estão dispensados. O resto é com a polícia. O IML está aguardando vocês pra liberação do corpo.

◆―――――⚜―――――◆

"Asfixia mecânica por esganadura" era o que dizia o laudo do Instituto Médico Legal sobre a causa da morte de Jéssica, um dia depois, quando o corpo finalmente foi liberado para o sepultamento.

Martinho, Hercília e o irmão de Jéssica, Fabrício, estavam inconsoláveis. O jovem deixou por alguns dias a vida pacata de estudante no interior do Rio para comparecer ao velório. A família era o sinal claro da devastação por uma tragédia que ninguém entendia bem como se deu.

A capela três do Cemitério São João Batista estava apinhada de gente, entre curiosos, alguns poucos fãs, amigos e conhecidos de Jéssica do tempo da infância e adolescência, além de colegas da *Hunt Models* e jornalistas que buscavam dar destaque à morte da modelo internacional.

Francesco Bartolotto encomendou uma coroa de flores em nome da agência. Acostumado a ver Jéssica sempre tão efusiva e cheia de vida, sentia estranheza ao se deparar com aquele corpo frio e inexpressivo no caixão, rodeado de crisântemos amarelos. O italiano abraçou afetuosamente Martinho e Hercília e chorou com eles durante um longo momento.

Matheus chegou acompanhado de Mariana. Não se desgrudavam mais. Foi ela, inclusive, quem o ajudou a encontrar um apartamento quando ele decidiu sair do albergue para morar sozinho. Hercília viu os dois chegarem juntos e não pôde deixar de se lembrar de uma das últimas conversas que teve com a filha. As palavras dela ainda ecoavam na sua mente, de forma dolorosa e implacável: "Ele não é quem vocês imaginam... Ele me violentou no quarto do hotel, enquanto eu dormia... Eu não tive como me defender..."

Matheus se aproximou do caixão e observou em silêncio o corpo de Jéssica. Ele não sabia o porquê, mas não conseguia chorar. Apenas carregava dentro de si uma sincera tristeza pelo acontecido. Mariana amparava-o timidamente. De certo modo, era desconfortável para ela estar ali. Sentiu falta da sua câmera fotográfica e do seu bloquinho de anotações, e logo se deu conta de que não pertencia mais ao Tribuna Fluminense. E aquela não seria sua reportagem.

Era solidária ao sofrimento dos familiares, no entanto, ao contrário de Matheus, tinha uma visão menos íntima acerca daquele assassinato. O seu faro dizia o tempo todo que Jéssica não era apenas uma vítima e a sua morte fora consequência de um plano sórdido mal executado. Se tudo tivesse dado certo e a moça pálida no caixão estivesse viva, seria cúmplice de um falso flagrante criminoso contra um inocente. E era um inocente por quem Mariana se apaixonou como nunca imaginara.

Após o sepultamento, ainda no cemitério, enquanto todos se dispersavam, Hercília puxou o marido num canto.

— Martinho, eu preciso te contar uma coisa muito séria.
— O que foi?
— É sobre o Matheus...
— Diga.

Hercília tentou medir o impacto da sua revelação, mas foi direta:
— Não faz muito tempo, a Jéssica tinha me falado que foi violentada por ele, lá no hotel em Nova Iorque.

Era a segunda vez, em pouco mais de vinte e quatro horas, que Martinho sentia aquele choque, parecido com uma bofetada quente no rosto. E um sentimento de decepção que o lanhava por dentro.

— O que você está dizendo, mulher?!
— Eu tive essa mesma reação que você. Mas agora, vendo ele aqui, abraçando a gente, lamentando a morte da nossa filha...
— Que é que tem?
— Eu fico me perguntando se isso não foi armação dela pra tentar prejudicar o Matheus.

Martinho fitou a mulher nos olhos.
— Você acha que ela seria capaz?

Hercília segurou no braço dele e respondeu como se as palavras machucassem:
— Nós sabemos que sim.

Matheus estava quase indo embora com Mariana quando Fabrício foi falar com ele.

— Oi, tudo bem? Você é o Matheus, né?
— Sou. Você é o irmão da Jéssica.
— Já me conhecia?
— Vi as pessoas comentarem.
— Prazer...
Os dois rapazes apertaram as mãos.
Fabrício tornou para Mariana.
— Tudo bem? Você eu não conheço.
Ela sorriu de forma amistosa.
— Mariana. Sou amiga dele.
Matheus fez uma careta e retrucou de um jeito divertido, exagerado:
— Amiga, nada! Minha namorada! Aliás, eu espero que não demore muito e ela aceite casar comigo! Mas tá difícil, cara! Ela não é muito chegada a compromisso...
Fabrício parecia surpreso e constrangido.
— Não sabia que você tinha namorada. A minha irmã não me falou isso.
— Pois é. Eu tenho. Na verdade, faz pouco tempo que nos conhecemos, mas, no que depender de mim, a gente vai ficar junto pro resto da vida.
— A Jéssy então chegou tarde...
— Jéssy?
— Ah, desculpe! Era assim que eu chamava a minha irmã.
— Chegou tarde por quê?
Fabrício comprimiu os lábios, pesaroso.
— Bom, todas as vezes em que a Jéssy e eu nos falamos pelo telefone, ela me dizia que vocês ficariam juntos. Pelo que estou vendo, ela se enganou. É provável que ela tenha morrido a fim de você.
Naquele instante, os três experimentaram um constrangimento quase palpável. Mariana era talvez a que sentisse o desconforto maior com a situação. Não via a hora de sair dali.
Matheus tentou ser educado:
— Infelizmente, a Jéssica confundiu as coisas.
— Estou vendo — assentiu Fabrício.
— Eu sempre serei grato por tudo que ela fez por mim — continuou Matheus —, pela oportunidade que ela me deu de conhecer a agência, de arrumar um trabalho que desse uma grana melhor, mas... eu também sempre deixei claro pra ela que a gente não seria mais do que amigos. Mas ela não aceitava.

— É, a Jéssy tinha dificuldade em lidar com as próprias emoções — comentou Fabrício. — Minha irmã tinha um transtorno psiquiátrico sério: Transtorno de Personalidade Borderline.

— Eu fiquei sabendo depois, por alto...

— Mas era uma doença que não impedia a minha irmã de seguir a vida. É uma pena que ela não esteja mais aqui entre nós pra tentar recomeçar e encontrar um amor de verdade.

Houve um silêncio. Então Matheus se apressou.

— Bem, a gente já estava indo...

— Ah, claro! Foi um prazer te conhecer, Matheus. Você também, Mariana. Espero que vocês sejam muito felizes — foi o que Fabrício conseguiu dizer, por fim.

— Valeu, cara! — Matheus apertou a mão dele novamente e se virou em direção à saída do cemitério. Mariana acompanhava seus passos, sem olhar para trás.

Fabrício ainda ficou parado por um tempo, observando os dois de longe.

— Precisava disso?

— O quê?

Eles já tinham chegado à calçada do lado de fora do cemitério.

— Ah, esse encontro, essa conversa, que coisa inconveniente, credo! Me senti mal, estava doida pra vir embora. Você ainda falou que eu era a sua namorada, pra quê? Eu, hein!

Matheus parou para fitá-la.

— Mas você, não é?

Mariana não resistiu e acabou sorrindo. Ela amava aquela falsa inocência dele. Deixava-o ainda mais charmoso e sedutor.

— Tá bom! Sou sua namorada, ok?

— Agora, sim! — ele riu, feliz.

— Mas não precisava falar, poxa! O rapaz acabou de enterrar a irmã, que era louca por você!

— Mari, a Jéssica teve o tempo dela pra entender as coisas. Paciência. Como o irmão dela disse: ela não está mais entre nós, não pertence mais a este mundo. A gente precisa seguir a vida, independente disso tudo que aconteceu.

— Você tem razão — ela concordou.

— Eu amo você e a gente tem que ficar junto.

— As coisas não são tão fáceis, Matheus. A sua vida vai mudar radicalmente.

— Do que você está falando?

— O Homero Mancini não foi encontrado. Ele é um foragido da Justiça. Tudo indica que você, como herdeiro da Laura, vai assumir o comando do banco.

Matheus gritou sem querer, assustado:

— Eu?!

— É claro. Tenha Laura agido ou não de má-fé quando te registrou, a justiça não vai negar a você o direito à herança. Você é o único herdeiro dos Leubart.

— Mas eu não entendo nada de empresas!

— Vai ter que se esforçar pra entender. Afinal, estamos falando de um banco de investimentos presente em vários países, nos seis continentes. Eu tive acesso a um levantamento feito por uma revista do ramo, e parece que o banco controla ativos pelo mundo todo, que passam de quinhentos bilhões de dólares.

— Ativos? Como assim?

— Ativos são o patrimônio do banco.

Matheus assobiou. Nunca tinha ouvido falar em tanto dinheiro.

— Caramba! É muita grana!

— Bastante. E é você quem vai ficar à frente dela.

— Eu nem saberia o que fazer com tanto dinheiro...

— O lado ruim, e o mais perigoso, é que boa parte do dinheiro que você vai administrar tem dono. São investidores que confiaram no banco e não querem perder o que investiram. É como se você fosse guiar um carro por uma estrada cheia de curvas e com vários precipícios em volta.

— Eu não tenho condições de administrar nada, Mari. Acho que nem a minha vida, quanto mais o dinheiro dos outros. Eu não vou saber lidar com essas coisas...

— Você vai precisar de alguém pra te ajudar.

— Você me ajuda?

— Claro. Mas eu quero dizer alguém mais preparado. Eu acho que você deveria fazer uma visita à sede do banco e lá buscar pessoas que estejam dispostas a te ensinar a como mexer nessa máquina toda.

Caminhavam pela Rua General Polidoro. Fazia calor. Matheus não parava de pensar. Lembrou-se do casal que o acolheu e que considerava como seus pais. Era triste saber que nada seria como antes.

— O seu Martinho e a dona Hercília sempre me davam conselhos quando eu precisava. Mas acho que agora não têm condições de me ajudar. Eles disseram que vão vender o casarão e vão embora do Rio de Janeiro.

— Por que você não compra o casarão? Você vai ter grana pra isso.

— Só se fosse pra ajudar pessoas carentes, montar um orfanato, sei lá. Um orfanato melhor que o das freiras, onde eu morei.

— Boa ideia!

Mariana parou de repente e lhe deu um beijo. Embora não o dissesse, ela o amava.

Matheus, por outro lado, não cansava de repetir:

— Eu te amo!

Do lado de lá

Capítulo 20

RIO DE JANEIRO — 2018

O restaurante era luxuoso e ficava no entroncamento de duas ruas no Centro. Ele gostava de almoçar ali, os pratos eram excepcionais, e o estilo refinado do ambiente lhe dava uma sensação de supremacia que por alguns anos ele não pudera sentir. O gosto de ter vencido na vida ia além das iguarias que constavam no cardápio. Era um gosto só seu; só ele era capaz de experimentar.

Observou ao redor, especulando se alguém ali seria mais rico ou mais influente e poderoso que ele. Achava que não. Acostumou-se a ler nas páginas dos jornais que a cada trimestre a fortuna do seu império aumentava, e bilhões de dólares eram somados ao seu patrimônio. Depois de um tempo, descobriu que as cifras representavam apenas números em uma planilha. Números que o colocavam num patamar acima do restante dos mortais, quase inatingível por outro ser humano.

Ela estava atrasada. Quase sempre se atrasava, e isso o deixava um pouco irritado. Sabia que os atrasos eram por conta da sua profissão. Ela transitava na correria entre um furo e outro. Tinha de ser a primeira a dar a notícia. Não era apenas isso, tinha que dar a notícia e esmiuçar, investigar, trazer à tona algum fato que os outros jornalistas não trariam. Ou trariam depois que ela o fizesse, com exclusividade, em primeira mão.

A filha que tiveram, Helena, uma moça de dezoito anos, assim que terminou o Ensino Médio em um dos colégios mais caros e tradicionais da cidade, foi fazer um intercâmbio em Paris. Pretendia ingressar na faculdade de Artes. Não seguiria a profissão da mãe, tampouco a do pai. Apesar de muito nova, era bem resolvida e arquitetava seus próprios projetos, que estavam longe de ser ambiciosos.

O pai bem que tentava persuadir a filha a seguir uma profissão que a tornasse poderosa como ele, porém Helena não dava a mínima para o *status*. Não desejava aquilo para ela. Também nunca se incomodou de morar no apartamento de dois quartos, em Botafogo, que a mãe comprara trabalhando no jornalismo. Era simples, sem luxos, mas confortável. Diferente da cobertura onde o pai morava, em Ipanema, de frente para o mar, avaliada em quarenta milhões de reais.

Helena encarava bem o fato de o pai e a mãe nunca terem sido casados; de certa forma, até admirava o relacionamento moderno que eles mantinham há anos. Eram eternos namorados, embora vivessem entre o amor e o ódio quase sempre. Era incrível como tantas diferenças surgiram entre o casal após longos anos de convivência.

Quando ela finalmente chegou, ele a viu adentrar o restaurante. Olhou então rapidamente o relógio de pulso, a fim de medir o tempo exato de atraso: quarenta e cinco minutos!

A única coisa que o acalmou foi a beleza do relógio Louis Moinet, de quase cinco milhões de dólares. O modelo trazia na sua fabricação um pequeno fragmento do raríssimo Dhofar 459, um meteorito lunar. Quatro exemplares tinham sido fabricados, e se orgulhava de possuir um deles. A peça simbolizava o seu triunfo: de órfão pobre a bilionário poderoso, um feito tão notável quanto tocar a Lua com a palma da mão. Sentia dessa forma.

— Desculpe o atraso — disse Mariana, ao puxar a cadeira para sentar.
Matheus sorriu irônico.
— Já estou acostumado. E com certeza não será o último.
Ela ignorou a crítica e tentou justificar-se:
— Eu estava na redação. Precisava fechar uma matéria antes das duas da tarde.
— Seu trabalho, sempre em primeiro lugar...
— Vai começar, Matheus? Me chamou aqui pra isso?
Ele recuou. Não a queria irritada. Não naquele dia. Mudou o tom.

— Não. Chamei por outro motivo. Só acho que você dedica muito tempo a esse jornal.
— É o meu trabalho. É justo que eu me dedique, não acha?
— Quer que eu o compre pra você?
Mariana se fez de desentendida:
— Comprar o quê?
— O jornal — ele retrucou, com naturalidade.
— Não, obrigada! Eu recebo um exemplar todas as manhãs em casa — ela resolveu devolver a ironia.
Matheus ignorou e expôs de forma fria e objetiva:
— Eu compro o jornal e faço de você a presidente dele.
No entanto, Mariana respondeu secamente:
— Não, obrigada! Eu sei que o seu dinheiro compra muitas coisas, mas não é necessário que compre o lugar onde eu trabalho também.
— Gosta de ser subalterna? Uma jornalista como você, comandada por profissionais muito menos gabaritados?
Ela imitou a frase dele:
— Já estou acostumada.
— Mari, eu...
— Mari?!... Faz tanto tempo que não me chama assim.
— Faz?
— Bem, acho que da última vez, você tinha dezoito anos, e eu, vinte e quatro.
— Alguma coisa mudou entre a gente? — Ele se interessou em saber.
— Sim. Hoje você tem quarenta, e eu, quarenta e seis — ela riu.
— Falo sério.
Mariana encarou-o em silêncio por breves segundos, que pareceram anos. Depois, disse com tristeza:
— Muita coisa mudou. Sabemos muito bem que mudou.
— Por quê?
— Você se transformou em outra pessoa. Não é nem de longe o Matheus que eu conheci há vinte anos.
Ele não gostava quando ela falava isso.
— Lá vem você com essa conversa outra vez!
Mariana insistia com veemência:
— Você sabe que não é!
— Por que não sou?
Ela parecia subitamente alarmada.

— Veja no que você se transformou! Olhe-se no espelho e veja se você se reconhece, Matheus, porque eu não te reconheço há muito tempo!

— Eu virei um homem de negócios — ele argumentou. — Está certo, não sou mais aquele órfão ingênuo que trabalhava como modelo pra ver se saía daquela merda de vida que eu levava! Mas isso faz de mim alguém pior que os outros? Ter dinheiro faz de mim um monstro?

— Depende de como você consegue esse dinheiro. O Homero Mancini nunca foi encontrado, e eu achei que você daria um rumo diferente ao banco. Me enganei. O que você fez até hoje foi se envolver com gente da pior espécie. Gente suspeita de crimes, envolvida em falcatruas; gente que rouba, que vive metida em escândalos...

Ele começou a ficar nervoso:

— Gente que o seu jornal de quinta usa pra vender mais! Desde quando você virou juíza? A mulher que eu conheci há vinte anos também não era capaz de julgar ninguém sem provas!

Mariana sentia nojo ao declarar:

— Mais provas além das que já existem? O seu banco está sendo acusado pela Polícia Federal de encabeçar um esquema milionário de corrupção que envolve até o governador! Vocês estão mergulhados num lamaçal! A cada dia são descobertos novos fatos, novos nomes, novos crimes! Vocês roubaram de hospitais! Pessoas morrem todos os dias nas filas à espera de socorro! É nesse homem de negócios que você se transformou! É esse o pai da minha filha!

— Deixa a Helena fora disso, ok?

— Você pensa que ela já não me perguntou se o pai dela é um criminoso? Eu tenho vergonha que a Helena saiba que o seu nome figura na lista do esquema que a Federal investiga! Ainda bem que ela saiu do país por uns tempos!

Matheus não perdeu a chance de registrar:

— Com o meu dinheiro! Dinheiro do meu banco, do meu trabalho! É graças a ele que eu posso dar um futuro digno à nossa filha, diferente do que eu tive na idade dela!

— Antes não desse! — reagiu Mariana — Antes não roubasse de gente que tem muito menos que você! É uma covardia!

O garçom aproximou-se.

— Com licença, já escolheram os pedidos?

Matheus fingiu consultar o cardápio, constrangido em meio à discussão. Acabou pedindo um prato que já conhecia.

— Medalhão de salmão, arroz com shitake e uma salada. — Olhou para Mariana. — E você?

Ela deu de ombros.

— Estou sem fome, obrigada!

— Preferem fazer os pedidos depois? — sugeriu o garçom, prontamente.

— Pode ser, obrigado...

O garçom afastou-se.

A discussão entre eles recomeçava.

— É assim que me vê? Como um criminoso?

— É assim que a Operação Esculápio classifica você e os seus parceiros. A investigação apura desvio de verbas e uma rede de corrupção milionária nos hospitais do Rio de Janeiro, usando firmas terceirizadas de fachada, todas ligadas ao seu banco pra lavar dinheiro criminoso de político...

Ele interrompeu-a:

— Com o tempo você vai ver que essas acusações são infundadas. Que você estava enganada sobre mim.

— Eu espero muito estar enganada!

Matheus pegou a mão dela.

— Eu te amo, Mariana! Até hoje tudo que eu mais quis na vida foi me casar com você, e você nunca quis, não sei por quê.

— Nunca precisamos de papel, nem de morar juntos. Sempre foi assim. Não precisa ser de outro jeito — ela recolheu a mão delicadamente para o meio da mesa.

— Pois eu te chamei aqui mais uma vez pra isso: pedir você em casamento. Pedir, implorar que a gente passe a morar junto. Vai ser bom pra Helena também. Seremos muito felizes como uma família de verdade. A família que eu sempre busquei.

Mariana podia enxergar a sinceridade nos olhos dele. Mas para ela nunca foi o momento, e não sabia se um dia seria. Era terrível acreditar que o homem a quem tanto amou ficara no passado, apesar de ainda sentir a brasa daquele amor da juventude lhe crestar o coração.

Confessava a si mesma, sempre, em segredo dentro da alma, que bastava pôr os olhos nele para que os sentimentos recrudescessem e ameaçassem vir incontroláveis feito avalanche. Até mesmo os sonhos eróticos que tinha com ele no meio da noite, e que a despertavam molhada de suor e desejo, eram algo estritamente íntimo e secreto. Talvez nunca desse vazão a eles e os levasse para o túmulo. Não era fácil para Mariana ter de rejeitá-lo; no entanto, era o que achava que devia fazer.

— Tenho que ir...

— Nós nem almoçamos!

— Fica pra outro dia.

Ela se levantou com calma. Ainda arrumou a cadeira de volta no lugar antes de lhe acenar um beijo formal. Depois, atravessou o salão pomposo e foi embora.

Matheus a observava, arrasado.

A Termas Rio D'Ouro consistia em um casarão de dois andares na Praia do Flamengo e era uma espécie de zona de luxo. As garotas que atendiam lá possuíam a fama de serem as mais belas e bem cuidadas do Rio de Janeiro. O proprietário do bordel era um respeitado político, que usava um amigo como testa de ferro do lucrativo negócio.

A casa era frequentada por pessoas do mais alto escalão, e recebia desde empresários a artistas famosos, passando por integrantes de todas as esferas de governo. Tudo garantido por um sigilo tão eficiente quanto os serviços que ali se prestavam. Nenhum frequentador jamais falava sobre o local, nem mesmo dizia conhecê-lo. Havia uma espécie de pacto de silêncio que os resguardava da maledicência da sociedade e garantia que o lugar continuasse funcionando sem problemas.

Era na Rio D'Ouro que Matheus, vez ou outra, afogava as suas mágoas. Ao longo dos anos, quando brigava com Mariana, corria para lá e escolhia a melhor "menina" da casa. Não era raro imaginar que transava com Mariana, enquanto penetrava, quase de modo raivoso, a prostituta que lhe servia de bom grado o meio das pernas. Naquela noite, porém, foi diferente. Ele se sentou na cama e respirou fundo, já exausto.

— Não adianta... não consigo... hoje, não.

Na manhã seguinte, logo que chegou ao escritório, Matheus digitou no *smartphone* uma mensagem para Mariana:

"Eu te amo! Casa comigo, por favor!"

Em seguida, pôs o telefone sobre a mesa e ficou esperando, como se a qualquer momento ela pudesse lhe responder o tão esperado "sim". A cada minuto que se passava, a angústia e a frustração aumentavam.

Finalmente, recebeu uma ligação. Fitou o visor do aparelho, mas não havia identificação do número.

"Privado"

Talvez ela esteja me ligando de outro lugar.

Atendeu com ansiedade.

— Alô! Mari?

— Não. Sou eu — disse a voz masculina do outro lado.

Ele reconheceu aquela voz. Falavam-se quase que diariamente.

— Ah, desculpe, pensei que fosse...

— A Mariana. A sua mulher.

— Isso.

— Tudo bem. Como estão as coisas?

— Caminhando. Graças à sua ajuda, é claro.

— Que bom. Muito bom.

— Quando você vem ao Brasil? Precisamos nos conhecer pessoalmente... Tantos anos...

Pelo menos vinte anos. Nunca se viram.

— Em breve. Tenho de desligar.

O homem encerrou a ligação abruptamente.

Matheus deu de ombros. A sua preocupação naquele momento era outra, e ele não aguentava mais esperar. Enviou nova mensagem para Mariana, confrontando-a:

"Vai me ignorar? É isso que eu mereço?"

A resposta não tardou a chegar:

"Estou no trabalho. Outra hora falo com você. Bjs!"

Ele atirou o telefone em cima da mesa, irritado.

— Ela não pode fazer isso comigo! — esbravejou.

Já passava de uma da madrugada e a campainha no apartamento de Mariana tocava insistentemente. O som agudo reverberava como a anunciar um incêndio.

Ela abriu os olhos e esfregou-os com os dedos, assustada, sem saber se aquilo era real ou um pesadelo. A campainha disparou outros três toques rápidos. Levantou-se com alguma dificuldade, vestiu o robe e foi atender à porta. A cabeça ameaçava doer.

Ao abrir, deparou-se com Matheus.

— Não aguento mais esperar. Eu preciso de você, Mari. Eu quero você — ele dizia, sôfrego, como quem houvesse corrido quilômetros no deserto.

Atirou-se em seus braços antes que ela esboçasse qualquer reação. Um deles fechou a porta e, sem que represassem a emoção e o desejo que os dominava, entregaram-se ao beijo que parecia guardado ao longo de anos. Matheus derrubou-a no sofá, arrancou-lhe o robe e a pouca *lingerie* que ela usava por baixo. Parou por um instante, admirando o corpo nu da mulher que tanto amava.

"Ela é tão linda!", pensou. Tocou-lhe os seios. Ela suspirou ao toque dele em torno dos mamilos. Continuou a acariciá-la, vagarosamente, esquadrinhando cada centímetro de pele. Desceu a mão e colocou-a sobre a genitália de Mariana. Sentiu os pelos pubianos dela, negros, macios, eriçarem-se de leve. Finalmente, ele se despiu; atirou a roupa num canto qualquer e se pôs a beijá-la por todo o corpo, já num ritmo apressado e faminto. Tinha a impressão de que seria devorada por ele.

Mariana não resistiu. Ao contrário, permitiu-se. Matheus era o homem de sua vida, embora tivesse restrições quanto ao estilo de vida dele. Naquele momento, porém, queria ser devorada. Ela já não suportava tanto desejo gritando dentro dela, desesperadamente.

Matheus gostava de dominar, mas não se surpreendeu quando ela se ajoelhou e pôs o órgão duro dele todo dentro da boca, chupando-o e masturbando-o. Em seguida, ela se montou sobre ele, sem pudor, encaixando-se e se mexendo de modo frenético, sentada no colo dele, experimentando a delícia de ele a invadir. Não queriam que terminasse nunca. Há muito ansiavam por aquilo. Matheus ainda a colocou de bruços e lhe penetrou o ânus, segurando-a pelos cabelos. Mariana gemia e gritava, pedindo aos céus que ele não parasse...

Acordaram aninhados um ao outro. A transa tinha sido magnífica. Estavam saciados. Era hora de a vida seguir, e ambos sabiam disso. Matheus sabia também que não poderia fazer planos a despeito da tórrida madrugada de amor e sexo. Quando insinuou, mais uma vez, que deveriam morar juntos, Mariana rebateu com o mesmo desinteresse cruel que tanto o feria na alma:

— Não quero. Não vai dar certo. Nem pensar.

Matheus ficou sentado ao pé da cama, ainda nu. Mariana saiu do banho e começou a vestir-se, com a velha sensação de estar sempre atrasada. Precisava chegar à redação às dez e já passava das nove. Matheus estava cabisbaixo, parecia triste, mergulhado em algum abismo dentro de si.

— Que foi? — ela perguntou, calçando os sapatos.
— Tem uma coisa que até hoje não ficou resolvida pra mim...
— O quê?
— Eu queria saber quem me colocou no orfanato.
— Matheus, já conversamos tanto sobre esse assunto...
— Não acha que tenho o direito de saber?
— Já faz tantos anos!
— Eu sei! Mas até hoje me incomoda!

Mariana se sentou ao lado dele e segurou a sua mão.

— E o que se pode fazer pra melhorar isso?

Matheus olhou fundo nos olhos dela.

— Me ajuda a descobrir...
— Como?
— Sei lá. Você é jornalista, não é? Descobre tanta coisa. Vai até o orfanato. Vê se consegue uma pista, qualquer informação sobre como eu fui parar lá. Alguém deve saber.
— É difícil, Matheus. Já se passaram quase quarenta anos. Mas eu posso tentar...
— Por favor! Eu prometo que não te peço mais nada. — Ele parecia sincero e angustiado.
— É tão importante assim pra você?
— Muito importante — respondeu sem hesitar.
— Tá bom. Hoje ainda, se der, eu vou até lá, ok? — Ela o beijou e foi pegar a bolsa no armário. — Agora vai tomar um banho bem rapidinho e se veste. Estou atrasadíssima. E você tem que ir pro escritório.

Matheus jogou charme.

— Me deixa ficar aqui te esperando... Não mexo em nada.

Mariana fez uma careta.

— Engraçadinho...

Ele se levantou para abraçá-la. Imediatamente, Mariana sentiu o pênis dele enrijar.

— Olha como você me deixa! — Ele apertou-a contra sua cintura.

— Não é hora. — Mariana se afastou de modo divertido, fingindo seriedade. — Vai tomar o seu banho, senão você vai me atrasar ainda mais!

— Ok, ok! Você é quem manda, xerife! — respondeu no mesmo tom, indo para o banheiro.

Ela ficou ali, parada, pensando em uma maneira de conseguir no orfanato todas as respostas de que precisava. Não voltaria de lá sem elas. Algo dizia que precisava ajudá-lo.

Era a primeira vez que Mariana Serqueira entrava num orfanato. Aquele, então, grandioso, cheio de signos religiosos por todos os lados, despertava-lhe curiosidade e certa apreensão, ela não compreendia bem por quê. O silêncio do lugar era quebrado vez ou outra pelo som distante da algazarra de crianças, que brincavam em alguma parte do terreno nos fundos do prédio. Por trás daquelas portas enormes de jacarandá envernizado, que se enfileiravam ao longo do corredor, pairava um clima de mistério. Mariana sabia que uma daquelas portas escondia o que ela foi buscar: a verdade sobre Matheus.

Atravessou o imenso átrio que dividia duas alas do edifício. Notou os pisos em preto e branco dispostos em triângulos pelo chão. Brilhavam. A construção era antiga, mas parecia ter passado por uma reforma havia pouco tempo.

Foi recebida por Irmã Aurora. O escritório da freira tinha uma janela que dava para uma horta, onde algumas religiosas ensinavam crianças a plantar. Mariana se perguntou se aquelas crianças eram felizes ali. Mas esqueceu o seu questionamento tão logo Aurora a cumprimentou amistosamente. A freira aparentava cansaço, e rugas desabavam em cada centímetro do seu rosto.

— Boa tarde, irmã! Meu nome é Mariana, eu trabalho no jornal...

A velha não deixou que ela concluísse:

— Sei quem você é. Gostaria de saber em que posso te ajudar.

Mariana sorriu meio sem jeito. De cara, percebeu que não seria fácil obter qualquer informação daquela mulher. Ainda mais uma informação sigilosa. Nada fácil.

— Bem... embora eu trabalhe no jornal, vim aqui hoje por um motivo particular.

De dentro do escritório era impossível que as duas percebessem quando uma noviça grudou o ouvido direito atrás da porta, no corredor. A intrusa conseguia escutar a conversa perfeitamente, ainda que num volume quase inaudível.

Mariana dizia depois de uma pausa, na qual tomara fôlego:

— É sobre um amigo meu, Matheus Leubart, a senhora deve lembrar quem é...

A mera pronúncia do nome de Matheus bastou para que Irmã Aurora desse fim à conversa, sem que Mariana nada mais pudesse acrescentar.

— Minha querida, nós aqui não falamos com terceiros sobre nenhum ex-interno. Crianças e adolescentes, ao deixarem a nossa instituição, têm seus históricos protegidos pela Ordem e mantidos em absoluto sigilo.

Mariana tentou ganhar espaço com as informações que já possuía.

— Irmã, eu sei o que a senhora revelou ao Matheus anos atrás, quando ele ainda era jovem. Ele mesmo me contou da sua visita ao albergue, o que vocês conversaram... Hoje ele é um homem muito rico e poderoso, graças à sua revelação naquela época, mas creio que faltou uma parte da história e...

Irmã Aurora levantou o braço e acenou firmemente na direção da porta.

— Por gentileza, esta conversa está encerrada.

Mariana piscou duas vezes, aturdida.

— Como?

— Peço que se retire do meu escritório. Não temos nada a conversar, lamento.

Mariana ficou parada no mesmo lugar, tentando se recuperar do susto. Era inacreditável que a investigação dela estivesse sendo encerrada daquela maneira. Já se havia deparado com as mais inusitadas situações ao longo de toda a sua carreira, contudo, a descortesia de Irmã Aurora deixou-a em estado de choque.

Antes de passar pela porta, Mariana ainda olhou para a freira e protestou:

— A senhora é muito grossa e mal-educada. Tenho pena das crianças que vivem aqui!

A velha replicou num tom arrogante:

— Tem pena das crianças, menos de uma: a que teve um belo futuro depois de passar por aqui. Com certeza, não merece a sua pena, tampouco nós devemos algo a ela. Passar bem!

Em pensamento, Mariana proferia vários palavrões e impropérios contra Irmã Aurora, ao fazer o caminho de volta até o portão principal do edifício.

"Que desaforo! Que freira indigesta, mal-amada!"

Já prestes a deixar o local, sentiu alguém tocar as suas costas de repente. Virou-se sobressaltada para ver quem era. Uma jovem noviça, de traços delicados, dava-lhe um sorriso bondoso. Os olhos da moça, no entanto, pareciam espertos e inquietos, destoando da aparência angelical que a princípio ela externava.

— Desculpe! Eu não quis assustá-la — disse a jovem noviça, polidamente.

— Tudo bem — fez Mariana. — Depois do que eu passei lá dentro com a sua superiora, nada mais me assusta neste lugar.

— Irmã Aurora às vezes é muito severa...

— Severa até demais pro meu gosto!

— Eu ia passando e não pude deixar de ouvir a conversa de vocês — revelou a jovem. — Eu acho que posso te ajudar.

Mariana parecia despertar de um sono profundo. Mais que depressa, toda a sua atenção se voltou para o que a garota lhe falava naquele exato momento. Sentiu-se instigada.

— Me ajudar? Como? — Logo quis saber.

A noviça confidenciou:

— Conheço a história do Matheus Leubart.

— E daí? — Mariana estava impaciente.

— Muitas crianças o admiram e eu resolvi pesquisar a respeito da história dele... Sem que as minhas superioras soubessem, é claro. O sigilo é muito importante aqui.

— Imagino...

— Durante a minha pesquisa, digamos assim, descobri que há um diário, com a descrição, nos mínimos detalhes, da noite em que ele foi deixado aqui.

— Um diário?

— Era o diário pessoal da Irmã Eulália, a responsável pelo orfanato na época em que o Matheus foi acolhido...

Mariana começou a suar frio.

— E onde está esse diário?

Naquela mesma tarde, o celular de Matheus tocou enquanto ele dirigia a caminho do banco. Havia dispensado o motorista. Identificou o número no visor do aparelho e atendeu rápido.

— Oi, Mari!

— Matheus, estou resolvendo aquele assunto que você me pediu hoje cedo...

— Descobriu alguma coisa?

Mariana explicou por alto:

— Quase... Preciso de grana...

— Suborno?

— Exatamente.

Ela estremeceu ao ouvir a risada sarcástica dele do outro lado da linha.

— Nunca imaginei que rolasse esse tipo de coisa num orfanato religioso. E eu ainda me sentia culpado por fumar maconha escondido quando morei lá. — E arriscou um palpite: — Pediram quanto? Dez mil?

— Um milhão.

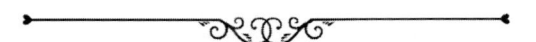

Isabel Casanova era descendente de família italiana. Era ambiciosa e esperta. Sempre sonhou em ter uma vida regalada, confortável, cheia de luxos e mimos, como nas histórias de princesa que a mãe lhe contava vez ou outra, na tentativa de aliviar a dura realidade em que viviam. O pai, alcoólatra, quase sempre era demitido por justa causa das empresas em que trabalhava. A mãe cuidava da casa e da filha pequena com o pouquíssimo dinheiro que o marido ganhava entre uma demissão e outra. Não era raro passarem fome.

Um dia, chegando a casa, no bairro do Rio Comprido, Isabel viu muitas pessoas em frente ao seu portão. Um carro da polícia estava parado sobre a calçada. Ela abriu espaço entre vizinhos e curiosos e adentrou a casa, conduzida por um dos policiais. Aquela cena nunca lhe saiu da memória: o pai e a mãe, estirados no chão da sala, envoltos por uma vasta e densa poça de sangue. A mulher com um tiro no peito, o homem com um tiro na cabeça. Ele havia matado a esposa e depois se suicidado, com um disparo na têmpora direita. Uma tragédia que chocou a vizinhança.

Sem parentes no Rio de Janeiro, a menina foi encaminhada pelo Juizado da Infância para o Orfanato Casa de Caridade Santa Beatriz de Vicência. Lá, ela decidira iniciar o postulado. Não tinha mais perspectivas. Todos os sonhos ficaram do lado de fora daqueles muros, ou morreram junto dos seus pais. Tornar-se freira, naquela ocasião, parecia a melhor das opções. Logo, ao fazer os primeiros votos como noviça, percebeu que jamais seria feliz. Mas que outra possibilidade existiria para alguém como ela, sozinha no mundo? Isabel resolveu aproveitar a oportunidade de mudar a sua vida radicalmente!

Quando descobrira o segredo sobre o órfão mais ilustre da casa, o bilionário Matheus Leubart, intuíra que havia encontrado um passaporte para outro mundo. O mundo com o qual um dia sonhara. Um segredo como aquele haveria de valer muito! E sairia muito caro para quem quisesse saber. Isabel ponderou, na época, que a falecida Irmã Eulália havia sido incauta em declarar de próprio punho tudo que sabia. Afinal, se a Igreja tinha interesse de que aquilo nunca fosse revelado... Mas isso já não tinha a menor importância. A imprudência de Irmã Eulália se transformara no maior trunfo da noviça. Ela estava de posse do diário. Até que não fora tão difícil roubá-lo dos pertences de Irmã Aurora.

―――――⊶ৎ৩৵⊷―――――

Enquanto caminhava pela Rua Primeiro de Março, no Centro do Rio de Janeiro, a noviça lutava contra as más lembranças de família que lhe vinham à mente. Era a sua grande chance. Uma chance aguardada por muitos anos. Finalmente, teria o destino que tanto desejava.

Mariana seguia pela mesma rua, já perto do local onde ela e Isabel haviam marcado de se encontrar. Fazia muito calor naquela tarde, próximo dos quarenta graus, e o Centro do Rio estava apinhando de gente indo e vindo em todas as direções. Em meio ao pequeno caos do cotidiano, a jornalista se recordava da conversa no orfanato...

— *E onde está esse diário?*
— *Muito bem guardado, garanto. Mas, se quiser, posso entregá-lo a você. Desde que me pague o preço que ele vale...*
— *Quanto?*
— *Um milhão de reais.*
— *A irmã deve estar brincando! O que faz a senhora pensar que eu pagaria tanto por esse diário?*
— *Você, nada. Já o Matheus... Se vocês soubessem o que está escrito nele, acho que valeria até mais...*

— *Como vou saber que não é um golpe? Que não está blefando? Que não quer apenas arrancar dinheiro de um milionário? Que está com o diário? Que...*

— *Acha que eu faria isso?*

— *Responda a senhora, irmã: faria?*

— *Não me critique. Só estou agindo assim porque quero outro futuro pra mim. Se me pagarem o que estou pedindo, o diário é de vocês e nunca mais nos vemos. Eu não seria tola de enganar quem poderia vir atrás de mim sem dificuldades. Já estou farta de problemas, pode apostar.*

— *Está bem. Vou falar com o Matheus. Se ele estiver disposto a pagar...*

— *Anotei neste papel um telefone que consigo atender aqui. Caso aceitem o negócio, me ligue e marcamos. Conhece a Igreja de Nossa Senhora do Monte Carmo, no Centro? Gosto muito daquela igreja...*

Mariana chegou ao local combinado e logo avistou a noviça, sentada em um banco nas últimas fileiras. Tinha uma sacola plástica ao seu lado e um rosário nas mãos. Parecia rezar em silêncio. Mariana deu alguns passos em sua direção, sentou-se no mesmo banco e lhe tocou o braço.

— Irmã?

Isabel abriu os olhos e se virou para fitá-la.

Mariana puxou da bolsa um pequeno papel, com algumas anotações eletrônicas.

— O seu dinheiro...

Isabel olhou para o papel na mão dela.

— Isto é o comprovante de uma transferência bancária, irmã. O dinheiro já está na sua conta, por isso pedi os seus dados bancários quando liguei. Ou achou que eu traria tanto dinheiro em uma maleta, como nos filmes de *gangster*?

A jovem pegou o comprovante e examinou-o minuciosamente. Leu o seu nome como "Favorecido", verificou os dados de agência e conta, tudo estava correto. Era inacreditável que tanto dinheiro estivesse à sua disposição naquele instante. Nunca tinha visto aquela quantidade de zeros atrás de um simples número um. Em seguida, retirou da sacola plástica o diário de Irmã Eulália e o entregou a Mariana.

— Aqui está. Já deixei marcada a página que interessa a vocês. Recomendo que leia em casa, com calma. É bem provável que fique chocada com o que foi escrito aí.

Mariana sorriu de modo condescendente.
— Anos trabalhando como jornalista. Nada mais me choca, irmã.
— Se você diz...
Isabel amassou o comprovante na mão. Com o punho bem cerrado, levantou-se, pisando firme, e se dirigiu à saída da igreja. Mariana observou a noviça desaparecer na multidão que passava na Rua Primeiro de Março àquela hora. Sabia que nunca mais voltaria a vê-la.

Matheus chegou atrasado ao escritório. Tinha reunião marcada com investidores e ainda precisava juntar algumas planilhas que seriam analisadas na ocasião. Era mais um grande negócio prestes a ser fechado pelo *Pex BL Investment*. Ele riu para si mesmo, pensando que o valor pago a Isabel era irrisório diante dos milhões de dólares que entrariam ainda naquele dia, apenas com a assinatura de um único contrato. O atraso se dera justamente porque ele realizava, em outro departamento do banco, a operação de transferência de dinheiro para a conta da noviça. Ainda teve de enviar, às pressas, um motoboy até Mariana para lhe entregar o comprovante da transação.
O que Matheus jamais poderia imaginar era quem encontraria, sentado confortavelmente em uma das poltronas de couro preto do escritório, à sua espera. Quando se deparou com aquele velho, reconheceu-o na hora. Muitos anos se passaram, mas nunca se esqueceria daqueles olhos de caçador. A última vez em que os viu foi na delegacia de Copacabana, em 1996, em virtude da morte da filha dos donos do albergue onde morava. O assassinato de Jéssica era como uma lembrança do dia anterior.
— Não acredito... — balbuciou Matheus, em perplexidade.
Homero levantou-se, exibindo-se para ele como o intacto sobrevivente de uma tragédia devastadora, sorrindo como um velho amigo à espera de um abraço afetuoso. Vestia um terno Armani azul-marinho. Na mão esquerda, tinha um anel em ouro cravejado de brilhantes.
— Não vai me cumprimentar? — disse Homero, esboçando naturalidade.
— Como entrou aqui? — quis saber Matheus.
— Como eu entrei não importa mais que o fato de eu já estar aqui, não acha? — ponderou Homero, com cinismo. — Relaxa! Temos tempo.
— Você deveria estar preso! Ou melhor, deveria ter sido preso e morrido na prisão!

— Quanta hostilidade — Homero riu.

— Eu vou chamar a polícia! — Matheus pôs a mão no telefone sobre a mesa dele.

— Não... Não vai... Garanto que não vai. Sabe por quê? Porque nós dois somos iguais, meu caro. Eu vim aqui te dar os parabéns por ter conseguido chegar aonde chegou. Para um maldito órfão, você se saiu muito bem.

Matheus reagiu ferozmente.

— Que porra de conversa é essa de somos iguais? Eu não sou um bandido! Um verme imundo igual a você! Fora daqui antes que eu esqueça a sua condição de velho e te encha a cara de porrada!

Homero se moveu tão sereno quanto uma camada de óleo sobre um espelho d'água, com muita elegância e suavidade. Encostou-se defronte à mesa de Matheus. Os dois se encaravam nos olhos, como se permitissem invadir a alma um do outro sem constrangimentos. Homero chegou a apoiar os dedos brancos e enrugados na borda metálica da mesa.

— Eu me vejo em você, só que mais novo — disse-lhe. — Já estive neste mesmo lugar e reconheço a maldade nos seus olhos, exatamente como nos meus, feito um reflexo.

Matheus gritava:

— Cala a boca, filho da puta! Eu nunca seria igual a você! Nunca matei ninguém!

Homero retrucou com toda a calma, como um professor diante do aluno:

— Só falta essa lição. Só falta você sentir o deleite que é extirpar a vida de alguém. Inalar o desespero da sua vítima momentos antes de você lhe arrancar o último sopro de vida. É um tesão implacável. É como o poder de um Deus onipotente. Bem ao alcance das mãos, o controle sobre a vida e a morte!

O ambiente se tornava insuportável.

Matheus segurou o telefone fora da base, ouvindo o som da linha à espera da discagem...

— Eu já escutei demais. Vou chamar a polícia agora mesmo! Você vai pra cadeia.

Homero tornou a rir. Depois argumentou, sem pressa:

— Isso. Chame a polícia. É bem provável que você e eu sejamos presos juntos. Quem sabe dividimos uma cela? As notícias correm... Mesmo sem as minhas instruções, você aprendeu direitinho. Foi um perfeito canalha com pessoas que confiaram em você. Roubou delas. Usurpou direitos.

Trocou ética por traição. E pra quê? Pra encher ainda mais os cofres do banco. Do seu banco. Do nosso banco! Quando um pobre infeliz morre numa fila de hospital, porque o dinheiro necessário para um bom atendimento foi roubado por você, é claro que você se torna um assassino tanto quanto eu. O dinheiro que você roubou de lá sentenciou aquela pessoa à morte. Você disse não pra ela!

Matheus berrava enquanto o telefone, já emudecido, caía em cima da mesa.

— Cala essa boca! Maldito! Filho da puta!

A secretária adentrou o escritório, assustada.

Homero, então, com uma rapidez incrível, puxou uma pistola da parte de trás da calça, contornou a mesa de Matheus e entregou a arma nas mãos dele, incitando-o a disparar contra a funcionária.

— Atira nela! Atira! Complete o ciclo! Atira nela! Atira!

A secretária chorava por entre murmúrios:

— Pelo amor de Deus... Não... Não...

— Atira, atira! — insistia Homero, févido.

Matheus continuava com a arma estendida sem nenhuma reação. Só olhava para a sua funcionária. Carmem trabalhava no escritório havia alguns anos. Era uma profissional exemplar. Ela possuía, debaixo do cabelo avermelhado e por detrás do belo par de olhos verdes, uma serenidade natural, quase de uma monja budista; era também dona de um temperamento tão amistoso, que às vezes chegava a irritar o chefe. Naquele instante, porém, ela chorava e suplicava que ele não a matasse.

— Por favor, doutor Matheus, não...

Homero entrou na frente de Carmem.

— Então me mata! Anda, me mata! Não tem coragem pra atirar nessa vadia, então atira em mim! Mostra que você é um bandido de verdade, um assassino que tem culhões! Atira, seu babaca!

Em silêncio, Matheus baixou a arma.

Homero parecia frustrado.

— Em mim você não vai atirar, sabe por quê? Porque seria como atirar em você mesmo! Você merece morrer tanto quanto eu. Foi por isso que você não continuou a carreira de veado, tirando foto e desfilando pelo mundo pra agradar um bando de gente fútil. O seu destino era criminoso, e não há como fugir dele! Se fugimos, ele vem atrás de nós!

A secretária desabou numa poltrona. Ela suava frio e seu corpo todo tremia. Observou o chefe parado no mesmo lugar, enquanto Homero discursava, cada vez mais fora de si, tal qual um tirano dominado pela loucura.

— Só que o mundo é muito pequeno pra nós dois. E a nossa Têmis vai decidir qual de nós merece continuar essa história. É ela quem vai mostrar qual dos bandidos é capaz de manter o curso do próprio destino. A única por quem o coração do malfeitor se dobra e se quebra. A sua amada! Ela será a balança do nosso acerto de contas!

Matheus despertou imediatamente da letargia em que se encontrava ao ouvir Homero fazer menção ao amor da sua vida: Mariana...

— O que você está dizendo?

Homero não respondeu, apenas mostrou um sorriso carregado de malícia e maldade, que ele julgava existir também em Matheus. Então, cruzou a porta do escritório e foi embora, como se saísse de uma sala vazia.

Matheus fitou a arma que Homero havia deixado ali. Tomou-a novamente nas mãos e a examinou, embora ele mesmo não soubesse por que fazia aquilo. Estava subitamente atraído por ela, num misto incompreensível de repulsa e fascínio. Certas palavras de Homero lhe voltavam à memória: "Só falta essa lição. Só falta você sentir o deleite que é extirpar a vida de alguém."

Carmem se aproximou e interrompeu os seus pensamentos.

— O senhor quer que eu chame a polícia?

— Hã?

— A polícia?...

— Ah! Não... Não é necessário. Esse maluco não vai voltar.

Ele de fato confiava que Homero nunca mais voltaria. Mas não era por isso que não desejava chamar a polícia.

"Somos iguais." Será?

Quando a secretária retornava para seu posto de trabalho, Matheus a chamou.

— Carmem!

— Sim?

— Eu não atiraria em você.

Carmem deu um sorriso frouxo.

— Obrigada, mas por um momento achei que atiraria. Que bom que me enganei. Com licença.

Ela se retirou. Matheus ainda segurava a arma.

Capítulo 21

Mariana acordou no sofá com a claridade da manhã aquecendo seu rosto. As suas costas doíam e a ela parecia que havia dormido dentro de uma caixa, toda desajeitada e retorcida. Mirou o diário aberto sobre o ventre: adormecera enquanto deliberava se leria o que estava escrito nele antes de entregá-lo a Matheus. Colocou-se então sentada e fechou o livro de uma só vez.

Os seus olhos não passariam por aquelas páginas amareladas, cuja caligrafia esmaecera com o tempo, quase insignificantes borrões de tinta no papel. Ela guardaria o segredo por mais algumas horas. Este só seria revelado na presença de Matheus; afinal, dizia respeito à história dele, não à dela, por mais que o seu instinto jornalístico-investigativo tentasse convencê-la do contrário.

O celular disparou de repente. O toque a fez estremecer de susto. Era como um mau pressentimento. Ficou sobressaltada. Atendeu como quem esperasse ouvir uma voz de outro mundo. Era o estagiário que trabalhava no jornal. O rapaz era meio gago e, para dificultar, estava ansioso. Mariana pediu que ele tivesse calma e falasse devagar. Então, ela foi informada de que a Polícia Federal tinha ido ao escritório do Banco *Pex BL Investment* logo nas primeiras horas da manhã com um mandado de busca e apreensão de documentos.

Era a nova fase da operação Esculápio, na qual Matheus era um dos investigados e praticamente réu. Depois, seria feita busca e apreensão também no apartamento dele, em Ipanema. Mariana estava em choque. Era um grande furo, digno de uma página inteira de destaque no jornal. Porém, desta vez não lhe gerava entusiasmo. Tratava-se do homem a quem amava profundamente, do pai de sua filha. Mariana experimentava uma enorme sensação de tristeza e impotência.

Uma hora mais tarde, enquanto se dirigia para o edifício do banco, recebeu outro telefonema. Daquela vez o estagiário lhe informava que Matheus estava na sede da Polícia Federal, na Praça Mauá, para ser interrogado sobre o assassinato de uma enfermeira que era a principal testemunha da operação.

A mulher tinha sofrido uma emboscada durante a noite e foi morta à queima-roupa, com três tiros de 762. Vizinhos haviam dito à polícia que viram o assassino, um homem, chegar num carro grande, abrir a janela e efetuar os disparos, fugindo logo após a execução, mas nenhum deles foi capaz de identificar o criminoso, nem o modelo ou a placa do veículo, devido à escuridão no local. Disseram, ainda, que foi tudo muito rápido: não demorou mais que um minuto para que a enfermeira recebesse os tiros e caísse morta na calçada.

Mariana encontrou Matheus sentado numa antessala, na Polícia Federal, à espera de ser interrogado. Apenas uma porta metálica separava o recinto em que ele estava da sala principal, onde seria ouvido pelo delegado titular do caso. Dois agentes grandalhões, com as mãos posicionadas nos coldres, faziam a vigilância do lugar.

Ela afundou numa cadeira ao lado de Matheus e segurou firme na mão dele.

— Que foi que você fez? — perguntou-lhe, e os olhos dela se encheram de lágrimas.

— Não fiz nada. Eu sou inocente — ele alegou.

— Você foi longe demais, Matheus. Assassinato?!

— Eu não fiz nada, Mari! Acredita em mim! Eu sou inocente, não matei ninguém! Isso é um plano pra me colocar na cadeia! Uma cilada!

— Cilada de quem?

Matheus suspirou longamente e revelou:

— Eu não te contei antes, mas aquele maldito do Homero Mancini reapareceu. Esteve no meu escritório. Ficamos frente a frente, e por pouco não aconteceu uma tragédia! Eu tenho certeza de que ele matou essa mulher pra me incriminar!

— Homero Mancini está foragido há vinte anos!

— Estava! — ressaltou Matheus. — Não está mais! Esse homem é um psicopata, um sádico, não dá a mínima pra vida dos outros. É um predador! Ele matou essa enfermeira porque ela é testemunha contra mim na investigação. É claro que todos pensariam que fui eu quem quis acabar com a vida dela!

— E por que você não chamou a polícia quando ele apareceu no seu escritório?

— Eu tentei, mas ele me deixou perturbado. Eu não conseguia acreditar que aquele verme estava ali, diante de mim, depois de tantos anos!

Mariana alarmou-se.

— Você precisa contar isso à polícia! Esse bandido não pode ficar à solta por aí, ninguém sabe do que ele é capaz!

— Vou contar, pode deixar! Não chamei nem advogado, tenho a minha consciência limpa, eu não fiz nada de errado. — Matheus encarou-a dentro dos olhos e suplicou: — Por favor, Mariana, acredite em mim! Eu preciso que você acredite em mim! Eu sou inocente, não matei ninguém!

Ela lhe deu um beijo e o abraçou bem forte.

— Eu acredito. Eu acredito em você, meu amor.

— Não sou assassino. Não sou igual àquele monstro — dizia Matheus, amargurado.

— A polícia te obrigou a vir?

— Não. De forma alguma. Eu quis vir antes que me chamassem pra depor. Eu sabia que a morte dessa enfermeira só complicaria mais a minha situação.

— Entendi.

Ele então se lembrou de perguntar:

— E o diário?

Mariana parecia fora de órbita.

— Diário?

— É... O diário que a freira nos "vendeu"...

— Ah. Tá em casa.

— Você leu? — Havia ansiedade na voz dele.

— Não.

— Por quê?

— Prefiro que a gente leia junto. É algo do seu passado, não tinha sentido que eu lesse antes de você. Depois que você for liberado, a gente passa lá em casa e lê junto, pode ser?

— Claro. — Ele tornou a beijá-la. — Eu te amo!

O telefone de Mariana tocou. Era a terceira vez que isso acontecia em menos de duas horas. Ela começava a ficar mal-humorada.

— Já vi que o dia hoje vai ser longo! — Ela pôs o aparelho no ouvido e escutou por alguns segundos, depois respondeu secamente: — Estou indo *praí*.

— Algum problema? — inquiriu Matheus, quando ela encerrou a ligação.

— Era lá do jornal. Não sei direito o que houve, a pessoa falou muito rápido, não deu pra entender. Estão precisando de mim... — Ela mordeu os lábios, contrafeita. — Não queria te deixar aqui sozinho...

Matheus apertou a mão dela.

— Tudo bem, não se preocupe. Pode ir, dessa vez não vou ficar chateado.

— Ok — assentiu Mariana. — Mas assim que eu terminar lá, te ligo. Se você ainda estiver aqui, eu volto, tudo bem? Não esquece que a gente combinou de ler junto o diário lá em casa...

— Combinado!

— O seu celular está ligado?

— Está, sim.

— Ótimo! Nos vemos daqui a pouco...

Ela se despediu com outro beijo e saiu apressada.

Mariana se afastou do prédio da Polícia Federal. Pediu um carro particular pelo Uber. O aplicativo indicou que o tempo de espera seria de oito minutos, por isso estranhou quando o sedan preto, com vidros escuros, encostou-se ao meio-fio.

O vidro da janela do motorista baixou e de repente apareceu uma submetralhadora.

— Entra no carro — ordenou-lhe o *chofer*, mirando a arma na direção dela.

Passaram-se alguns milésimos de segundos até que ela compreendesse o que estava acontecendo. A princípio achou que se tratava de um sequestro relâmpago, mas logo percebeu que a intenção era outra; Homero era o motorista.

Embora estivesse correndo perigo, Mariana decidiu não tentar fugir. Ao contrário, queria ir com ele. Seria a sua grande chance de ajudar Matheus a colocá-lo na cadeia. Valia a pena arriscar a sua vida. Com o objetivo de facilitar o trabalho da polícia, ela acionou discretamente o *software* antissequestro instalado em seu celular...

O *smartphone* de Matheus vibrou na delegacia no mesmo instante. Ele tirou o aparelho do bolso e conferiu o visor. Havia uma mensagem automática em SMS enviada pelo telefone dela:

"Estou em perigo. Chame a polícia."

A partir daquele momento, o *software* passou a enviar a localização exata de Mariana. Matheus não pensou duas vezes: pegou o carro e saiu em disparada, antes de prestar depoimento à Polícia Federal. Precisava salvar Mariana. Ele já sabia quem era o sequestrador.

Estava chegando a hora do acerto de contas...

O sedan de Homero avançava pela Rodovia Rio-Santos a mais de cento e quarenta quilômetros por hora. Mariana se segurava no banco, como se a qualquer momento o veículo fosse decolar. O vento forte que vinha da janela com os vidros abertos esbofeteava seu rosto. Ela via a paisagem do lado de fora distorcida pela velocidade. Eram tons em verde e cinza fragmentados e diluídos ao compasso do barulho do motor.

Homero tinha descansado a submetralhadora entre as pernas, enquanto dirigia. Não dizia nada e demonstrava tranquilidade, com as mãos firmes ao volante.

Em dado momento, Mariana arriscou perguntar:

— O que você vai fazer?

Ele deu uma risada asquerosa e respondeu sem desviar os olhos da pista, que parecia cada vez mais longa:

— Primeiro, vou te dar um trato. Depois, você e eu vamos esperar o seu namoradinho vir te buscar. Daí eu acabo com ele.

— A polícia já deve estar atrás de nós. Você não vai escapar...

Homero soltou outra risada, não menos repugnante.

— É? E quem disse que quero escapar? Na vida só há uma certeza: a morte. E ela será a nossa convidada hoje. Vamos ver quem serão os escolhidos. Espero que esteja vestida com a sua melhor roupa...

Matheus seguia pela Avenida Brasil. Freou de repente por conta de um engarrafamento na altura de Guadalupe. Examinou de imediato o aplicativo e constatou que, pelo sinal do telefone de Mariana, eles já estavam bem longe. As coordenadas o fizeram presumir que o destino de Homero era a Costa Verde.

"Por que ele está levando-a para lá?"

Ele começava a sentir um desespero crescente. Precisava sair daquele engarrafamento o quanto antes. Se acontecesse algo a Mariana, jamais se perdoaria. Tinha de salvá-la.

Matheus pôs a cabeça para fora da janela e indagou a um ambulante que passava:

— Amigo, por que tá tudo parado?

O homem deu de ombros.

— Uma batida ali na frente... Normal... Vai água aí, chefe?

Durante o caminho, Homero exclamou:

— Esqueci o detalhe mais divertido!

Mariana tornou para ele, confusa.

— Divertido?

Homero lhe estendeu uma das mãos enquanto a outra continuava fixa ao volante:

— Me dê o seu celular!

Mariana não hesitou, entregou-lhe o aparelho, que antes estava perdido entre seus outros pertences dentro da bolsa. Homero então o arremessou imediatamente pela janela. Viu, pelo retrovisor, o telefone se estilhaçar na estrada, que parecia arder sob o sol escaldante.

— Assim será mais divertido — ele riu.

— Você é louco...

Homero justificou, com a empolgação de um exímio estrategista:

— Ele tem de nos caçar! Não se preocupe, tenho certeza de que o filho da puta vai dar um jeito de nos encontrar! E realmente espero que nos encontre. Faz parte do meu jogo. E sou eu quem faz as regras. Minhas regras! Vou pôr fim à vida desse maldito órfão que atravessou o nosso caminho!

Mariana sentiu um súbito estalo dentro da mente. Era como um clarão. Nosso?! O seu faro jornalístico sempre lhe dizia que Homero tinha um cúmplice, mas não fazia a menor ideia de quem poderia ser ou de como chegar até ele.

— Então tem alguém com você...

— Até que você não é burra, apesar de ter acreditado que a minha ligação era de alguém do seu jornaleco — debochou. — Claro que tem alguém comigo! Um plano da magnitude do Pex BL seria pouco provável se organizado por uma única pessoa. É preciso tentáculos que alcancem todos os meios necessários para o resultado esperado... — continuou de maneira quase didática.

— Pex BL... um plano? — Mariana tentava concatenar as informações que recebia, e lamentava profundamente não ter um gravador para registrar tudo.

— Pex BL — repetiu Homero. — Plano de Extinção do Banco Leubart — revelou, por fim, o significado do baquigrama que dava nome à instituição. — Foi uma ideia simples, mas magnífica! Nós acabaríamos com um gigante doente para criar outro saudável. Já estava tudo certo. A morte já tinha sido forjada com êxito meses antes; eu já havia sido contratado para surgir feito um príncipe... Só que aí quis Deus, ou o demônio, que o maldito órfão cruzasse o nosso caminho!

A cabeça de Mariana estava um turbilhão e funcionava com uma rapidez vertiginosa. Naquele instante, a velocidade do carro de Homero lhe parecia inócua comparada à agilidade do seu raciocínio. Faltava apenas uma peça importante para completar o mosaico.

— Forjaram a morte... de quem? — perguntou Mariana.

— Do meu parceiro...

— Que é...?

— Alberto Leubart — ele respondeu com naturalidade.

Mariana tomou um choque.

— Alberto Leubart está vivo?!

— Sim, minha querida — confirmou Homero. — Era ele quem ajudava o seu orfãozinho a administrar o nosso banco. Ele ensinou muitas coisas pelo telefone. O infeliz sequer desconfiava quem era seu "consultor máster". Caiu na esparrela de que era apenas um colaborador paciente que se dispôs a ajudar um principiante nos negócios. Alberto é um gênio! Ele planejou tudo. Eu só ajudei a executar.

Mariana sussurrava para si mesma, perplexa:

— Não pode ser...

— Sabe — Homero prosseguiu —, a pior parte foi ter de matar a Laura... Eu gostava muito de trepar com aquela vadia. Tinha aquele jeito metido, elegante, mas na cama... — deu uma cotovelada de leve no braço de Mariana — era uma puta melhor do que de zona!

Mariana ligava uma informação à outra como se juntasse as partes de uma colcha de retalhos. Tudo fazia sentido agora! O plano de Homero e Alberto Leubart era claro como a luz daquele dia.

— O incêndio que matou a Laura também foi provocado por você... Não foi um acidente...

— Bingo! — Ele parecia orgulhoso. — E o infeliz do Matheus deveria ter morrido também, mas até hoje não sei o que deu errado...

A sinceridade dele era assustadora e deixava Mariana com o estômago embrulhado. Ele demonstrava uma frieza asfixiante. Não existia qualquer traço de sentimento naquele homem. Era como uma pedra pontiaguda: incapaz de pensar, sempre pronta para ferir.

Matheus tinha razão. Homero era um predador. E havia nele algo além da garantia da própria sobrevivência: ele demonstrava prazer em matar.

— E onde está o Alberto Leubart agora?

— Vivendo no exterior, é claro, com os lucros gerados pelo Pex BL *Investment*. Um lucro que o Banco Leubart, mesmo antes de falir, nunca deu. Por isso ele quis acabar com um banco e criar outro. Mas não daria certo sem a "morte" do Alberto e sem que outra pessoa assumisse os negócios como testa de ferro dele. — Virou-se para ela como se apresentasse a grande atração de um espetáculo. — Eu! — E continuou: — Então, um acidente de helicóptero... quem escapa?

— Qual a próxima parte do plano de vocês?

— Quer mesmo saber, docinho?

Mariana apenas olhou firmemente para ele, esperando a resposta.

— Matar você e o órfão!

Ele fez uma curva brusca e entrou por uma estrada de terra. Uma nuvem densa e amarelada de poeira envolveu o carro. A paisagem do lado de fora desapareceu. Mariana só foi reparar no local onde estava quando Homero estacionou, minutos depois. Era o galpão de uma fábrica desativada, no meio do nada.

Já na Rio-Santos, Matheus avistou uma mulher no acostamento. Ela acenava para ele e demonstrava certo desespero. Ele freou de súbito, deixando as marcas de pneu no asfalto. Engatou marcha à ré e parou ao lado da estranha. Nem ele mesmo entendeu o que o levou a parar. Instinto, talvez? Intuição? O tempo era escasso. A vida de Mariana continuava em perigo.

A mulher usava um longo vestido branco de tecido fino, que esvoaçava a favor do vento. Ela debruçou na janela do carona e disse:
— Eu sei onde ela está. Posso te levar.
Matheus não teve dúvidas e lhe respondeu mais que depressa:
— Entra aí...

Mariana tentava gritar, mas Homero a amordaçou e amarrou seus pés e braços. Depois arrancou a roupa dela e a penetrou violentamente. A dor foi indescritível. Dos olhos dela escorreram lágrimas, sem que pudesse controlar. Ela rezava e pedia a Deus que tudo aquilo terminasse. Homero suspirava forte, enquanto movimentava os quadris feito um louco pervertido. Os gemidos ecoavam pelo galpão vazio e fétido.

Mariana se retorcia, querendo escorregar pela graxa no assoalho e fugir, porém ele a segurava fortemente pelos braços, atados com cordas. Era como um filme de terror.

Ela sentiu que começava a sangrar entre as pernas. De repente, Homero estremeceu e saiu de cima dela. Mariana urrava e mordia a mordaça, não suportando a dor. Ele ainda sacudiu o pênis, que começava a desinchar, e deixou um pouco de sêmen pingar sobre ela.

— Por isso o orfãozinho é tão gamado em você! Como diriam na Itália, *una bella puttana*!

Um som de motor de carro veio de fora do galpão. Matheus finalmente estava na fábrica abandonada, próxima do trecho onde encontrou a mulher que o conduzira. Aquela estranha de fato sabia a localização de Mariana e Homero: o tempo todo orientou o caminho que levaria Matheus até lá.

Ao descer do veículo, Matheus não percebeu que a mulher não estava mais sentada ao seu lado, no banco do carona. Ele correu na direção do galpão e invadiu o local. Vasculhou ao redor, não havia ninguém. Correu para os fundos do terreno e se deparou com Homero. Assim que fitou Matheus, Homero tirou um isqueiro do bolso.

— Cadê a Mariana?! — gritou Matheus.
— No porta-malas — indicou Homero.

Matheus sacou a pistola 762 que trazia escondida embaixo da camisa.
— Eu vou te matar, velho filho da puta!

Homero olhou tranquilamente e em silêncio para o chão, ao seu lado esquerdo. Matheus também olhou e descobriu que um líquido escuro seguia em linha reta até o porta-malas do carro.

— Gasolina faz um bom estrago — comentou Homero de modo casual e perigoso. — Basta eu jogar esse isqueiro aceso e em poucos segundos o fogo chega até aquele porta-malas e... bum! Lá se vai o carro com a sua namorada dentro.

— Eu mato você!

— Espero que sim. Até porque, se você não me matar, eu vou explodir a sua namorada. — Ele acendeu o isqueiro. — Atire em mim, mate-me... se for capaz.

Matheus observava a chama brilhar na ponta do isqueiro. Ao mesmo tempo em que mirava a pistola contra Homero.

— Você não tem coragem de atirar, não é?

— Eu não sou um assassino.

— Não? — duvidou Homero, com cinismo. — Eu acho que não é isso que dizem sobre você depois da morte da enfermeira...

Matheus ficou ainda mais nervoso.

— Você a matou! Você! E quer jogar a culpa em mim!

Homero deu um passo à frente.

— Você não vai atirar. Então devolva a minha arma. Não vai adiantar você ficar com ela, melhor me devolver.

— Solta a Mariana... A gente resolve só entre nós... Ela não tem nada a ver com isso...

Ao longe se ouviu o som das sirenes da polícia.

Homero estreitou os olhos e contraiu as sobrancelhas para baixo, visivelmente irritado.

— Hum, pediu ajuda? Interessante...

Matheus também se mostrou surpreso.

— Eu? Eu não pedi nada! — Então se lembrou da estranha a quem dera carona. — Deve ter sido a mulher que me ajudou a chegar aqui...

— Mulher?

Matheus não respondeu. Desesperado para salvar Mariana, ele largou a arma e saiu em disparada, correndo como nunca em toda a sua vida, até o porta-malas do carro.

Homero então jogou o isqueiro aceso no rastilho de gasolina. O fogo começou a se alastrar em linha reta pelo terreno, feito uma cobra incandescente atrás de Matheus. Mariana estava quase desacordada quando ele a resgatou de lá e se jogou no gramado, pondo o seu corpo sobre o dela a fim de protegê-la. Logo depois, a explosão. O automóvel despedaçou-se, lançando ao redor vários fragmentos de metal e vidro, cobertos por chamas.

Matheus constatou que a calça de Mariana estava encharcada de sangue, abaixo da cintura. Ele não demorou a presumir o estupro. Levantou-se furioso, cego de ódio, e partiu pra cima de Homero, que os observava a alguns metros, segurando a 762 que Matheus deixara para trás.

— Filho da puta! Desgraçado! Agora eu vou te matar! Vou acabar com a tua raça! Vou te mandar pro inferno!

Os dois homens se embolaram num duelo que há muito estava para acontecer. Caíram num lamaçal oriundo de detritos que vazavam de um depósito próximo a eles. Matheus tentava esmurrar Homero, que desviava dos golpes rolando para os lados, sempre com a 762 firme em sua mão.

Viaturas da polícia cercaram a antiga fábrica no instante em que eles lutavam. O Corpo de Bombeiros também havia chegado. Enquanto paramédicos socorriam Mariana, outra equipe se posicionava com mangueiras para apagar o incêndio do veículo que explodira. Uma fumaça negra subia para o céu, manchando a paisagem bucólica e quase inabitada daquela região entre os municípios de Itaguaí e Seropédica.

Policiais armados saltaram das suas viaturas e correram na direção dos homens. Naquele momento, aconteceu o disparo. Mariana, que estava sendo levada para a ambulância, reuniu o pouco de força que ainda lhe restava e voltou correndo para ver Matheus...

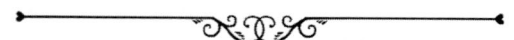

Já era noite, e ela estava deitada na cama do hospital. Tinha dores terríveis e hematomas por todo o corpo. Sabia que jamais esqueceria aquele dia. O pior da sua vida. Se pudesse voltar no tempo, tentaria evitá-lo. Não teria entrado no carro. Teria corrido. Ou talvez o fizesse atirar nela. Seria menos sofrimento diante de tudo que passou.

Ajeitou-se na cama. Os seus ossos estalavam e rangiam como madeira velha. Pegou o diário sobre o aparador ao lado, onde um prato de sopa esfriava fazia horas. Não tinha fome, nem sede. A consternação lhe roubou todos os apetites.

Ela havia pedido a Sandra, uma vizinha do prédio, que fosse até o seu apartamento e buscasse o diário de Eulália. Sandra fez conforme Mariana lhe pedira e, no final da tarde, já o tinha entregado no hospital. Sozinha, àquela hora, Mariana finalmente pôde ler:

Quinta-feira, 05 de junho de 1980

Anteontem eu já havia servido a ceia da noite, os portões já tinham se fechado e as irmãs se recolhido aos seus aposentos, quando ouvi chamarem na frente desta casa. Pensei se tratar da ilusão da minha mente cansada pelos afazeres e problemas do dia. Mas, infelizmente, não era. Lá estavam os dois. Teria sido uma cena como tantas outras que já me acostumei a presenciar, se não fosse pelo fato de que quem trazia a criança era a própria mãe. Isso, aliás, também seria um fato ordinário. Esta mesma casa se tornou o lar de tantas crianças enjeitadas por aquelas que lhes deviam acolher, cuidar...

A mulher usava um vestido branco. Disse-me que seu nome era Amara, que havia trabalhado como empregada para Laura Leubart e que falecera num acidente de carro há dois anos, levando a ex-patroa a adotar seu filho, Diogo, que nascera em maio de 1978, mas que foi registrado como Matheus Leubart, nascido em agosto do mesmo ano. Ela viera, nas suas próprias palavras, do outro lado da fronteira, do mundo dos mortos, em espírito, para ajudar o menino, que corria perigo em virtude de um plano diabólico arquitetado por dois homens. Um deles, marido da Sra. Laura... dado como morto, só que nunca, de fato, segundo a tal mulher, habitou o lado de lá.

Aquela figura disse, ainda, que acabara de salvar seu bebê de um incêndio criminoso, do qual a Sra. Laura não pôde escapar e acabou morrendo. Embora não conseguisse acreditar na história que aquela mulher me contava, por achá-la demasiadamente fantasiosa, recebi a criança em meus braços.

Logo nas primeiras horas de ontem, fiz alguns contatos e me deparei com o fato mais improvável de toda a minha vida. Para meu espanto, realmente uma mulher chamada Amara, que trabalhou como doméstica na casa da família Leubart... já era falecida! Visitei pessoalmente o seu túmulo! E lá estava a sua foto, com o seu rosto tão sereno quanto o que aparentou na noite em que esteve aqui.

Hoje, revisitando mentalmente a cena, veio-me à lembrança outra confidência feita pela mulher, em meio aos seus olhares de ternura e preocupação: aquela era a segunda vez em que Matheus se salvara; mas, se algum dia ele deixasse de seguir o caminho do bem ou se desvirtuasse, a morte o alcançaria. Várias fronteiras dividiam a vida, ela prosseguiu, inclusive a fronteira entre o bem e o mal; esta Matheus não deveria cruzar nunca, porque a morte o esperaria do outro lado.

Meu Deus! Os dogmas e os preceitos da Igreja sofreriam grave abalo se este caso fosse revelado! Portanto, a partir de hoje, guardarei este segredo comigo até o findar dos meus dias nesta terra. Para o bem da Igreja. Para o bem de todos. Em paz com a minha consciência e certamente absolvida por Deus.

Eulália

Ao terminar a leitura, Mariana estava boquiaberta com as revelações de Irmã Eulália. Então Matheus tinha sido salvo do incêndio... pela mãe já falecida? Foi ela que o levou para o orfanato Santa Beatriz de Vicência? E... Alberto Leubart forjara a própria morte, confirmando o que Homero lhe contara? Nem mesmo sua mente investigativa poderia supor algo tão fantástico!

Ciro entrou no quarto feito alguém que fugisse de um monstro no corredor. O semblante dele pesava de ansiedade. Ele sempre ficava assim quando descobria algo que certamente daria manchete no jornal.

Ciro era um homem negro, franzino, já na casa dos quarenta anos, com os olhos um pouco amarelados, mas tão espertos e atentos quanto os de uma águia. Editor, trabalhava com Mariana na redação e a chamava de chefe, embora ela renegasse essa condição com veemência. Para ela, no jornal, todos eram colegas ou parceiros. Existia hierarquia, contudo não de um modo arrogante ou protocolar como em outras empresas. Mesmo assim, ele insistia em tratá-la daquele jeito.

— Chefe! Como você está?

— Estou melhor. — Ela fechou o diário com certa rapidez e o guardou embaixo do travesseiro. Depois tornou para Ciro: — Você que me parece assustado, o que houve?

Ele trazia a notícia:

— Compararam o laudo de balística do projétil retirado do corpo da enfermeira com a pistola 762 apreendida hoje em poder do Homero Mancini. Não deu outra... É a mesma arma. Foi o Homero Mancini quem matou a enfermeira.

Antes que ele dissesse mais alguma coisa, Mariana o interrompeu:
— Calma, Ciro. Não é bem assim.
Ele contraiu a testa.
— Não?
— A pistola não estava em poder do Homero no dia do crime, estava com o Matheus. Ele mentiu pra mim. Foi o Matheus quem matou a enfermeira — Mariana desabou em prantos.
— Tem certeza? — duvidou o colega.
Mariana esclareceu entre soluços que quase podiam ser ouvidos no hospital inteiro:
— Tenho... O Homero recuperou a pistola hoje, durante o meu sequestro... Ele tinha deixado a arma no escritório do Matheus dias antes. Ele foi lá, os dois discutiram... A arma estava com Matheus o tempo todo, então só ele pode ter usado pra matar a tal enfermeira... Não tem a menor possibilidade de outra pessoa ter cometido esse crime! O Matheus mentiu pra mim, você entende? Mentiu pra mim!
E ela já não conseguia mais falar, só chorava desabaladamente.
Ciro se achegou perto dela na cama e abraçou-a bem forte.
— Sinto muito, chefe...
Mariana se lembrava do trecho do diário:
"... várias fronteiras dividiam a vida, inclusive a fronteira entre o bem e o mal... Esta Matheus não deveria cruzar nunca, porque a morte o esperaria do outro lado..."
Ela enfim pôde compreender o que acontecera horas antes...

Matheus agonizava no chão com um tiro no peito, enquanto Homero era algemado pelos policiais e levado em seguida para uma das viaturas.
Mariana, rendida ao desespero, ajoelhou-se ao lado do homem que amava. O pessoal do Corpo de Bombeiros tentou levá-la de volta para a ambulância, mas ela se agarrou a Matheus como se pudesse salvá-lo da morte. Nada, porém, podia ser feito. Já havia uma quantidade enorme de sangue escorrendo por sua boca e pelo ferimento aberto no tórax. Paramédicos ainda tentavam reanimá-lo.
— Meu amor, não morre, por favor... Fica comigo... Não morre! — suplicava Mariana. — Eu te amo tanto... Que vai ser da minha vida sem você, meu amor? Fica, por favor... Nós temos uma filha linda, esqueceu? Você ainda não pode ir... Não me deixa aqui sozinha...

De repente, ele cerrou os olhos e resvalou para a escuridão. Iria finalmente encontrar os seus verdadeiros pais do lado de lá. Como num filme, ele viu ainda, no subconsciente, o momento exato do desastre: ele era um bebê e tinha sido arremessado para fora do automóvel.

Mariana chorava, debruçada sobre o corpo de Matheus. Era incapaz de ver a mulher de vestido branco ajoelhada ali perto deles. Amara havia guiado o filho até ali, mas daquela vez não pôde evitar a sua morte. Um agente se aproximou e cobriu o cadáver com um plástico preto. Mariana fitou o céu, com o rosto quase deformado pelo choro incontido. Ela questionava a Deus, ou a qualquer outro ser que porventura estivesse acima dela, se ela seria forte o suficiente para suportar a perda de Matheus. Ninguém lhe respondia. A sensação era de silêncio e vazio em meio ao caos.

Homero era colocado no banco de trás da viatura policial. Pela janela do automóvel, ele via o sofrimento desmedido de Mariana. Ela não parava de chorar nem por um minuto, curvada sobre o plástico que cobria o corpo de Matheus. Tanta dor e tristeza eram estranhas a ele. Jamais sentira algo parecido em toda a sua vida. Homero era livre de emoções. Ou fora. Até aquele minuto, quando sentiu a presença de alguém ao lado dele na viatura.

A mulher de vestido branco transpassou levemente uma das mãos no rosto dele, de uma extremidade à outra, sem tocá-lo de fato. O semblante de Homero mudou na hora. Ele abriu um sorriso largo, os olhos ficaram vidrados e paralisados na mulher. A sua voz também se modificou: estava efusiva, impregnada de uma empolgação inexplicável e irremediável.

Ele desandou a falar coisas desconexas:

— Nossa! Como você é linda! Vamos nos casar, vamos nos casar, sim! Você e eu! Eu e você! Eu sou rico, sabia? Muito rico! Eu sou dono de várias empresas, tenho carros, barcos, aviões e até um castelo! — Ele deu uma risadinha histérica. — Eu tenho um castelo só meu, porque eu sou um rei! É, eu sou rei! O Rei Homero! E você será a minha rainha! Qual o seu nome? Hã? Amara? Rainha Amara! Você será a minha rainha! Teremos muitos súditos...

Os dois policiais que ocupavam os bancos da frente olharam para trás e viram Homero falando sozinho.

— Mais um doido pra justiça trancafiar no manicômio — comentou um deles.

Um mês havia se passado desde o sequestro de Mariana. Ela tomava uma caneca de café na sala, enquanto Helena se arrumava no quarto para encontrar alguns amigos. Mariana não parava de pensar em Matheus. Sonhava com ele todas as noites, desde que o perdera naquela tragédia que ela não conseguia esquecer. Seria uma ferida aberta para o resto da sua vida.

A ausência de Matheus a sufocava e lhe tirava o ânimo.

Os dias eram intermináveis, as noites, longas, frias demais. Cores e sons deixaram de existir. Nem mesmo a música que os dois amavam, *So Beautiful*, de Chris de Burgh, lhe provocava alegria, apenas uma doce lembrança embalada em tristeza. Mariana sabia, porém, que tinha de continuar a viver. Devia isso a ele e também à filha.

Fechou os olhos e reencontrou Matheus na sua imaginação. Reviveu os beijos, os abraços, as transas súbitas e sempre carregadas de um desejo premente. Experimentou outra vez o jeito como ele a despia com a ponta dos dedos. A maneira como se atiravam na cama, como se mergulhassem num oceano. O dia em que ele bateu à porta, todo molhado, trazendo-lhe a torta de nozes que ela amava. A noite que caminharam juntos nas areias molhadas de Copacabana, perto da colônia de pescadores, o ponto da praia de que Matheus mais gostava e que conhecera quando morou no albergue.

Lembrou-se também de quando testemunharam o pôr do sol na pedra do Arpoador, aninhados um ao outro. Era tudo tão vivo! Ela pôde sentir até o cheiro do perfume amadeirado que ele usava. De repente, uma palavra, dita por outra voz, atravessou-lhe as recordações.

— Mãe!

Mariana abriu os olhos, confusa, ainda sob o efeito das lembranças, no limbo entre a realidade e a imaginação.

— Tá tudo bem, mãe? — perguntou Helena, preocupada.

— Oi, filha. Eu me distraí aqui...

— Estava se lembrando do papai, né?

— Estava... Estava, sim...

— Eu também morro de saudade. Fiquei muito triste de não ter tido tempo de me despedir dele.

— Você estava fora do Brasil...

— Eu sei, mas queria ter me despedido... Eu amava tanto o meu pai!

— Ele também te amava muito.

Helena puxou uma cadeira e se sentou ao lado da mãe.

— Como serão as coisas agora? — indagou.
— Que coisas, filha?
Helena deu de ombros.
— Ah, o banco, as empresas, sei lá... Se isso tudo vier pra mim, eu não vou saber o que fazer. Nunca quis herdar nada disso, ser empresária, essas coisas...
— Minha filha, o Alberto Leubart, antigo dono do banco, não morreu. Todos os atos feitos em razão da suposta morte dele são anuláveis, inclusive a aquisição pelo *Pex BL Investment*. Ou seja, o Alberto volta ao comando do Banco Leubart e vai responder por todas as fraudes que cometeu com a ajuda daquele maldito Homero. Você não vai herdar as empresas, porque elas voltam pras mãos do antigo dono, entendeu?
— Entendi, mãe.
— A gente só vai herdar os bens pessoais do seu pai: apartamento, carro... Se você concordar, vendemos tudo. Não temos dinheiro pra manter o que ele deixou. É tudo muito caro.
— Por mim, tudo bem. Passou na TV que encontraram o tal Alberto na Itália. Ele foi preso.
— É, eu também fiquei sabendo, me ligaram lá do jornal. Isso não vai trazer o seu pai de volta, mas já é alguma coisa. — Mariana fitou Helena atentamente e admirou-se. — Você está linda, minha filha!
— Vou encontrar a Gi, a Dé e uns colegas que fizeram curso comigo! Eu ainda não estive com eles desde que voltei ao Brasil. A gente marcou de comer uma pizza.
— Vai, sim, filha. Divirta-se!
— Você não quer vir também?
— Não. Vou dormir cedo hoje.
— Tá bom! Beijo!
Helena deu um "selinho" na mãe e seguiu apressada para o elevador. Ela realmente estava linda. Usava uma camiseta branca, moderna, com a estampa do Aerosmith, sua banda favorita, e uma calça jeans cheia de detalhes, trazida do exterior. Os cabelos estavam presos num rabo de cavalo, e o rosto, limpo como quem acabara de sair do banho. Helena era uma jovem muito bonita. Todos diziam que puxara os traços do pai.

EPÍLOGO

Ao chegar perto de Mariana, entre repórteres e fotógrafos que lotavam o terraço do hotel, Matheus já estava com o anel de noivado nas mãos. Levara guardado no bolso interno do paletó.

— E agora? Você aceita se casar comigo?

Ela sorriu, transbordando felicidade.

— Aceito!

Matheus pôs a aliança no dedo de Mariana, na mão esquerda.

— Somos casados a partir de hoje.

Os *flashes* das câmeras fotográficas de jornais e revistas de celebridades espocaram como fogos de artifício. Os convidados cercaram o casal, sem conter os aplausos. Mariana ria. Aquele era o dia mais feliz de toda a sua vida. Matheus a beijou sem pressa.

Depois ele comentou ao acaso:

— Sabia que o meu pai tentou colocar uma aliança igual a essa no dedo da minha mãe e não conseguiu?

— Jura? Coitado...

— Não deu tempo!

— Por quê? — Mariana ficou séria.

Matheus parecia consternado ao responder:

— Foi na hora do acidente. Quando ele foi colocar, o carro derrapou pra ribanceira.

Mariana torceu os lábios, lamentando:

— Que triste...

— Muito!

— E como você soube que foi assim?
— Ele me contou quando o encontrei. A minha mãe confirmou. Ah! Encontrei também a minha avó. Acredita que ela me procurou por muitos anos? Uma história incrível...

A orquestra deu início à valsa.

Matheus puxou Mariana para o meio do salão apinhado de gente. Ela entrou em pânico:

— Não sei dançar!

— Relaxa. Eu te conduzo — disse Matheus, dando os primeiros passos, indo de um lado para o outro. Mariana começou a achar divertido.

Outros casais também se formaram e todos dançavam ao redor deles. Quando a melodia atingiu o seu ápice, Matheus rodopiava com Mariana pelo salão, os dois no mesmo ritmo. Ela abriu os olhos de repente. Deu um pulo da cama e foi ao quarto de Helena. Ao abrir a porta devagar, cuidando para não fazer barulho, viu a filha dormindo em paz. Aquela cena haveria de se repetir por muitas madrugadas.

Agradecimentos

A Deus, sempre, pela oportunidade.

À minha mãe, presente e atuante em todas as horas da minha vida.

À Petruska Perrut, cujo profissionalismo e amizade se tornaram indispensáveis à minha arte e à minha vida, respectivamente.

À Tammy Luciano, que por mais que eu agradeça faltarão palavras para mensurar a importância da sua amizade e parceria nos meus momentos mais decisivos. Aqui registrada a minha imorredoura gratidão por essa mulher incrível.

À Catia Mourão, editora dedicada, que acreditou no potencial desse livro e me fez desejar que ele chegasse aos meus queridos leitores.

A todos que, de alguma forma, colaboraram ou torceram para que este sonho se tornasse real.

VISITE AS PÁGINAS OFICIAIS

www.lereditorial.com

twitter@Ler_Editorial

www.facebook.com/lereditorial

www.instagram.com/lereditorial

pinterest.com/lereditorial/